Wege der Mystik

Herausgegeben von Gotthard Fuchs

Johannes Thiele (Hrsg.)

Mein Herz schmilzt wie Eis am Feuer

Die religiöse Frauenbewegung des Mittelalters in Porträts

Kreuz Verlag

Fotohinweise:
Seite 56: Aus »Wisse die Wege« SCIVIAS von Hildegard von Bingen
Otto Müller Verlag Salzburg, 8. Auflage 1987
Seite 252: »Die Heilige vom inneren Licht«, Paul Klee
Foto: Bauhaus-Archiv, Berlin

CIP-Titelaufnahme der Deutschen Bibliothek

Mein Herz schmilzt wie Eis am Feuer: d. religiöse Frauenbewegung des Mittelalters in Porträts / hrsg. von Johannes Thiele. – 1. Aufl. – Stuttgart: Kreuz-Verl., 1988
(Wege der Mystik)
ISBN 3-7831-0932-9
NE: Thiele, Johannes [Hrsg.]

1. Auflage

Umschlaggestaltung: HF Ottmann
Gesamtherstellung: Clausen & Bosse, Leck
ISBN 3 7831 0932 9

Inhalt

Editorial

Die Mystik ist wieder im Gespräch. Sie spricht heute eine weitverbreitete Sehnsucht nach innerer Erfahrung, nach spirituell inspiriertem Leben, nach intuitiver Erkenntnis aus. Wer die Mystik aber verstehen will, muß zurückgehen an den historischen Ursprungsort in der alteuropäischen Kirche. Ohne die vielfältigen Formen und Gestalten der Mystik unzulässig vereinfachend darzustellen, kann doch wenigstens ein Aspekt besonders hervorgehoben werden: Blieben die von der romanischen Mentalität bestimmten Mystiker in erster Linie systematisierende Theologen, so versuchte die spätmittelalterliche Mystik einen unmittelbaren Zugang zur seelischen Innenwelt zu öffnen. Die Mystik stellte sich besonders im 13. und 14. Jahrhundert in einer großen Spannweite geistiger und seelischer Bewegtheit dar, zeigte die Bereitschaft, in Intimität und Leidenschaft, in den Kosmos umspannenden Systemen und zugleich im Bewußtsein menschlicher Begrenztheit Gott nahe zu kommen.

Die ungeheure Faszination einer erneuerten Spiritualität und Religiosität führte zu einem alle sozialen Schichten durchdringenden religiösen Aufbruch. Viele Menschen – Männer wie Frauen – bemühten sich um eine alternative Lebens- und Frömmigkeitsform, wollten in freiwilliger Armut christliche Ideale verwirklicht sehen, die in der reich gewordenen städtischen Gesellschaft und Kirche nicht mehr repräsentiert waren.

Nicht zuletzt angeregt durch feministische Fragestellungen entwickelte sich in den letzten Jahren ein breites Interesse für »Frauengeschichte« und »historische Frauenforschung«. Auch die Mystik-Forschung erhielt durch diese Impulse einen neuen Auftrieb. Dieser Band dokumentiert diesen Aufbruch und erzählt in Porträts die Geschichte der ersten Frauenbewegung auf europäischem Boden in ihrer Verbindung mit der mystischen Frömmigkeit des Mittelalters. Denn von den Mystikerinnen dieser Zeit sind nur einige wenige im gegenwärtigen Bewußtsein: Hildegard von Bingen, Teresa von Avila (schon eher der frühen Neuzeit zuzurechnen als dem späten Mittelalter) und Caterina von Siena. Viele andere sind unbekannt und zu Unrecht in Vergessenheit geraten. Sie will dieses Buch wieder bekannt machen und damit ein Stück frauenspezifischer Spiritualität und Kultur rekonstruieren.

Ich danke den Autorinnen und Autoren dieses Buches, daß es ihnen so gut gelungen ist, ein farbiges und beziehungsreiches Bild der religiösen Frauenbewegung des Mittelalters zu zeichnen. Mein besonderer Dank gilt Gotthard Fuchs, daß er dieses Projekt bereitwillig in die von ihm herausgegebene Reihe »Wege der Mystik« aufgenommen hat, sowie Dieter R. Bauer von der Katholischen Akademie der Diözese Rottenburg-Stuttgart für vielfältige hilfreiche Hinweise. Ich bin froh, auf diese Weise ein differenziertes Bild der mystischen Frauenbewegung des Mittelalters vorstellen zu können, das zwar nicht vollständig ist, aber doch den Anspruch exemplarischer Darstellung erheben kann. Die mittelalterliche Frauenbewegung ist ein gesamteuropäisches Phänomen (und nicht nur unter den Begriff »deutsche Mystik« zu fassen), um so mehr freue ich mich über die Mitarbeit der Autorinnen und Autoren aus Dänemark, Frankreich, Schweiz, Österreich, Italien, Belgien und Deutschland, die für diesen Band Originalbeiträge geschrieben haben.

Stuttgart/Paderborn
im März 1988 JOHANNES THIELE

Die religiöse Frauenbewegung des Mittelalters

Eine historische Orientierung

JOHANNES THIELE

I. Die neuen Bewegungen des Mittelalters

Die Aufklärung hielt das Mittelalter für finster, in der Romantik wurde es verklärt. Heute wird die Zeit zwischen 800 und 1400 von der Forschung und Literatur erneut entdeckt, realistisch diesmal und kritisch: Wie lebten sie wirklich, die Frauen und Männer des Mittelalters, in den Burgen und Städten, Klöstern und Dörfern, an Fürstenhöfen und Pfalzen? Liest man die neueren Veröffentlichungen über das Alltagsleben im Mittelalter – von Arno Borst[1], Harry Kühnel[2], Edith Ennen[3], Hans-Werner Goetz[4], um nur einige der Historiker zu nennen, welche die Geschichte »von unten«[5] betrachten –, so erschrickt man darüber, wie unfeudal und unwirtlich die Verhältnisse in Klöstern und Burgen waren. Man kann sich das Leben damals in etwa vorstellen, wenn man sich fast alles wegdenkt, was heute die Bequemlichkeit unseres Alltags ausmacht: den Strom abschalten, die Beleuchtung ausblenden, das Glas aus den Fenstern nehmen. Dazu bedenke man die feuchten Mauern, Zugluft, ungenügende Heizung und die vielen Krankheiten, vor allem Gicht und Rheuma. Da wird das Mittelalter wirklich finster und wirft auf alle Versuche, es vom modernen Standpunkt wieder in ein romantisch gefärbtes Licht zu tauchen, einen fahlen Schatten. Die strenge Askese und Härte klösterlichen Lebens ist heute nicht mehr vorstellbar: Verzichte, Züchtigungen, strengste Observanz, Krankheiten, Kasteiung gehören zum

Alltag und sind keineswegs außergewöhnliche Phänomene oder gar Ausnahmeerscheinungen bei einigen wenigen Schwestern und Brüdern.

Im Zuge der Alltags- und Sozialgeschichte, der Mentalitäts- und Gefühlsgeschichte, der Mystikforschung[6] und der Erkundung der mittelalterlichen Armuts- und Ketzerbewegungen[7] und nicht zuletzt der historischen Frauenforschung[8] ist das Interesse an der ersten Frauenbewegung auf europäischem Boden und an der Frauenmystik neu erwacht. Es ist historisch von brennendem Interesse, daß der geschichtliche Ort der Mystik mit der religiösen Frauenbewegung des späten Mittelalters untrennbar verknüpft ist[9]. Nicht in der Esoterik eines innerlichen Reichs der Seele, auch nicht in der Gelehrtenstube des lateinischen Magisters entsteht die mystische Bewegung, sondern in den Beziehungen zwischen den Dominikanern in Deutschland und zahlreichen religiösen Frauengemeinschaften, Klöstern und Beginenhäusern[10]. Doch ist mit dieser Feststellung die Frage nach der geschichtlichen Situation der Mystik noch nicht beantwortet, sondern erst gestellt.

Die historischen Ursachen sind sicherlich bereits im kirchlichen und religiösen Leben des 11. und 12. Jahrhunderts zu suchen: in den religiösen Bewegungen, welche die alten Ordnungen und Gefüge aufgebrochen und die kirchliche Situation in verschiedenen europäischen Ländern radikal verändert haben, in den Armuts- und Bettelorden und ihren neuen spirituellen Lebensformen. Und auch sie gehören unbestreitbar dazu, will man den Alltag in den religiösen Kommunitäten des Mittelalters verstehen, denn *Armut* wird in jeder Hinsicht zum Signum der neuen Spiritualität. Warum sind es gerade die monastischen Vorstöße gewesen, die zu einer umwälzend neuen Sicht des religiösen Lebens geführt haben? Man muß in Rechnung stellen, daß »Religion« in den Vorstellungen der alteuropäischen Kirche bis weit ins 12. Jahrhundert hinein schlechthin gleichbedeutend mit Mönchtum ist. *Religio* (sich binden) heißt Mönchtum, das als Inbegriff der Religion gilt, *religiosus* heißt Mönch, und sich zum religiösen Leben bekehren bedeutet, ins Kloster zu gehen. Wer nicht im Kloster und nicht in der Einsamkeit, sondern irgendwie »in der Welt« lebt und wirkt, als

Priester und Kleriker oder als Laie, gehört nicht zum eigentlichen Stand der Religion, führt kein wirklich religiöses Leben. Wenn er fromm und gläubig ist, die Gebote der Kirche hält und ihre Lehre weitervermittelt, so kann das ein Abglanz und eine Verheißung des Religiösen in seinem Leben sein, aber immer bleibt es ein Leben »in dieser Welt«, im *saeculum*.

Erst vor diesem Hintergrund wird deutlich, welche bestimmende Kraft für Religion und Kirche im Mittelalter von den Orden und Kommunitäten ausgegangen ist. Die ungeheure Vielfalt der neuen Frauenbewegung zeigt, daß diese zwar nicht weltlich ist, aber ein Interesse an der Welt hat. Die mystische Spiritualität trägt dazu bei, die liebende Hinwendung zu den Armen, Ausgestoßenen und Marginalisierten zu radikalisieren. Die Erneuerung der Frömmigkeit und des religiösen Lebens im 12./13. Jahrhundert beginnt durch die Armutsbewegung, einer gefährlichen Gratwanderung zwischen Häresie und kirchlichen Ordensgründungen[11]. Diese Bewegung gegen eine reichgewordene Kirche, »als die Welt zu erkalten begann«, ist einer der Wärmeströme in der kirchlichen Tradition, ja man kann sagen, daß die Reformorden die Kirche gerettet haben. Frauen haben sich ihren Platz in den Orden und Kommunitäten erkämpfen müssen; er wird ihnen nicht von vornherein zugestanden.

Wir können feststellen, daß die Begabung des Charismas sich in der weiblichen Spiritualität viel stärker als in der männlichen Frömmigkeit gezeigt hat. Frauen tragen inspirierend dazu bei, daß die neuen Bewegungen gegen die ständisch gestufte Welt rebellieren, sich zu ganz anderen Formen von Verwirklichung der Religion bekennen, eine reformerische Glut entfachen, die wesentlich aus der Rückbesinnung auf das Evangelium des armen Mannes aus Nazareth herrührt. Leben wie die Jünger und Apostel, getrieben von missionarischem Eifer und messianischer Faszination, die Sympathie für die Armut, die Christusnachfolge mitten in der Welt, die Ruhelosigkeit und das Umherwandern von Ort zu Ort – das ist ihr Programm, welches die tiefgreifende Umschichtung des religiösen und kirchlichen Lebens anzeigt, dem sich die alteuropäische Kirche auf die Dauer nicht widersetzen konnte. Sie reagiert zunächst mit Abwehr, dann mit Domestizierung, schließlich mit Einvernahme. Neben das alte benediktinische Mönchtum und seine klösterliche Lebensform der *religio* tritt mit den neuen Bewegungen, allen voran den Franziskanern, ein ganz anderes kommunitäres Programm, das nicht mehr unbedingt nur im Kloster außerhalb des *saeculum*, sondern mitten in der Welt verwirklicht wird und das fordert, nicht mehr wie der Weltklerus vom Besitz der Kirche oder des Klosters zu leben, sondern sozial von eigener Arbeit und Bettelei, geistig vom Evangelium.

Man weiß, wie ungeheuer rasch sich diese Bewegung über die europäischen Länder ausgebreitet hat: Seit 1220 ziehen auch durch Deutschland vom Süden her die Franziskaner, vom Westen her die Dominikaner, gründen überall ihre Niederlassungen, durchdringen das ganze Land und vor allem die aufblühenden Städte, begeistern durch ihre Predigten das Volk und finden sofort außerordentlichen Zulauf. Vom Niederrhein her, vor allem aus der Gegend von Flandern, Brabant, Lüttich, breiten sich schon seit der Wende des 12. Jahrhunderts religiöse Bewegungen aus, die eine verblüffende Ähnlichkeit mit der franziskanischen Bewegung zeigen, die sich aber vor allem dadurch von ihr unterscheiden, daß Frauen in ihnen eine große Rolle spielen. Oft finden diese Frauen keinen Anschluß an vorhandene Orden, etwa der Zisterzienser, und leben – vielleicht mehr notgedrungen als beabsichtigt – in Gemeinschaften zusammen.

Die Armut mußte in der religiösen Frauenbewegung nicht erst programmatisch gefordert werden; sie ist von Anfang an erfahrene Realität. Die Beginengemeinschaften und Frauenklöster sind im Laufe des 13. Jahrhunderts aus ärmlichen Verhältnissen herausgewachsen, haben sich aus freiwilliger Hingabe an die wirklich harte Armut gebildet. Die Aufgabe von Gütern und Bindungen der Welt ist nicht losgelöst von der Konzentration auf das Wesentliche, auf die Entäußerung, die Suche nach der wahren Armut im Geiste der Bergpredigt zu sehen. In den Zeugnissen der alteuropäischen Frömmigkeit vom 13. Jahrhundert an läßt sich dieser Weg vom Armutsgedanken zur mystischen Gelassenheit geschichtlich verfolgen.

II. Beginen – »zahlreich wie die Sterne des Himmels«

Mit den Beginen fängt alles an, sie stellen die Initialzündung der ersten Frauenbewegung auf europäischem Boden dar. Die Beginen sammeln sich nicht in etablierten Orden, sondern schließen sich im städtischen Milieu in Beginenhöfen auf freiwilliger Grundlage zusammen[12]. Die *mulieres sanctae*, die Frauengruppen mit ihrem religiösen Lebensstil ohne institutionelle Absicherung in Orden und ohne den sozialen Rückhalt von Ordensregeln, prägen ein ganz neues Phänomen: Sie verweigern herkömmliche Lebensformen, den Reichtum des *saeculum*, die Sexualität, das andere Geschlecht; sie lehnen die Ehe ab. Die Beginenbewegung beginnt im 11./12. Jahrhundert und erreicht im 14. Jahrhundert ihren Höhepunkt. Das Problem des Frauenüberschusses trägt mit dazu bei, daß vor allem auch Frauen aus den oberen Schichten Zugang und Zuflucht bei den Beginenkonventen finden, aber diese sozialstatistische Komponente erklärt keineswegs die Faszination, die von den Beginen ausgegangen ist. In diesen Kommunitäten, den ersten »Frauenhäusern«, erleben die Frauen, daß ihre irdische Angst vor Schwangerschaft ernst genommen wird, finden sie Schutz vor der Gewalt in sexuellen Beziehungen und der Eheherrlichkeit. Es sind ganz unbürgerliche Lebensläufe, die sich jetzt entwickeln, bestimmt von besonderen spirituellen Übungen, aber auch durch eine harte Kritik am Klerus, die ungezählte Verdikte der kirchlichen Obrigkeit hervorruft. Die Beginen berufen sich auf übernatürliche Begnadungen und Erfahrungen, was naturgemäß das Mißtrauen der Kirchenleitungen herausfordert. Die Kirche wehrt sich gegen jede allzu ausgeprägte Unmittelbarkeit der Gottesbeziehung, solange diese nicht unter klerikaler oder seelsorglicher Kontrolle bleibt. Die Mystik, die in den Frauenhäusern, welche sich ökonomisch selbst zu tragen versuchen, um unabhängig zu bleiben, ein aufnahmebereites und fruchtbares Klima findet, enthält ganz zweifellos ein institutionskritisches Element, weil sie unbedingten Wert auf die subjektive Erfahrung legt.

So rufen die Beginen auf der einen Seite feindselige und kritische Reaktionen hervor, aber überwiegend eine bis zur enthusiastischen Zustimmung reichende Akzeptierung der Männer. Jakob von Vitry (1180–1254) beispielsweise ist ganz fasziniert von den ungeheuren Möglichkeiten, die in der Frauenbewegung sichtbar werden. »Zahlreich wie die Sterne des Himmels« – in dieses anmutige Bild faßt er den Zustrom von Frauen in die Klöster und Konvente des 12. und 13. Jahrhunderts als Begleit- und Folgeerscheinung der religiösen Frauenbewegung. Dieser Aufbruch ist außerordentlich vielfältig und hat viele Gesichter: ungebundene, vagabundierende Frauen ebenso wie Beginen, die in kleinen Gruppen und Wohneinheiten (»Höfen«) zusammenleben, in unterschiedlich festen Gemeinschaften, gehören dazu, aber auch Frauen, die sich an die Orden anzuschließen suchen. Die Zisterzienserinnen bilden kurz vor dem Ende des 13. Jahrhunderts die Blüte der Frauenmystik; Helfta bei Eisleben ist ihr bekanntestes Kloster. Die Dominikanerinnen überliefern in den Schwesternbüchern und Viten die Tradition ihrer begabtesten Schwestern. Daneben gibt es Einsiedlerinnen, Reklusen in Weltabgeschiedenheit, ja sogar Inklusen, Frauen, die sich wie Wilbirg von St. Florian in Österreich freiwillig einmauern lassen. Die Benediktinerinnen bringen mit Hildegard von Bingen und Elisabeth von Schönau zwar außergewöhnliche Mystikerinnen hervor, doch zeigt dieser Orden auch im 13. und 14. Jahrhundert nur wenig Interesse an der religiösen Frauenbewegung.

III. Die Orden und die »neuen Frauen«

Das rasche und starke Anwachsen der Frauengemeinschaften bringt für die Kirche unerwartet heftige Probleme mit sich. Brigitte Degler-Spengler hat diesem enthusiastischen Aufbruch und den damit verbundenen Konflikten mit den bestehenden Männerorden der Zisterzienser, Dominikaner und Franziskaner eine aufschlußreiche Studie gewidmet[13]. Die Reaktionen auf dieses neue, herausfordernde Phänomen waren durchaus zweigeteilt: Bewunderung auf der einen, Angst und Abwehr auf der anderen Seite. Ratlos bleiben zunächst die führenden Kirchenmänner vor diesem völlig neuen seelsorgerlichen Problem. Hier zeigen sich zwei Phasen der Ordensbewegung und der religiösen Frauenbewegung: »die Hochstimmung des Anfangs und (der) Unmut im folgenden langwierigen Prozeß der institutionellen Ausgestaltung«[14].

Bei aller Spontaneität und freundlich-selbstverständlichen Begegnung zwischen den bestehenden Orden und den »neuen Frauen« zeichnet sich im folgenden eine Entwicklung zur juristischen Gestaltung dieser Beziehung ab, die ihre schwerwiegenden Probleme mit sich bringt: Die Integration der Bewegung in die Orden ruft zunächst den vehementen Widerstand der Ordensleitungen hervor, denn auf die Ordenskonvente sollte die religiöse Betreuung, spirituelle Begleitung, Visitation und Seelsorge, oft auch die wirtschaftliche Organisation abgewälzt werden. Sie sind dazu freilich weder vorbereitet noch von der personellen Ausstattung oder zeitlichen Ökonomie in der Lage. Die entsprechenden hektischen Verhinderungsbeschlüsse der Ordenskapitel lassen deutlich die Macht und den Willen der übergeordneten Instanz erkennen, hier klare Verhältnisse zu schaffen. Einzelne Ordensmitglieder zeigen dagegen von Anfang an ein Interesse, für das klösterliche Leben in verstärktem Maße Frauen zu gewinnen, den Orden auszubreiten, und packen die neuen Aufgaben, die sich ihnen stellen, mit pragmatischem Eifer an.

Die Zahl der Frauenkonvente übersteigt schließlich die der Männerklöster in Deutschland: Um 1250 existieren 220 zisterziensische Frauenkonvente gegenüber 15 im 12. Jahrhundert; die religiöse Frauenbewegung hat ihren ersten Höhepunkt erreicht. Sie ist noch immer eine heterogene Bewegung von klösterlich lebenden Nonnen, Beginen, Frauen aller Schichten, von vornehmen und standesbewußten bis hin zu frei vagabundierenden Frauen. In mehreren päpstlichen Bullen wird die sogenannte »Inkorporationsfrage« schließlich gelöst: ein mühsam errungener Kompromiß zwischen den Ordenskapiteln und der Kurie. Aber: Roma locuta, causa finita!

Damit hat die Frauenbewegung den ersten Schritt zur Anerkennung durch die Kirche erreicht – nach langen Kämpfen, kurialen Interventionen, gegen Widerstände von seiten der Orden. Diese schon rein zahlenmäßig mächtige Bewegung erhält einen unübersehbar festen Status, mit der Folge, daß bereits zum Ende des 13. Jahrhunderts der Dominikanerorden in Deutschland mehr als 80 Frauenklöster verzeichnet und damit seiner Seelsorge unterstellt sieht – darunter mit durchschnittlich 80 bis 100 Schwestern ungewöhnlich starke Konvente –, der Franziskanerorden etwa 40 Klarissenklöster. In keinem Gebiet der westlichen Christenheit aber sind die Frauenklöster so zahlreich wie in Süddeutschland. Allein Straßburg hat sieben Konvente, und in dem damals kleinen Freiburg im Breisgau gibt es vier. Dazu bilden sich viele religiöse Frauengemeinschaften, die keinem Orden angehören: Um 1300 soll es in Köln allein 57 Beginenhäuser gegeben haben, zu denen bis 1330 weitere 56 kommen; vor 1400 gibt es in Straßburg 30 solcher Gemeinschaften.

Brigitte Degler-Spengler hält fest: »Der Eifer und die Effizienz, mit denen die Orden die Aufgabe der Nonnenseelsorge in Angriff nahmen, nachdem gewisse Fragen geregelt waren, läßt die Annahme zu, daß sie es niemals prinzipiell abgelehnt hatten, Frauenklöster zu betreuen, sondern lediglich um die Bedingungen stritten, unter denen dies geschehen sollte ... Es war letzten Endes nur ein Organisationsproblem gewesen, das sie in den Griff bekommen mußten.«[15]

Vor allem die Dominikaner sehen sich jetzt vor die Aufgabe gestellt, für die sie so gut wie gar nicht vorbereitet sind: die religiöse Bildung eines ganz neuartigen religiösen Standes, bei dem die Voraussetzungen aller bisherigen religiösen und theologischen Bildung, vor allem die Kenntnis und Beherrschung der lateinischen Sprache, nicht gegeben sind. Um dieser Aufgabe gerecht zu werden, greifen die Dominikaner zur Predigt. Die mit der Zeit entwickelte Kunst der Dominikanerpredigt (die vor allem Meister Eckhart, Johannes Tauler und Heinrich Seuse beherrschen), die Öffnung auf die deutsche Sprache hin, die Aufmerksamkeit für religiöse Lehre auf einem höheren Niveau als beim Laienpublikum der öffentlichen Volkspredigt – das alles wäre nicht denkbar gewesen, ohne daß die Mystik in den religiösen Bewegungen ein bereits bestehendes Auffangbecken dargestellt hätte. Die Frauen sind für mystische Erfahrung empfänglich und ansprechbar; diese mystische Atmosphäre finden die Dominikaner vor und brauchen sie nur zur Wirkung zu bringen. Die neuen religiösen Lebens- und die mystischen Gefühls- und Ausdrucksformen sind in der religiösen Frauenbewegung miteinander verbunden, so daß sich die Innenseite der religiösen Bewegung ebenso rasch entfalten und auswirken kann wie die äußere Organisation.

IV. Die Blütezeit der Frauenmystik

Man ist versucht, das Heraufkommen der Mystik, ihre unwiderrufliche Geburtsstunde an einem geschichtlichen Datum festzumachen, das als kirchenhistorisches Detail an sich kaum Aufmerksamkeit beansprucht, aber ein bestimmtes historisches Faktum mit der Mystik in einen ursächlichen Zusammenhang bringt: die Übertragung der *curia monalium* in den überaus zahlreichen Frauenklöstern auf die *fratres docti* des Dominikanerordens 1267 durch Clemens V. Die gelehrten dominikanischen *magistri* und *lectores* finden sich unversehens in einem »Nebenberuf« wieder: die Frauen durch ihre Predigten in die Geheimnisse der scholastischen Theologie einzuführen. Aber wir sollten uns nicht von diesem Datum dazu verführen lassen, die Genese der deutschen Mystik allzu kurzschlüssig auf das Jahr 1267 festzulegen. Schon vorher gibt es mystische Spekulation, auch in anderen Ländern, verbreitet sich die Mystik als die spezifische Spiritualität des Mittelalters im europäischen Raum. Gewiß aber ist es so, daß die Prediger selbst eine eigenartige und bezeichnende mystische Intuition besitzen. Mit dem Auftreten eines der bekanntesten Theologen und des eigentlichen Begründers der spekulativen Mystik, Meister Eckhart, rückt zum ersten Mal dieser Typ des scholastischen Predigers und Mystikers vor erfahrungshungrigen Nonnen ins Blickfeld.

Die Luft ist jedoch lange vor Eckharts Auftreten bereits mystikschwanger. Mystisches Leben und praktische Mystik finden wir schon im 12. und im ganzen 13. Jahrhundert auf deutschem und angrenzendem niederländischen Boden. Ekstasen, Verzückungen, Visionen und andere mystische Erfahrungen sind sozusagen an der Tagesordnung. Ganze Gemeinschaften werden vom Zeitgeist, von der mystischen Bewegung ergriffen und mitgerissen. Aber die Lese- und Lebemeister, die »gelehrten Brüder«, haben sie kräftig unterstützt, beeinflußt und in bestimmte Bahnen zu lenken versucht. Sie sind bemüht, die Mystik gegenüber dem Ansturm emotionaler Erfahrung zu »versachlichen«, auf den Boden zu bringen, sie im Alltag zu verankern. So sind denn Meister Eckhart, Heinrich Seuse und Johannes Tauler einen guten Teil ihres Lebens damit beschäftigt, diese Aufgabe wahrzunehmen und die scholastische Grundlegung der Mystik in der deutschen Sprache zu vermitteln. Wir dürfen darin eine pädagogische Aufgabe von nicht zu unterschätzender Bedeutung sehen: Hier treffen die mystisch gebildeten, spekulativen Prediger auf einen offenherzigen Kreis von Frauen, die ihrerseits Intelligenz und Bildung mitbringen, die die vorgetragene Mystik aufnehmen, verarbeiten und weiterverbreiten. Der Effekt ist gleich ein zweifacher: Zum einen wird die deutsche Sprache für die religiöse Welt aufgeschlossen und tritt neben das Latein der theologischen und kirchlichen »Spezialisten«, zum anderen wird die wissenschaftlich-philosophische Terminologie durch die Mystiker bereichert[16]. Paul Gundolf Gieraths bemerkt dazu lakonisch: »Jedoch brauchten diese Seelsorger bei ihren Zuhörerinnen vielfach nicht erst mystisches Streben zu wecken, sondern nur zu vertiefen. Die mystischen Unterweisungen fielen bei den Nonnen auf guten Boden. So wurden gerade die deutschen Dominikanerinnenklöster Mittelpunkte und Heimstätten einer glühenden Mystik.«[17]

V. Eine mystische Landkarte des alten Europa

Von Belgien, Flandern, Brabant, Nordfrankreich und dem Nieder- und Oberrhein zieht sich die religiöse Frauenbewegung bis nach Süddeutschland, die Schweiz und Norditalien[18]. Einzig Skandinavien und England bleiben unberührt, obwohl auch dort mit *Juliana von Norwich* und *Margery Kempe* in England und *Birgitta von Schweden* ungewöhnlich kreative und inspirierende Mystikerinnen gelebt und gewirkt haben.

Als echte Mystikerinnen und gleichzeitig bedeutende schöpferische Frauen sind im 12. Jahrhundert vor allem *Hildegard von Bingen*, Äbtissin von Rupertsberge bei Bingen, und *Elisabeth von Schönau* aus der Benediktinerinnenabtei bei Bingen zu nennen. Die beiden Frauen entfalten eine rege schriftstellerische Tätigkeit in Briefen und Werken, unter denen Hildegards »Scivias« (Sci vias Domini = Wisse die Wege) und Elisabeths »Liber viarum Dei« am wichtigsten sind. Die Mystik beider Frauen ist prophetische, von ekstatischen Sehnsüchten erfüllte Dichtung.

In der zweiten Hälfte des 13. Jahrhunderts ist das Zisterzienserinnenkloster Helfta bei Eisleben in Thüringen unter der zielbewußten Leitung der Äbtissin *Gertrud von Hackeborn* eine Hochburg der Frauenmystik auf deutschem Boden. Vor allem die Nonne *Gertrud die Große* hat mit ihrem »Legatus divinae pietatis« und den »Exercitia spiritualia« mystisch bedeutungsvolle Bücher verfaßt. Auch ihre Mitschwester *Mechthild von Hackeborn*, eine jüngere Schwester der Äbtissin, ist mit ihrem »Liber specialis gratiae« in hohem Grade mystisch-visionär, eine Mystikerin, die strikt christozentrisch ausgerichtet ist (Brautmystik), wie überhaupt bei allen Mystikerinnen des 13. und 14. Jahrhunderts eine starke Sehnsucht auf Christus hin zu beobachten ist, die sich in der allegorischen Ausdrucksweise des Hohenliedes mitteilt.

Die Begine *Mechthild von Magdeburg* kann unstreitig, nicht zuletzt wegen ihres Buches »Das fließende Licht der Gottheit«, als die bedeutendste unter den deutschen Mystikerinnen des Mittelalters angesehen werden. Wenn es gilt, im 13. und

14. Jahrhundert eine Frau zu finden, die mit Mechthilds Bedeutung vergleichbar ist, so ist die Flämin *Hadewijch* zu nennen, deren Mystik intellektueller und gedanklich strenger als die Mechthilds ist, dafür aber auch weniger spontan und anrührend. Hadewijchs Stärke ist die symbolisch-gedankliche, weniger die bildhaft-überzeugende Darstellung. Ihre Brautmystik gerät daher nicht so spektakulär, sondern eher vergeistigt, beherrscht, kühl nach innen genommen.

Die Stärke der Frauenmystik ist eindeutig in der Praxis, nicht in der Theorie zu suchen, in der geistvollen Erfahrung der *unio mystica*. Neben gehaltvoller Mystik findet sich aber bei vielen Frauen ein Abschwung mystischer Kraft in die tränenreich zerfließende, mehr erträumte als erfahrene, nicht selten mit krankhaften Zuständen verbundene literarische Aussage (*Elsbeth von Oye*).

Vor allem das Buch des Bischofs von St. Gallen, Carl Johann Greith, über die Deutsche Mystik im Prediger-Orden (1861) hat eine ganze Gattung mystischer Literatur wieder bekannt gemacht, jene deutschen Klosterbücher, die in Dominikanerinnenkonventen entstanden und durchsetzt sind von Schilderungen religiöser Erlebnisse, Visionen und Ekstasen; das »Büchlein von der Gnaden Überlast« aus dem Kloster Engelthal, »Das Leben der Schwestern in Töß bei Winterthur«, um nur zwei zu nennen. Sie stammen alle aus der ersten Hälfte des 14. Jahrhunderts, aber die Klosterüberlieferung, die in ihnen aufgezeichnet ist, reicht oft weit ins 13. Jahrhundert zurück.

Diese Dominikanerinnenklöster sind im 14. Jahrhundert Mittelpunkte der Frauenmystik. Zeugnis geben davon die Aufzeichnungen einzelner Frauen (*Margareta und Christine Ebner, Elsbeth Stagel, Adelheid Langmann*) sowie Chroniken verschiedener Klöster (Medingen bei Dillingen, Engelthal bei Nürnberg, Unterlinden bei Colmar, Katharinental bei Diessenhofen, Adelhausen bei Freiburg, Töß bei Winterthur, Schönensteinbach, Oetenbach bei Zürich, Kirchberg bei Haigerloch, Wiler [Weil] bei Esslingen).

Auch einige Franziskanerinnen kommen innerhalb der Mystik der religiösen Frauenbewegung in Betracht, wie *Luitgard von Wittichen* im Schwarzwald, *Elsbeth Achler* von Waldsee und ihre Schülerin *Ursula Haider* von Leutkirch, Vorsteherin des Klarissenkonvents zu Villingen. Eine ganz im *saeculum* und zunächst in der weltlichen Ehe lebende Mystikerin ist *Dorothea von Montau* an der Weichsel, Patronin von Preußen.

Die Kennzeichnung der Mystik als eine alteuropäische Bewegung, die über den deutschen Sprachraum weit hinausreicht, ist schon gerechtfertigt durch die geographische Universalität und die auf viele Länder übergreifende Ausbreitung[19]. Wie viele Frauen treten hervor, die wir heute oft nicht einmal dem Namen nach kennen. Ohne jeden Anspruch auf Vollständigkeit sei doch eine kleine Liste zusammengetragen, um eine Anschauung von der weitgespannten, gesamteuropäischen Frauenbewegung zu geben:

ITALIEN *Caterina von Genua, Caterina von Siena, Angela von Foligno, Clara von Assisi, Margareta Colonna, Margareta von Cortona, Clara von Montefalco, Margherita von Città Castello, Clara von Rimini, Michelina von Pesaro, Caterina Benincasa.*

FRANKREICH *Marguerite Porète, Marguerite d'Oingt, Douceline von Digne, Beatrix von Ornacieux, Flora von Beaulieu, Johanna von Maillé.*

NIEDERLANDE *Maria von Oignies, Odilia von Lüttich, Luitgard von Tongeren, Beatrijs von Nazareth, Gertrud von Oosten, Brigida von Holland, Lidwina von Schiedam*, ergänzt durch die rheinischen Mystikerinnen *Christine von Stommeln* und *Christina von Retters.*

ÖSTERREICH *Wilbirg von St. Florian, Agnes Blannbekin.*

UNGARN *Helena von Veszprim.*

SPANIEN ist erst vertreten mit der berühmten *Teresa von Avila*, die aber schon der frühen Neuzeit und nicht mehr dem Spätmittelalter zuzurechnen ist.

VI. Zwischen Orthodoxie und Häresie

Unverkennbar bewegen sich die religiösen Frauen auf einem schmalen Grat zwischen Orthodoxie und Häresie. Man hat unter den Katharern und Waldensern, zwei berühmten Ketzerbewegungen, einen überproportional hohen Anteil an Frauen festgestellt[20]. Es mag dahingestellt bleiben, ob Frauen generell stärker zur Häresie neigen als Männer. Fest steht, daß wir von einer ausgesprochenen Attraktion häretischer Wanderprediger auf südfranzösische Frauen ausgehen dürfen. Das Languedoc ist im 12./13. Jahrhundert die blühendste und vielgestaltigste Region Europas, in wirtschaftlicher, kultureller und religiöser Hinsicht. Hier werden die Erfolge der Häretiker bei den Frauen erstaunt registriert. Bernhard von Clairvaux regt sich immer wieder über den großen Anteil der Frauen an den häretischen Bewegungen auf; er ist ihm ein stetes Ärgernis. Die Aktivitäten des Wanderpredigers Petrus Waldes wirken besonders auf Frauen; sie fühlen sich von ihm aufgenommen und akzeptiert. Es gibt bald sogar waldensische Predigerinnen, denen in übler Nachrede unterstellt wird, sie suchten sich als »predigende Huren« jede Nacht neue Liebhaber. Waldes nimmt die Frauen also nicht nur in seine Gemeinschaft auf, sondern schickt sie auch mit besonderen Aufträgen zum Predigen aus, um andere für seine Lehre und Lebensform zu gewinnen.

Aus den in Toulouse aufbewahrten Inquisitionsakten geht hervor, daß schließlich mehr als die Hälfte der Anhänger der Waldenser Frauen sind. Die Akten weisen insgesamt ungefähr 650 Verfolgungen auf. Bei den Waldensern sind 52 Prozent Frauen, bei den Katharern 30 Prozent.

Die religiöse Frauenbewegung Südfrankreichs bildet einen starken häretischen Zweig aus. Die Waldenserinnen und Katharerinnen verfügen über eigene Hospize, in denen sie klosterähnlich zusammenleben. Diese Konvente stellen eine Alternative zu den in dieser Region größtenteils fehlenden Frauenklöstern dar. Es ist nicht einfach, die Ursachen und Motive für das Engagement so vieler Frauen bei den Katharern und Waldensern herauszufinden und Gründe für den starken Zulauf festzustellen. Sicherlich tragen sozioökonomische Verhältnisse und materielle Beweggründe, die besonders bedrükkende soziale Lage der Frauen in Stadt und Land der Provence dazu bei, daß die Frauen ihr Heil bei den Ketzern suchen. Die häretischen Bewegungen stehen in einer bewußten Opposition gegen die herrschenden Klassenverhältnisse. Sie propagieren ein Wissen und einen Weg aus diesen Verhältnissen: gleiche Rechte zur Verwaltung der Sakramente, attraktive Gleichstellung der Frauen in Kult und Predigt. Doch sind diese Phänomene nur aus dem Elan und der Aufbruchstimmung des Anfangs dieser Bewegungen zu erklären. Daß die Häresien des Mittelalters einen ersten Schritt zur Emanzipation der Frauen darstellen, dagegen sprechen eigentlich die dualistische, frauenfeindliche Dogmatik der Katharer, die leibfeindlichen, Sexualität abwertenden, ja mysogynen Texte der Häretiker. Woher aber kommt dann die Anziehungskraft der Ketzerbewegungen? Die Ketzer verzetteln sich nicht in kosmologisch-theologischen Spekulationen, sie richten ihre Aufmerksamkeit ganz auf die Praxis des alltäglichen Lebens: Armutsideal vor dem Hintergrund einer reichen Kirche, asketischer Rigorismus, apostelgleiches Auftreten, Gefolgschaft und Solidarität der Gruppe, Anerkennung sozialer, ökonomischer und politischer Gründe bei der Aufnahme in die Gemeinschaft haben eine erhebliche Rolle gespielt, doch Priorität haben die religiösen Ideale, der wachsende Drang nach aktiver Gestaltung des religiösen Lebens in einer »Kontrastgesellschaft«, die nach außen hin streitet und nach innen hin zusammenhält. Die katharische Predigerin, die Vorsteherin eines Frauenkonvents hat viele Aufgaben und Funktionen; sie ist anregender Mittelpunkt von Diskussionen, ihre Stimme wird gefragt und gehört, sie engagiert sich in der selbständigen Unterbringung, Versorgung und Sicherung des Lebens. Oft sind es die Töchter aus dem verarmten südfranzösischen Landadel, die sich den Ketzerbewegungen anschließen.

Die »offizielle Kirche« hat diesem Exodus der Frauen nicht tatenlos zugesehen. Dominikaner und Franziskaner gründen Frauenklöster, die Armutsorden graben den Ketzern in Wort und Beispiel ihres missionarischen Wirkens das Wasser ab; auch sie verloben sich mit »Frau Armut« in lebendiger Religiosität und radikaler Nachfolge. Viele Frauen finden zur Kirche zurück, als und soweit sie sich den Reformbewegungen öffnet, und mit der Zeit wird ihnen klar, daß sich auch die Ketzerbewegungen verfestigen, sich organisatorisch zu institutionalisieren und klerikalisieren beginnen und in heterodoxe und orthodoxe Strömungen auseinanderfallen.

Oft gerät aber auch die mitteleuropäische Frauenbewegung unter Häresieverdacht, vor allem dann, wenn sich Berührungspunkte mit der klerikal exklusiven Vermittlung des Heils ergeben. Die Kirche ist immer argwöhnisch, wo es um den Konflikt von Charisma und Macht geht. Sie besteht selbstverständlich auf der Heilsvermittlung durch die Priester. Es verwundert nicht, daß es in den Frauenkonventen latente, vielleicht nicht einmal bewußte Formen gibt, sich den priesterlichen Dienst und das liturgische Geschehen weiblich anzueignen, daß die Frauen beispielsweise ihre Visionen und wunderbaren Erscheinungen während der Eucharistie empfangen.

VII. Das öffentliche Wirken der Mystikerinnen

Wir dürfen uns das mystische Leben nicht so vorstellen, als habe es sich weitgehend abseits der alltäglichen Welt abgespielt, im einsamen Gespräch zwischen der Mystikerin und ihrem Gott, dem sie durch Gebet, Kontemplation und asketische Übungen nahezukommen versucht: bis zur *unio mystica*, der geistlichen Hochzeit Gottes mit der Seele, und der Gottesgeburt im Menschen, wie sie Meister Eckhart predigt. Freilich spiegelt die Mystik zunächst die psychisch-religiöse Erfahrung der Frauen wider. Aber es stellt sich die Frage – und sie ist durchaus nicht von der Hand zu weisen –, ob die weibliche Mystik nicht doch eine Sublimation für die Verweigerung der vollen Teilnahme von Frauen am religiösen Leben der Kirche darstellt. Wird die Frau in die ekstatische Innenwelt zurückgedrängt, um sie politisch kleinzuhalten, sie religiös zu begrenzen – oder ist die Mystik genuiner Ausdruck weiblichen Erlebens, ein Ferment für wachsende Bewußtwerdung der Frauen, das ihnen zu einem eigenständigen religiösen Leben verhilft? Unbestreitbar ist jedenfalls, daß durch die Mystik Frauen einen Wirkungskreis und erhebliche öffentliche Publizität erlangen[21]. Die Frauen werden nicht selten auch in politischen Angelegenheiten wichtig und um Rat gefragt. Der Kaiser besucht Christine Ebner, und dieses Gespräch wird sich sicherlich nicht nur um rein religiöse Fragen gedreht haben. Hildegard von Bingen, Birgitta von Schweden, Caterina von Siena sind leuchtende Beispiele für Mystikerinnen, die auch durch ihr öffentliches Wirken berühmt werden und erheblichen Einfluß in Kirche und Staat erreichen. Dieses öffentliche Reden der Mystikerinnen provoziert auf männlicher Seite zum Teil harsche Kritik; nicht wenige Männer im kirchlichen Management beurteilen solches Engagement negativ und versuchen, die Frauen in den Privatbereich, hinter die hermetisch hohen Klostermauern abzudrängen. Das Mißtrauen gegen falsche Propheten (und Prophetinnen) ist im Mittelalter stark ausgeprägt, und die Kirche gewöhnt sich an, die Mystikerinnen und das, was sie sagen, auf Herz und Nieren zu prüfen. Der Papst setzt gegen Hildegard von Bingen gleich eine Theologenkommission ein, deren Prüfung allerdings positiv ausfällt; Bischöfe und beauftragte Theologen und Inquisitoren nehmen die Katholizität Caterinas und Birgittas unter die Lupe. Sie prüfen, ob die Fähigkeit zur Unterscheidung der Geister bei den Mystikerinnen vorhanden und ausgeprägt ist, und was sie sagen und mitteilen, ihren Mitschwestern und Beichtvätern diktieren oder selber aufschreiben, bedarf der Kontrolle und Bestätigung durch die Kleriker. Es gibt offensichtliche Vorbehalte gegen das weibliche Geschlecht, das sich öffentlich zu artikulieren beginnt und sich dabei auf unwiderlegbare eigene Erfahrung beruft; gegen die Privatoffenbarungen und die prophetische Gabe der Mystikerinnen, die sich in die Kirche einordnen, aber in ihr nicht länger schweigen.

Gegenüber solchen Observanzen und Bekundungen des Mißtrauens sind die Zeugnisse der Zustimmung und Verehrung durch die Männer mindestens ebenso zahlreich. In den Briefen, die Bischöfe und Äbte den Mystikerinnen schreiben, herrscht ein wacher, ehrfürchtiger und oft wohlwollender Ton vor. Besonders in Krisensituationen und turbulenten Zeiten ist ihr Rat gefragt. Ihre Schriften sind von zahllosen Männern aufgeschrieben, verbreitet und vervielfältigt worden. Die Gründe für diese Wertschätzung sind vielfältig. Die Mystikerinnen wirken einmal durch ihre Persönlichkeit, ihre beeindruckende Aktivität, den hohen Grad von Intellekt und Bildung, ihr faszinierendes Durchsetzungsvermögen und ihren Ideenreichtum, aber auch mit Charme und Raffinesse. Darüber hinaus entwikkeln viele Mystikerinnen ein ausgesprochenes Charisma: Sie überzeugen vor allem durch ihre Offenbarungen, Visionen und ihre religiöse Empfindungs- und Erlebnisfähigkeit, die vielen Männern, auch Mystikern, abgeht und die bei ihnen höchst ungläubiges Staunen hervorruft.

In Gebet und Tat, im direkten Kontakt und in indirekten Briefaktionen, in Ansprachen und Predigten, im Gespräch kleiner Gruppen ebenso wie durch Rat *coram publico*, auch vor den Großen der Welt und der Kirche, entfalten die Mystikerinnen ein reiches und unübersehbares Wirken. Neue Konventgründungen bewahren die spirituellen Leitbilder dieser Frauen, vermitteln solche Traditionen weiter.

Vor allem in Briefen geben die Mystikerinnen Trost und Mahnung, Ermunterung und Kritik. Viele werden gleich mit Blick auf eine Veröffentlichung geschrieben, richten sich an König und Papst, Bischöfe, Äbte und Herzöge und versuchen, sie zur Veränderung ihres Handelns zu bewegen. Darüber hinaus bilden die zum Teil umfangreichen Offenbarungsschriften der Mystikerinnen eine eigenständige, weiblich-mystische Theologie, die durch Tischlesungen in religiösen Konventen und durch eine rege Predigttätigkeit Verbreitung erfahren. Die Frauen, vom offenen politischen Handeln ausgeschlossen, das eine Domäne der Männer bleibt, werden recht erfinderisch im Experimentieren mit spezifisch weiblichen Formen der Einflußnahme.

So ergeben sich mindestens drei Wirkkreise der Mystikerinnen: zunächst in der engsten Gruppe der Klostergemeinschaft, des Konvents oder der Beginenkommunität, dann die Reisen durch ganz Alteuropa, eine Agitation *en route*, schließlich der Aktionsradius der ganzen Christenheit mit dem Papst als ihrem irdischen Repräsentanten. Sie sind verwickelt in die streitende Kirche auf Erden, erinnern an die triumphierende Kirche im Himmel, und manche lassen sich durch die missionarische Idee der Kreuzzüge faszinieren.

In allen diesen Aktionsformen der *vita activa*, die auch über den Klosterbezirk hinausreicht, befinden sich die mittelalterlichen Frauen in den religiösen Bewegungen in Übereinstimmung mit der patriarchal bestimmten Ideologie ihrer Zeit. Wie alle Menschen des Mittelalters sind die Frauen eingebunden in ein transzendentales Spektrum und in die kirchliche Ordnung. Sie haben alle ausnahmslos eine Scheu vor der Überschreitung der ihnen gezogenen Grenzen. Die *humilitas*, ja die pejorative Verwendung des Begriffs »Frau« etwa bei Hildegard von Bingen ist keineswegs Ausdruck heimlicher Ironie, sondern Ausdruck von Selbstzweifeln, die durch das kulturelle Stereotyp vom beschränkten Handlungsspielraum der Frau noch bestärkt werden. Viele von ihnen gehen sogar so weit, das Weibliche in sich zurückzudrängen, das männliche Ideal zu internalisieren. Eingebunden in männliche Strukturen, betont zum Beispiel Caterina von Siena das *virile*, das männliche Prinzip, das sie ganz stark und anziehend findet und von dem sie stets schwärmt.

Die Mystikerinnen des Mittelalters sind keine Feministinnen im modernen Sinn, auch wenn der Begriff »Frauenbewegung« eine solche Assoziation nahelegt[22]. Aber sie betonen die gleiche Würde von Frau und Mann, fordern die Gleichstellung des weiblichen Geschlechts. Im Rückgriff auf die Bibel, in der Herausstellung der Aussage des Paulus, daß vor und in Christus alle gleich seien, überwinden sie einseitige kulturkonforme Vorstellungen. Das Geschlecht selbst ist kein Problem, das ihnen besonders zu Bewußtsein gekommen wäre; es ist durch die Kirche und die repräsentierende *ordo* definiert. Die Mystikerinnen sind keine Frauenrechtlerinnen, sie fordern keine Systemveränderung, weder in politischer, sozialer, noch religiöser und kirchlicher Hinsicht, wohl aber Reformen, die

Beseitigung von Mißständen und die Korrektur von Fehlentwicklungen. Peter Dinzelbacher hat darauf hingewiesen, daß die Frauen zwar kein epocheüberschreitendes Selbstbewußtsein entwickelt, aber ihre Handlungsspielräume bis an den Rand ausgeschöpft haben[23].

Der Begriff »religiöse Frauenbewegung des Mittelalters« wurde vom Historiker Herbert Grundmann geprägt; er stellt keine Übersetzung eines im Mittelalter etwa geläufigen Terminus dar. Im Gegensatz zur modernen Frauenbewegung entwikkeln die Mystikerinnen kein Wir-Bewußtsein, kennen sie kein ausgesprochen emanzipatives Bestreben. Die Vorstellung einer Frauensolidarität im Gegensatz zur Männerwelt ist nur in Ansätzen vorhanden, aber sie prägt noch keine Ideologie und kein Programm zur Befreiung der Frau. Gleichwohl sprechen wir von einer spezifisch weiblichen Mystik. Dieser Überlegung möchte ich im letzten Kapitel dieses Beitrags nachgehen.

VIII. Mystische Erfahrung und spirituelles Erleben

Man hat der spirituellen Erfahrung in Beginenhöfen und Frauenklöstern oft abgesprochen, wirkliche Mystik zu sein. Zu weit entfernt scheint diese Empfänglichkeit für Visionen, dieses ungestüme Verlangen, ja die Sucht nach Ekstasen, Entrückungen und Begnadungen von der abgründigen Tiefe mystischer Spekulation und Theologie. Aber Mystik läßt sich nur begreifen, wenn man anerkennt, daß Gotteserkenntnis und Gottesliebe, spekulative und affektive Mystik zwei Seiten *einer cognitio dei experimentalis* sind, und war die eine der Gefahr des häresieverdächtigen Pantheismus ausgesetzt, so die andere der Gefahr überspannter seelischer Regungen. Die Grenzlinien verlaufen oft untergründig, und wer könnte sich anmaßen, sie präzise zu ziehen? Fest steht allerdings, daß das kirchenamtliche Mißtrauen gegenüber der Mystik vornehmlich der Spekulation gilt und weniger den Emotionen.

Ist es (noch) Mystik, wenn Frauen der religiösen Bewegung

des Nachts in der Einsamkeit ihrer Zelle oder in den Gängen der Beginenhöfe mit übermenschlich schöner Stimme, aber unverständlichen Worten singen, wenn sie in heftigen Träumen und Gesichten herausgerissen werden aus sich selbst, wenn ihr unsagbares Erlebnis im Zustand äußerster Verzückung kaum mehr mitteilbar scheint? Die Meinungen sind in der Vergangenheit geteilt gewesen; die einen warnen davor, an die Ausdrucksformen mystischen Erlebens das scharfe Seziermesser des menschlichen Verstandes anzulegen, die anderen erkennen in diesen Entrückungen und emotional gesteigerten Visionen nichts anderes als ein mystizistisches Spektakel. Können wir die Mystik der damaligen Zeit noch nachvollziehen, ja uns überhaupt noch ihr annähern? Denn mystische Literatur, wie sie uns überliefert ist, gleich ob spekulative Theologie, Traktat, Predigt oder ekstatisches Erlebnis, ist – eben Literatur, immer schon gedeutete Erfahrung, immer schon sprachlich verarbeitet, ein Niederschlag ganz eigener Qualität, also gar nicht Mystik im eigentlichen Sinn, nicht Erfahrung, sondern Dichtung *über und aus* Erfahrung. Es geht jedenfalls nicht an, nur dort von »echter Mystik« zu sprechen, wo sie zu Poesie, Biographie oder zu theologischer Lehre geworden ist. Der Ursprung der Mystik ist gottsehnsüchtiges Suchen, im Denken wie Erleben. Jeder Text bringt die mystische Erfahrung naturgemäß um ihre Unmittelbarkeit, weil sie sich eigentlich jeder Versprachlichung entzieht.

Auf der anderen Seite kann den Frauen nicht die sentimentale, die emotional-affektive Form der Mystik allein zugeordnet werden. Ihre mystisch-spirituelle Neigung muß durchaus vor dem Hintergrund eines enormen Hungers nach religiöser Erfahrung gesehen werden, war aber auch erheblich beeinflußt von ausgesprochen theologischen Interessen. Es ist nicht so gewesen, als hätten die Dominikaner ihre mystischen Erkenntnisse nur wohldosiert nach unten gereicht und als wären sie dort nur willig in Empfang genommen worden. Die religiöse Frauenbewegung ist theologisch nicht bloß rezeptiv; ihr theologisches Interesse ist beträchtlich und erscheint den Zeitgenossen als so ungewöhnlich, daß es Mißtrauen und Berührungsängste erregt. Schon zur Zeit Mechthilds von Magdeburg werden in der

Kirchenhierarchie Klagen laut, daß unter den Beginen und frommen Frauen die Neigung zur Beschäftigung mit den Geheimnissen der christlichen Glaubenslehre um sich greift. Es muß ihnen geradezu verboten werden, über das Wesen Gottes und die Trinität, über den Sinn dogmatischer Aussagen und die Art der Sakramente zu disputieren. Diese Verbote aber greifen zumeist ins Leere, sie werden von den Dogmatikern oft ebensowenig ernst genommen wie von den Frauen selbst. Das theologische Interesse der Frauen ist durchaus emanzipativ.

Im Nachklang der großen mystischen Zeit verringert sich die Kraft der originären Erfahrung auch in den Frauenkonventen. Die Mystik bewegt sich schließlich nur noch im engen Zirkel der Wunderträume, die etwa bei Margareta Ebner fast mit Regelmäßigkeit in die Fastenzeit fallen und das Mitleiden der Passion zu einem so starken Grad ansteigen lassen, daß es sich nur in konvulsivischen Schreien lösen kann, die tagelang durch das Kloster hallen. Gewiß dürfen wir die Berichte, nach denen die Ekstase mitunter epidemisch in den Konventen auftritt, nicht als allgemeingültige Zeugnisse über das mystische Leben in den damaligen Frauenklöstern ansehen, aber im ganzen spiegeln sie doch die leichte Erregbarkeit, die sensitive Feinfühligkeit und ekstatische Leidenschaft dieser Frauen, die von ihren Nachfahrinnen nur noch beschworen, nicht aber mehr durch eigenes, authentisches Erleben vollzogen werden können. Bedeutung erhalten sie schließlich nicht mehr durch einen originären Beitrag zur Mystik, sondern nur im »Verwalten« mystischer Erfahrung, in der Weitergabe des Gehörten und Gesehenen. Unermüdlich nehmen sie noch die mystischen Predigten der dominikanischen *fratres docti* auf, in Sammelhandschriften, die immer und immer wieder kopiert und, solcherart in Umlauf gebracht, der Nachwelt überliefert werden.

Die religiöse Frauenbewegung des alten Europa hat die Kraft spirituellen Erlebens, die mystische Erfahrung und das geistige Suchen zu einer eindrucksvollen Einheit zusammenbinden können. Ihre Begegnung mit der Theologie und mit der ganzen Überlieferung philosophisch-spekulativer Denkweise hat den Boden für eine ungeahnte Ausbreitung der Mystik bereitet. Die dominikanischen Prediger finden in der religiösen Frauenbewegung eine Chance, ihr mystisches Denken mitzuteilen, das weitaus mehr eine Sache des Kopfes als des Herzens gewesen ist, die Frauen an mystische Lebensweisen heranzuführen, welche es schließlich verhindert haben, daß die Mystik bloßer Gedanke und toter Buchstabe bleibt. Alteuropäische Mystik, das ist beides: spekulatives, tiefes Denken vor dem Hintergrund der Scholastik und das mystische Leben, die praktische Erfahrungskunst der religiösen Bewegungen, denen die Frauen Glanz und Schönheit gegeben haben.

Anmerkungen

1 Vgl. *A. Borst*, Lebensformen im Mittelalter, Frankfurt/Berlin 1973, [4]1987.
2 Vgl. *H. Kühnel* (Hrsg.), Alltag im Spätmittelalter, Graz [3]1986.
3 Vgl. *E. Ennen*, Frauen im Mittelalter, München 1984.
4 Vgl. *H.-W. Goetz*, Leben im Mittelalter, München 1986.
5 Vgl. zum Forschungsansatz z. B. *H. Ch. Elat* (Hrsg.), Geschichte von unten. Fragestellungen, Methoden und Projekte einer Geschichte des Alltags, Wien/Köln/Graz 1984.
6 Vgl. zur Einführung die im Literaturverzeichnis aufgeführten Publikationen.
7 Vgl. *M. Erbstösser*, Ketzer im Mittelalter, Stuttgart 1984; *P. Segl*, Ketzer in Österreich, Paderborn 1984; *W. Nigg*, Das Buch der Ketzer, Zürich 1949.
8 Vgl. *H. Gnüg/R. Möhrmann* (Hrsg.), Frauen Literatur Geschichte. Schreibende Frauen vom Mittelalter bis zur Gegenwart, Stuttgart 1985; *P. Ketsch*, Frauen im Mittelalter, 2 Bände, Düsseldorf 1983/84; *A. Kuhn/J. Rüsen* (Hrsg.) Frauen in der Geschichte, Band II und III, Düsseldorf 1982/83; *W. Affeldt/A. Kuhn* (Hrsg.), Frauen in der Geschichte, Band VII, Düsseldorf 1986.
9 Vgl. *H. Grundmann*, Religiöse Bewegungen im Mittelalter, Hildesheim [2]1961 (1935).
10 Vgl. *B. Degler-Spengler*, Die religiöse Frauenbewegung des Mittelal-

ters, in: Rottenburger Jahrbuch für Kirchengeschichte, Sigmaringen 1984, 75–88.

11 Vgl. *P. Segl*, Die religiöse Frauenbewegung in Südfrankreich im 12. und 13. Jahrhundert zwischen Häresie und Orthodoxie, in: *P. Dinzelbacher/D. R. Bauer* (Hrsg.), Religiöse Frauenbewegungen und mystische Frömmigkeit im Mittelalter, Köln/Wien 1988.

12 Vgl. *E. W. McDonnell*, The Beguines and Beghards in Medieval Culture with Special Reference to the Belgian Scene, New Brunswick N. Y 1954 (= 1969); *ders.*, Artikel Beginen/Begarden, in: TRE V, Berlin/New York 1979/1980, 404–411.

13 *B. Degler-Spengler*, »Zahlreich wie die Sterne des Himmels«. Zisterzienser, Dominikaner und Franziskaner vor dem Problem der Inkorporation von Frauenklöstern, in: Rottenburger Jahrbuch für Kirchengeschichte, Sigmaringen 1985, 37–50.

14 Ebd. 39.

15 Ebd. 47f.

16 Vgl. *P. G. Gieraths*, Deutsche Mystik, in: Sacramentum Mundi, Band I, Freiburg/Basel/Wien 1967, 845–850, hier 846.

17 Ebd. 848.

18 Vgl. zur folgenden Skizze *P. Dinzelbacher*, Europäische Frauenmystik des Mittelalters, in: *ders./D. R. Bauer* (Hrsg.), Frauenmystik im Mittelalter, Ostfildern bei Stuttgart 1985, 11–23.

19 Vgl. ebd. 20f.

20 Vgl. zum folgenden *P. Segl* (Anm. 11).

21 Vgl. *P. Dinzelbacher*, Das politische Wirken der Mystikerinnen in Kirche und Staat: Hildegard, Birgitta, Katharina, in: *ders./D. R. Bauer* (Hrsg.), Religiöse Frauenbewegung und mystische Frömmigkeit im Mittelalter, Köln/Wien 1988.

22 Vgl. ebd., aber auch *P. Dinzelbacher*, Kleiner Exkurs zur feministischen Diskussion, in: *ders./D. R. Bauer* (Hrsg.), Frauenmystik im Mittelalter, Ostfildern bei Stuttgart 1985, 391–393.

23 *P. Dinzelbacher*, Das politische Wirken (Anm. 21).

Literatur

M. Barz/H. Leistner/U. Wild, Hättest du gedacht, daß wir so viele sind? Lesbische Frauen in der Kirche, Stuttgart 1987 (vor allem Kap. 5, 139–206).
W. Blank, Die Nonnenviten des 14. Jahrhunderts, Diss. Freiburg i. Br. 1962.
M. Bogin, The Women Troubadours, New York 1976.
C. W. Bynum, Jesus as Mother, Berkeley 1982.
B. Degler-Spengler, Die religiöse Frauenbewegung des Mittelalters. Konversen – Nonnen – Beginen, in: Rottenburger Jahrbuch für Kirchengeschichte, Sigmaringen 1984, 75–88.
B. Degler-Spengler, »Zahlreich wie die Sterne des Himmels«. Zisterzienser, Dominikaner und Franziskaner vor dem Problem der Inkorporation von Frauenklöstern, in: Rottenburger Jahrbuch für Kirchengeschichte, Sigmaringen 1985, 37–50.
P. Dinzelbacher, Vision und Visionsliteratur im Mittelalter, Stuttgart 1981.
P. Dinzelbacher/D. R. Bauer (Hrsg.), Frauenmystik im Mittelalter, Ostfildern bei Stuttgart 1985.
P. Dinzelbacher/D. R. Bauer (Hrsg.), Religiöse Frauenbewegung und mystische Frömmigkeit im Mittelalter, Köln/Wien 1988.
J. S. Donne, The Reasons of the Heart. A Journey into solitude and back again into the human circle, Notre Dame/London 1978.
P. Dronke, Women Writers in the Middle Ages, Cambridge 1984.
E. Ennen, Frauen im Mittelalter, München 1984.
M. Grabmann, Die deutsche Frauenmystik des Mittelalters, in: ders., Mittelalterliches Geistesleben, Band 1 (1926), 469–488.
H. Grundmann, Religiöse Bewegungen im Mittelalter. Untersuchungen über die geschichtlichen Zusammenhänge zwischen der Ketzerei, den Bettelorden und der religiösen Frauenbewegung im 12. und 13. Jahrhundert und über die geschichtlichen Grundlagen der deutschen Mystik (1935), Hildesheim ²1961.
H. Grundmann, Die Frauen und die Literatur im Mittelalter, in: ders., Ausgewählte Aufsätze III, Stuttgart 1978, 67–95.
A. Heiler, Mystik deutscher Frauen im Mittelalter, Berlin 1929.
G. Jaron-Lewis, Bibliographie zur deutschen mittelalterlichen Frauenmystik, Berlin 1984/1988.
P. Ketch, Frauen im Mittelalter, Düsseldorf 1983/84.
O. Langer, Mystische Erfahrung und spirituelle Theologie. Zu Meister Eckharts Auseinandersetzung mit der Frauenfrömmigkeit seiner Zeit.

I. Ludolphy, Art. Frau V, in: TRE XI, Berlin/New York 1982/1983, 438–441.
E. W. Mc Donnell, The Beguines and Beghards in Medieval Culture with Special Reference to the Belgian Scene, New Brunswick N. Y 1954 (=1969).
E. W. Mc Donnell, Art. Beginen/Begarden, in: TRE V, Berlin/New York 1979/1980, 404–411.
W. Muschg, Die Mystik in der Schweiz, Frauenfeld/Leipzig 1935.
J. A. Nichols/L. T. Shank (Hrsg.), Distant Echoes. Medieval Religious Women. Volume I, Kalamazoo Michigan 1984.
J. A. Nichols/L. T. Shank (Hrsg.), Peace Weavers. Medieval Religious Women. Volume II, Kalamazoo Michigan 1987.
M. Parisse, Les nonnes au Moyen Age, Le Puy 1983.
K. Ruh (Hrsg.), Altdeutsche und altniederländische Mystik, Darmstadt 1964 (WdF XXIII).
K. Ruh (Hrsg.), Abendländische Mystik im Mittelalter. Symposion Kloster Engelberg 1984, Stuttgart 1986.
S. Ringler, Viten- und Offenbarungsliteratur in Frauenklöstern des Mittelalters, München 1980.
S. Shahar, Die Frau im Mittelalter, Königstein 1981.
M. Schmidt/D. R. Bauer (Hrsg.), »Eine Höhe, über die nichts geht«. Spezielle Glaubenserfahrung in der Frauenmystik?, Stuttgart 1986.
J. Thiele, Die Erotik Gottes. Menschen werden wir nur als Liebende, Stuttgart 1988 (bes. Kap. VI, 125–156 zur erotischen Mystik im Mittelalter).
F.-W. Wentzlaff-Eggebert, Deutsche Mystik zwischen Mittelalter und Neuzeit, Berlin [3]1969.

Hildegard von Bingen

Ingrid Riedel

»Ich bin das heimliche Feuer in allem, und alles duftet von mir,
und wie der Odem im Menschen, Hauch der Lohe,
so leben die Wesenheiten und werden nicht sterben,
weil ich ihr Leben bin.
Ich flamme als göttlich feuriges Leben
über dem prangenden Feld der Ähren,
ich leuchte im Schimmer der Glut,
ich brenne in Sonne, in Mond und in Sternen,
im Windhauch ist heimlich Leben aus mir
und hält beseelend alles zusammen.«[1]

So hört *Hildegard von Bingen* (1098–1179) Gottes Stimme in einer ihrer Visionen. Daraus gewinnt ihre eigene Sprache – Hildegard hat zahlreiche Hymnen gedichtet – ihren unverwechselbaren Klang und ihre besondere Kraft.

Auch wenn man keine Hildegard-Forscherin ist, so kann man doch von dieser Frauengestalt betroffen sein, angerührt, und sie immer mehr für sich selbst als bedeutungsvoll entdecken. Was mich an ihr vor allem anspricht, ist dieses: Sie verbindet miteinander, was in der Geschichte des Christentums allzuoft auseinandergerissen wurde und bis heute auseinandergefallen ist. Sie gilt als Heilige, und zugleich ist in ihr etwas von dem, was die »Hexen« auszeichnete, jene Frauen, die, genauer gesagt, als Hexen galten. Sie ist Heilige und ist als Heilige vor allem eine große Heilende, eine Heilkundige, wie es die »Kräuterfrauen«, die weisen Frauen, die großen Frauengestalten der keltischen und germanischen Frühzeit waren. Zugleich ist sie Prophetin wie Deborah, die große Frauengestalt des Alten Testaments. Sie hat weisende Worte für ihre Zeit, für den Kaiser Friedrich Barbarossa[2], für die Päpste[3].

Hildegard war – und das ist vielleicht das Originellste an ihr – zugleich Naturkundige, Naturforscherin. Sie ist eine der besten Pflanzen- und Tierkennerinnen ihrer Zeit. Ihre naturkundlichen Bücher[4] enthalten genaue, liebevolle Beschreibungen etwa der Fischarten im Nahe-Rhein-Gebiet. (Es gibt moderne Biologen, die behaupten, es gebe hierüber bis heute nichts Vollständigeres[5].) Hildegard kennt die Laichgewohnheiten der Aale, ihre Wanderungen. Sie beschreibt die Lebensgesetze und Wirkungsweisen der Pflanzen[6], wobei sie diese freilich – im Sinne der mittelalterlichen Signaturen-Lehre – oft nach ihrer Form den Organen und ihren Erkrankungen zuordnet, zum Beispiel das Leberblümchen der Leber und dem Leberleiden. Dabei bezieht sie sich auf ein altüberliefertes, aus der Antike stammendes Analogiegesetz, das sie keineswegs unbedacht anwendet. Als eine der besten Kennerinnen der Heilkräuter ihrer Zeit, aber auch der überlieferten Rezepte war sie zugleich Ärztin, Ärztin im Sinn ihrer Zeit. Sie wird zu den wichtigsten Gestalten der Medizingeschichte gezählt[7].

Hildegards Sicht der Natur ist vor allem dadurch ausgezeichnet, daß sie den ganzen Makrokosmos und damit auch den Mikrokosmos des menschlichen Körpers von einer einheitlichen Kraft durchwirkt sieht, der *sancta viriditas*, der »heiligen Grüne«. Diese »heilige Grüne« ist in der Pflanze; aber ebenso wirkt sie im menschlichen Körper und vor allem in der menschlichen Seele:

»O edelste Grüne,
Du wurzelst in der Sonne
Und leuchtest in schneeiger Klarheit
In dem kreisenden Rade,
Das irdische Größe nimmer begreift.
Dich umfängt die Umarmung
Der Geheimnisse Gottes.
Wie Morgenglühen errötest du
Und brennst wie die Flamme der Sonne.«[8]

Dieses Grün also ist die »Herzkraft himmlischer Geheimnisse«, die »die Herrlichkeit des Irdischen nicht faßt«. Als von Gott gezeugte und von ihm her zeugende Kraft wirkt es in allem Grünen – auch im übertragenen Sinne etwa in der Vereinigung von Mann und Frau[9]. Als Keimkraft im werdenden Kind ist die

Grünkraft sehr stark; im Herbst kocht sie die Natur zur Reife. Hildegard ist davon überzeugt, daß es keine Dürrezonen auf der Erde gäbe, wenn der Mensch mit Gott verbunden geblieben wäre. Nur durch die Schwächung des von seiner Quelle abgesonderten Menschen, durch die daraus sich ergebenden unheilvollen Taten des Menschen auf der Erde ist Unfruchtbarkeit entstanden. Hildegard ist überzeugt, daß es nicht einmal der Pflege der Gärten und der Felder bedürfte, wenn der Mensch in der ursprünglichen Schöpfungsordnung lebte; dann vermöchte die Grünkraft alles zu durchpulsen. Vom Konkreten bis hin zum Spirituellen ist alles Lebendige von dieser Kraft durchströmt, einer Keim- und Schöpfungskraft, die zugleich Ruhe und Gleichgewicht mit sich bringt.

Grün ist die Farbe zwischen Blau und Gelb, zwischen dem Licht und der Tiefe des Wassers, aus beiden polaren Farbelementen gemischt. Es ist die Farbe, in der alle Dinge zur Ruhe kommen. Diese Vorstellung Hildegards setzt sich direkt in ihren Rezepten um, in ihren Anwcisungen zum Umgang mit dem Grün. So kennt sie die wohltuende Wirkung dieser Farbe auf die Sehnerven, auf müde oder kranke Augen. Für Menschen, die an überanstrengten Augen leiden, schlägt sie folgende Übung vor: Es »soll der Mensch hinausgehen auf eine grüne Wiese und sie so lange anschauen, bis seine Augen wie vom Weinen naß werden: das Grün dieser Wiese nämlich beseitigt das Trübe in den Augen und macht sie wieder sauber und klar.«[10]

Hildegard kennt die Kraft der (wie wir es heute nennen) »Imagination«. Die therapeutische Kraft solcher Imagination wird in der modernen psychosomatisch orientierten Medizin wiederentdeckt, so in dem Verfahren des »katathymen Bilderlebens«[11]. Ausgegangen wird etwa vom Motiv der »Wiese«, das in der inneren Vorstellung entwickelt wird, als Therapie nicht nur für die Augen, sondern für die Psycho-Somatik des ganzen Menschen. Noch umfassender wirksam sind andere Übungen Hildegards, in denen sich Imagination und Zuwendung zur wirklichen Natur ergänzen.

Für die Heiligsprechung Hildegards waren Berichte über die von ihr bewirkten Heilungen maßgebend. Es gibt zahlreiche solcher Berichte, an denen sicherlich vieles legendenhaft ist und in denen Hildegards therapeutische Erfolge als Wunderheilungen dargestellt werden. Typisch für ihre Weise zu heilen ist die folgende überlieferte Geschichte: »Als Hildegard einst bei dem Ort Rüdesheim über den Rhein fuhr, um ihr nahegelegenes Nonnenkloster [Eibingen] zu besuchen, näherte sich ihrem Schiff eine Frau, die einen blinden Knaben in den Armen trug und flehentlich unter Tränen bat, sie möge dem Kind ihre heiligen Hände auflegen. In gütigem Mitleid gedachte sie dessen, der sprach: ›Gehe an den Teich Siloe und wasche dich‹ (Joh. 9,11) – schöpfte mit der Linken Wasser aus dem Fluß und segnete es mit der Rechten. Dann sprengte sie es dem Knaben über die Augen, und unter dem Gnadenbeistand Gottes erhielt er sein Sehvermögen zurück.«[12] Charakteristisch für Hildegard scheint gewesen zu sein, daß sie nie mit magischen Heilformeln umging, wie es durchaus der Zeit entsprochen hätte. Vielmehr zitierte sie die Bibel, berief sich auf die heilenden Kräfte, die Jesus zur Verfügung standen und die auch den an ihn Glaubenden zugesagt sind. Sie wandte die Worte an, die dort gesagt waren. Das ist natürlich kein streng medizinisches Heilverfahren, sondern ein im Glauben begründetes. Die Schlichtheit dieses Berichtes ist charakteristisch für das, was das Volk über Hildegard dachte.

Hildegard war mit einer eigentümlichen Fähigkeit zur Schau, zur Vision begabt. Möglicherweise waren ihr auch deshalb die genannten einfachen Übungen des Sehens und Vorstellens nicht fremd. Die visionäre Begabung bestimmte ihr ganzes Sein.

Außerdem war Hildegard Äbtissin eines großen Klosters, später mehrerer Klöster. Das erfordert Fähigkeit zur Seelsorge, aber auch zur Verwaltung. Zwei große Abteien hat sie in eigener Regie erbaut – eine Frau von ungewöhnlichem Format, bei der zarteste Seiten mit großer Energie zusammentreffen.

Hildegard ist als Seherin zugleich Mystikerin. Sie erfährt und vertritt eine Mystik, die sich charakteristisch von der *Meister Eckharts*, aber auch von der *Teresas von Avila* unterscheidet. Das Besondere der Mystik Hildegards ist, daß sie nicht die Verbindung der einzelnen Seele mit Gott zum Hauptthema hat.

Zwar sind auch von ihr Erfahrungen solcher Verbundenheit überliefert, doch darüber schreibt sie nicht, statt dessen über ihre Vision des Kosmos und der Geschichte. In ihrer Schau sieht sie kosmische Zusammenhänge, ihre Mystik ist eine überpersönliche. Um einen ihr verwandten Geist zu finden, müssen wir bis ins 9. Jahrhundert zurückgehen, zu *Johannes Scotus Eriugena*, dessen Mystik auf der Lehre vom Rück-Strom und der Wiederkehr aller geschaffenen Natur in die göttliche Einheit beruht, von woher diese wieder zur neuen Entfaltung drängt. Und erst 400 Jahre nach Hildegards Tod begegnet uns im 16. Jahrhundert in *Jakob Böhme* ein ihr verwandter Geist, dem es ebenfalls um das Geheimnis und die Gott-Durchwirktheit des Kosmos geht. Bei der Suche, der Frage nach einer neuen Theologie der Natur sollten wir Hildegard hören.

Ich möchte zunächst einen Überblick über das Leben Hildegards geben, ein wenig auch vom zeitgeschichtlichen Hintergrund und von den Traditionsströmen berichten, aus denen sich ihre mystischen Bilder nähren. Wenn auch diese mystische Schau aus einem Bereich kommt, der mit historischen Kategorien nicht mehr zu erfassen ist, so spüren wir doch, daß alle Mystiker mit ihrer jeweils besonderen Sprache in ihrer Zeit stehen und von bestimmten Traditionsströmen genährt sind. Nur einer dieser Ströme sei genannt, der noch kaum bekannt ist (ihm gelten seit einigen Jahren die Forschungen von *Barbara Bienczyk*[13]): die jüdische Mystik, die möglicherweise über die jüdischen Gemeinden und die großen Thora-Schulen am Rhein zu Hildegard gedrungen ist. Auf diese Mystik verweisen vor allem manche der eigentümlichen Bilder Hildegards – zum Beispiel der gekrönte weise alte Mann, aus dessen Haupt zwei weitere Köpfe hervorgehen[14] –, Bilder, zu denen sich nirgendwo sonst Parallelen und Hintergründe finden lassen.

Eine Vision Hildegards, die sie in kraftvoll poetischer Sprache niederschreibt, sei berichtet. Hildegard sieht eine gewaltige kosmische Gestalt, die zugleich das ganze Firmament durchragt und durchdringt; diese Gestalt hört sie sprechen:

»Ich, die höchste und feurige Kraft, habe jedweden Funken von Leben entzündet, und nichts Tödliches sprühe ich aus. Ich entscheide über alle Wirklichkeit. Mit meinen höheren Flügeln umfliege ich den Erdkreis:

mit Weisheit habe ich das All recht geordnet. Ich, das feurige Leben göttlicher Wesenheit, zünde hin über die Schönheiten der Fluren, ich leuchte in den Gewässern und brenne in Sonne, Mond und Sternen. Mit jedem Lufthauch, wie mit unsichtbarem Leben, das alles erhält, erwecke ich alles zum Leben... So ruhe ich in aller Wirklichkeit verborgen als feurige Kraft. Alles brennt so durch mich, wie der Atem den Menschen unablässig bewegt, gleich der windbewegten Flamme im Feuer. Dies alles lebt in seiner Wesenheit, und kein Tod ist darin. Denn ich bin das Leben. Ich bin auch die Vernunft, die den Hauch des tönenden Wortes in sich trägt, durch das die ganze Schöpfung gemacht. Allem hauche ich Leben ein, so daß nichts davon in seiner Art sterblich ist. Denn ich bin das Leben.«[15]

Eine ungeheure Schau und auch eine Wortoffenbarung! Korrespondierend zu diesem Gottesbild versteht Hildegard die Seele des Menschen:

»Die Seele ist wie ein Wind, der über die Kräuter weht, und wie ein Tau, der auf die Gräser träufelt, und wie die Regenluft, die wachsen macht. Genauso ströme der Mensch sein Wohlwollen aus auf alle, die da Sehnsucht tragen.

Ein Wind sei er, indem er den Elenden hilft, ein Tau, indem er die Verlassenen tröstet, und Regenluft, indem er die Ermatteten aufrichtet und sie mit der Lehre erfüllt wie Hungernde: indem er ihnen seine Seele hingibt.«[16]

Darin spüren wir schon die ganze Hildegard in ihrem weiträumigen und liebevollen Geist. Seele, Wind und Tau sind ihr keine für sich bestehenden Wesenheiten, sondern es ist alles zur Korrespondenz miteinander geschaffen. Die Seele ist dazu da, um wie der Tau Leben aufzurichten. Hildegard begreift den ganzen Kosmos, Wind, Tau und Regenluft, Kräuter und Gräser, alles durchwirkt von göttlichem Feueratem oder – mit jenem anderen Bild, das die gleiche Kraft in ihrer sanften Wirkungsweise zeigt – durchpulst vom lebendigen Grün. Alles ist aufeinander bezogen, alles stiftet Beziehung und ruft den Menschen zur Bezogenheit auf. So ist es nur natürlich, daß Hildegard zugleich eine große Ärztin war. Vielleicht war sie es vor allem als Seelsorgerin.

Durch eine für das 12. Jahrhundert selten gute Quellenüberlieferung haben wir genaue Kenntnisse über wesentliche Lebensstationen Hildegards[17]. Ihr Heimatort ist Bermersheim bei Alzey im fränkischen Nahegau. Dort wurde sie als zehntes

Kind einer freiherrlichen Familie von Bermersheim im Jahre 1098 geboren. Sie steht also an der Schwelle des 12. Jahrhunderts und wird hineinwachsen in die sowohl in politischer als auch in geistesgeschichtlicher Hinsicht sehr spannungsgeladene Zeit. Sie erlebt fünf Kaiser, das Ende der Salier, den Aufstieg der Staufer. Als *Friedrich Barbarossa* gekrönt wird, schreibt sie ihm, sie spüre, daß Segen auf ihm liege. Aber als es dann zu der Auseinandersetzung zwischen Kaiser und Papst kommt, Friedrich mehrere Gegenpäpste einsetzt und damit große Gewissensverwirrung in der Christenheit stiftet, zerreißt das ihr seelsorgerliches Herz (wenn man so sagen darf), und sie warnt Friedrich entschieden, sehr hart. Dieser Brief lautet an seiner entscheidenden Stelle: »Der da IST, spricht: Die Widerspenstigkeit zerstöre Ich, und den Widerspruch derer, die Mir trotzen, zermalme Ich durch Mich selbst. Wehe, wehe diesem Tun der Frevler, die Mich verachten! Das höre, König, wenn du leben willst! Sonst wird Mein Schwert dich durchbohren.«[18]

So schreibt diese Frau an Kaiser Friedrich Barbarossa. In ihrem Briefwechsel mit den Mächtigen ihrer Zeit kennt sie in ihren späteren Jahren keinerlei Furcht mehr, vor allem dann nicht, wenn sich diese Botschaften aus ihrer Schau herleiten. Als sie allerdings das erste Mal etwas von ihrer Schau aufzeichnet, ist sie unendlich bange, was in der Öffentlichkeit daraus werden mag, und sie schreibt einen überaus demütigen und angstvollen Brief an den großen geistlichen Mentor des damaligen Europa, *Bernhard von Clairvaux*. Dieser Brief zeigt die andere Hildegard, die sich durchringen mußte zu ihrer eigenen Größe:

> »Verehrungswürdiger Vater Bernhard, wunderbar stehst du da in hohen Ehren aus Gottes Kraft... Ich bitte dich, Vater, beim lebendigen Gott, höre mich, da ich dich frage.
>
> Ich bin gar sehr bekümmert ob dieser Schau, die sich mir im Geiste als ein Mysterium auftat. Niemals schaute ich sie mit den äußeren Augen des Fleisches. Ich, erbärmlich und mehr als erbärmlich in meinem Sein als Frau, schaute schon von meiner Kindheit an große Wunderdinge, die meine Zunge nicht aussprechen könnte, wenn nicht Gottes Geist mich lehrte zu glauben.
>
> Milder Vater, du bist so sicher, antworte mir in deiner Güte, mir, deiner unwürdigen Dienerin, die ich von Kindheit an niemals in Sicher-

> heit lebte, nicht eine einzige Stunde. Bei deiner Vaterliebe und Weisheit forsche in deiner Seele, wie du im Heiligen Geist belehrt wirst, und schenke deiner Magd aus deinem Herzen Trost...
>
> Um der Liebe Gottes willen begehre ich, Vater, daß du mich tröstest. Dann werde ich sicher sein.
>
> Ich sah dich vor mehr als zwei Jahren in dieser Schau als einen Menschen, der in die Sonne blickt und sich nicht fürchtet, sondern sehr kühn ist. Und ich habe geweint, weil ich so sehr erröte und so zaghaft bin.
>
> Gütiger Vater, mildester, ich bin in deine Seele hineingelegt, damit du mir durch dein Wort enthüllst, ob du willst, daß ich dies offen sagen oder Schweigen bewahren soll. Denn große Mühen habe ich in dieser Schau, inwieweit ich das, was ich gesehen und gehört habe, sagen darf. Ja bisweilen werde ich – weil ich schweige – von dieser Schau mit schweren Krankheiten aufs Lager niedergeworfen, so daß ich mich nicht aufrichten kann.«[19]

Hildegard hat immer ihre Krankheiten im Zusammenhang mit einem Sich-Verweigern gesehen, wenn sie nicht wagte, das Ungeheure, das in ihr lebendig war, wie von ihm verlangt auszusprechen. Sie hat schwere Krankheiten gekannt: Lähmungen, Augenleiden, Atemleiden – wir könnten heute sagen: lauter psychosomatische Leiden. Es bestand jedenfalls ein ganz enger Zusammenhang zwischen der Verwirklichung ihrer Berufung als die besondere Frau, als die sie gemeint war, und diesen Krankheiten[20].

Doch zurück zu ihrer Zeit: Ihr Jahrhundert wird stark erschüttert durch die Kreuzzugsbewegung. Hildegard war davon betroffen wie ihre Zeitgenossen *Elisabeth von Thüringen* und *Franz von Assisi*. Der zweite Kreuzzug, zu dem Papst *Eugen III.* und *Bernhard von Clairvaux* die europäische Ritterschaft aufriefen, endete für die Kreuzfahrer in einer Katastrophe. In eben diesen Jahren von 1141 bis 1151, zehn Jahre lang also, schreibt Hildegard ihre Visionen in dem ersten Werk nieder, das sie *Scivias*, »Wisse die Wege«, nennt[21]. Ein ungewolltes Nebenergebnis hatten die Kreuzzüge darin, daß sie die Weisheit, die Philosophie und Mystik des islamischen Orients nach Europa brachten, zusammen mit Astronomie, Mathematik und Medizin. Davon hat Hildegard zweifellos profitiert, hat nachweislich vieles an Wissen kennengelernt. Doch auch die andere, die dunkelste Seite der Kreuzzugsbewegung spielt sich unmittelbar vor ihren Augen ab. Etlichen Kreuzfahrern schien der Weg nach Jerusalem zu weit. Wozu solle man, schreibt Abt *Petrus von Cluny* an den König von Frankreich, die Feinde Christi in fernen Ländern suchen, da doch die gotteslästernden Juden, die viel schlimmer sind als die Sarazenen, mitten unter den Christen leben. Vergeblich verurteilt Bernhard von Clairvaux in einem Sendschreiben, das vor allem in Frankreich und Deutschland eilig verbreitet wurde, diese Rede: Der Pöbel war bereits in Bewegung geraten. Um diese Zeit richteten sich die ersten schweren Pogrome gegen die blühenden jüdischen Gemeinden, vor allem in Speyer, Worms, Mainz und Bingen, die Gegend, in der Hildegard lebte. Und um so bedeutender, bedeutsamer auch, daß von Hildegard berichtet wird, sie habe mit jüdischen Gelehrten Kontakt gehabt, die *causa interrogationis* zu ihr gekommen seien, um sich mit ihr zu unterreden, mit ihr zu disputieren. Man darf vermuten, daß Hildegard keineswegs zu denen gehörte, die sich der Verfolgungswelle anschlossen. Im Gegenteil, sie nahm jüdisch-mystische Vorstellungen in ihr Werk auf, ließ sich von ihnen so stark bewegen, daß sie ihr tief ins Unbewußte sanken (so könnten wir heute psychologisch sagen), so daß sie in ihren Visionen als gewisse Grundvorstellungen wiederkehrten. Auch hier zeigt sich Hildegard als eine Frau von großer Selbständigkeit, Unabhängigkeit und ungewöhnlichem Format. Wir haben einen umfangreichen Briefwechsel, in dem sie, um geistigen Rat gebeten, zu den wesentlichen Zeitproblemen Stellung nimmt. Vor allem hat sie als Frau allein Predigtreisen unternommen, ist auf den Marktplätzen, zum Beispiel in Würzburg und Bamberg, oder auch in den großen Kathedralen aufgetreten und hat unmittelbar zu Fragen der Zeit gepredigt.

Das waren absolut ungewöhnliche Aktivitäten, auch für eine adlige mittelalterliche Klosterfrau. Dabei war Hildegards Leben gewiß nicht als *vita activa* angelegt, sondern ursprünglich als *vita contemplativa*[22], nicht zuletzt deshalb, weil sich schon in dem kleinen Kind die visionäre Begabung zeigte. So haben die Eltern dieses zehnte Kind gleichsam als ihren »Zehnten« (wie man es damals verstand) Gott weihen wollen und übergaben es im Alter von acht Jahren einer »geistlichen Meisterin«, *Jutta von Sponheim*. Dies ist eine Parallele zu der Sitte, Kinder im gleichen Alter schon durch Heiratsversprechen, die die Eltern für sie abgeben, zu binden. Man bestimmte entweder auf die eine oder auf die andere Weise das Schicksal der Kinder. Nun war allerdings die Frauengemeinschaft, die sich um Jutta von Sponheim gesammelt hatte, eine besonders inspirierte; sie genoß damals einen hervorragenden Ruf und wuchs zusehends. Sie lebte kontemplativ nach der Regel des heiligen Benedikt. Hildegard wird nach dem Tod Juttas, die ihr offenbar eine zweite Mutter geworden war, zu deren Nachfolgerin gewählt. Von da an ist ihre Anziehungskraft als Meisterin des geistlichen Lebens so groß, daß sie, um alle geistigen Töchter aufnehmen zu können, 1150 ein neues Kloster gründen muß, das sie auf dem Rupertsberg bei Bingen erbaut. Man muß sich vorstellen, was damit an Mühen verbunden gewesen sein mag, vor allem auch durch die beginnende Auseinandersetzung mit dem alten benachbarten Männerkloster der Benediktiner, das die berühmt gewordene Hildegard nicht mehr wegziehen lassen wollte. Die Repressionen des Benediktinerkonvents gingen so weit, daß er sogar die Güter der mit Hildegard ausziehenden Nonnen zurückbehielt, wodurch deren Gründung, die Neugründung, in so außerordentlicher Armut erfolgen mußte, daß anfangs nicht einmal ausreichende Nahrung vorhanden war. So kam es zu einem kleinen Aufstand der Nonnen gegen Hildegard. Auch in dieser Phase hat sie während der Auseinandersetzungen – und solange sie diese Neugründung nicht wagte – schwere Krankheiten durchgestanden. Sie selbst bezog die Krankheiten immer auf ihre »weibliche Scheu«; sie wurde, wie sie glaubte, nur krank, wenn sie dieser Zaghaftigkeit nachgab[23]. Ihr Kloster wächst dennoch bald so sehr, daß sie auf der gegenüberliegenden Rheinseite, in Eiblingen, ein weiteres Kloster gründen muß. Man hat sich Hildegard zu Pferde vorzustellen, wie sie das alles erledigt: diese Frau, die häufig von Lähmungen heimgesucht war, die sich monatelang überhaupt nicht vom Bett erheben konnte. Wie schon erwähnt, sagt sie von sich, sie habe sich nicht einen Tag ihres Lebens ganz sicher fühlen können, was auch für ihre Gesundheit gilt.

Damit nun kein einseitig helles Bild Hildegards entsteht, sei auch etwas von dem Schatten gezeigt, der diesem starken Charakter anhaftet, ich möchte fast sagen: anhaften muß. Hildegard, die lange Zeit ihre Visionen verschwieg und nichts aufschrieb, war stark angewiesen auf die wenigen Menschen, denen sie volles Vertrauen schenken konnte. Der Mönch *Volmar* aus dem benachbarten Benediktinerkloster war ihr Lehrer und Vertrauter; sie war tief getroffen, als er starb. Dazu kommt ihre starke Verbundenheit mit einer jungen hochbegabten Mitschwester, der adligen Nonne *Richardis von Stade*[24]. Diese wurde ihre engste Mitarbeiterin, auch beim Niederschreiben der Visionen. Richardis war unter Hildegards Obhut und Liebe zu einer selbständigen und hervorragenden Persönlichkeit herangewachsen; und es ehrt Hildegard, daß solche starken Persönlichkeiten neben ihr heranwachsen konnten. Nun erhält Richardis, auch auf Mitvermittlung ihrer adligen Verwandtschaft in Bremen hin, die Aufforderung und die damit verbundene hohe Ehre, Äbtissin im Benediktinerinnen-Stift von Bremen zu werden. Richardis ist dem nicht abgeneigt und stimmt zu. Hildegard hingegen ist erschüttert. Sie befragt ihre innere Schau, was davon zu halten sei, und sie glaubt zu hören und zu sehen, daß es gegen den Willen Gottes sei, wenn Richardis Äbtissin würde, da sie damit ihrem persönlichen Ehrgeiz erliege. Richardis – das ehrt nun auch sie und erweist ihre Selbständigkeit – nimmt den Ruf trotzdem an und bricht tatsächlich nach Bremen auf. Hildegard gerät völlig aus der Fassung. Sie setzt ganz Europa, das ja mit ihr in ehrerbietigem Briefwechsel steht, in Bewegung: den Mainzer Erzbischof, den Bremer Erzbischof (der der leibliche Bruder von Richardis ist), den Papst Eugen (den sie persönlich kennt), die Mutter der Richardis und natürlich Richardis selbst. Der Papst antwortet recht weise: wenn Richardis ein Kloster bei Bremen leiten wolle, dann möge sie sich dort nach der Regel des heiligen Benedikt richten, auf die sie Profeß abgelegt habe; wenn nicht, müsse sie zurückkommen zu Hildegard.

Richardis hatte nie etwas anderes vorgehabt, als ein Benediktinerinnen-Kloster nach der Regel Benedikts zu leiten, und – jetzt spürt man auch die leise Ironie im Brief des Papstes – man konnte ihr auf keine Weise einen Stein in den Weg legen.

Da es aber natürlich um mehr ging als um kirchenpolitische Dinge, da die beiden Frauen offenbar stark aneinander gebunden waren, beschloß Richardis schließlich nach schwersten inneren Kämpfen, doch zu Hildegard zurückzukehren. Damit aber nimmt das Drama zwischen den beiden eine tragische Wendung: Als Richardis diesen Entschluß gefaßt und sich zur Rückkehr aufgemacht hatte, wurde sie von einer schweren, lebensgefährlichen Krankheit ergriffen. Ihrem Bruder, dem Erzbischof von Bremen, erzählte sie unter Tränen, wie sehr sie darunter leide, daß Hildegard ihrer Wahl zur Äbtissin die Zustimmung versage, daß sie innerlich so davon zerrissen werde, daß sie nicht mehr anders könne als zu Hildegard zurückzukehren. Als sie schließlich wirklich zu Hildegard aufbrechen will, wird die Krankheit so schwer, daß sie sich nicht mehr davon erholt, sondern einige Wochen später daran stirbt. Der Tod der Richardis von Stade ist für Hildegard einer der Schläge, unter denen sie fast zusammenbricht, die sie aber auch sehr menschlich machen. Hildegard ist bis zuletzt nicht ganz davon abzubringen, daß ihre Schau sie nicht habe trügen können, was von daher verständlich ist, daß die Schau das zentrale Element ihres religiösen Lebens war. Sie klagte sich vielmehr dessen an, Richardis zu sehr an sich gebunden zu haben, und wohl auch dessen, daß sie diesem kirchenpolitischen Spiel, dem Ehrgeiz der Verwandtschaft, die Richardis vielleicht doch zu diesem Schritt gedrängt habe, nichts entgegenzusetzen vermochte.

An dieser Geschichte ist noch der andere Aspekt bewegend und bedrückend, daß Hildegard, die von ihrer Schau lebte und zutiefst überzeugt von ihr war, innerhalb ihrer Visionen nicht zu unterscheiden vermochte zwischen deren imaginativem Element, in dem jeweils auch die unbewußten Phantasien mitspielen und mitgestalten, und der geistlichen Weisung, die sie den Visionen und Auditionen entnahm. Ich begreife, daß Hildegard hier an ihre Grenze stieß. Aber ich möchte auch darauf hinweisen, daß die Gabe der Imagination, der Vision, an sich eine natürliche psychische Gabe ist, die manchen Menschen eigen ist, ohne daß damit schon direkte göttliche Offenbarungen und wörtlich zu nehmende Weisungen verbunden wären. Vielmehr kann alles, was sich im Unbewußten eines Menschen abspielt, mit in seine Vision einströmen – also zum Beispiel Hildegards allzu menschlicher Wunsch, Richardis möge in ihrer Nähe bleiben. Das ist jedoch keine Fragestellung von Menschen des Mittelalters, sondern eine der modernen Psychologie des Unbewußten. Die Frage nach der theologischen Relevanz ihrer Visionen stellt sich allerdings noch einmal: dann nämlich, wenn Hildegard – wie die Texte erweisen – den Bildgehalt ihrer Schau nachträglich theologisch interpretiert, wenn sie ihn, der als solcher erschütternd und ergreifend ist und oft auch quer steht zu den theologisch gängigen und vertretbaren Lehren ihrer Zeit, durch nachträgliche Auslegungen zurechtbiegt (natürlich ohne das bewußt zu wollen), wenn sie glaubt, die interpretierende Stimme gleichsam in der Vision mitzuhören. Aber wenn man ihren Text unbefangen liest, ausgehend von dem von ihr beschriebenen Bildgehalt, und dann die nachfolgende Interpretation aufnimmt, spürt man, daß es sich hier um zwei völlig verschiedene Ebenen der Wahrnehmung handelt und daß sich hier die theologische Ratio korrigierend einschiebt, indem sie den Bedeutungsgehalt der Bilder einengt[25]. Vergessen wir aber in diesem Zusammenhang auch nicht die große Angst des mittelalterlichen Menschen vor der immer möglichen Verketzerung. In Hildegards Zeit fällt der Beginn der Katharer-Bewegung, die die ersten schweren Ketzerverfolgungen in Europa nach sich zog.

Hildegard war jedoch, über alle ihre eigenen Rationalisierungen hinaus, zweifellos wirklich Mystikerin, indem sie nämlich diese natürliche Schau in den Raum ihres Glaubens erhob und von dorther interpretierte. Wir werden sehen, daß es Visionen von ihr gibt, die keiner Interpretation bedürfen, die einfach evident sind. Wenn wir an jene zu Anfang beschriebene kosmische Vision denken, an die Bilder von dem alles durchglühenden Atem Gottes, spüren wir, daß es sich hier nicht mehr um allzu persönliche Erfahrungen handelt, sondern daß eine überpersönliche Mystik des Kosmos uns hier anrührt.

Ich unterscheide darum die Visionärin als solche von der Mystikerin und schließlich von dieser noch die Prophetin, zu der Hildegard emporwuchs. Sie wurde schon in ihrer Zeit als »Prophetin« bezeichnet in Analogie zum alttestamentlichen

Prophetentum, als eine Frau, die ein bedeutendes Wort in die Zeit zu sagen hat[26]. Visionäre Schau und Prophetie aber sind zweierlei.

Hildegards starker Charakter hat sich auf der anderen Seite noch einmal bewährt, kurz vor ihrem Tod, als dieser in ganz Europa hoch geachteten Frau das Schlimmste und Schmachvollste zustieß, was damals überhaupt geschehen konnte: Über ihr Kloster wurde das Interdikt verhängt, das heißt, die Klosterkirche mußte geschlossen bleiben, weder Liturgie noch Eucharistie durften gefeiert werden, was für einen Benediktinerinnen-Konvent fast so etwas wie eine geistliche Aushungerung bedeutete. Wie konnte das geschehen[27]? Ihr Kloster hatte das Recht, Freunde und Gönner auf seinem Areal beizusetzen; und Hildegard hatte einen Edelmann in ihrem Kirchhof begraben lassen, der eine Zeitlang exkommuniziert gewesen, dann jedoch nach der Beichte von seinem persönlichen Beichtvater wieder losgesprochen worden war, nicht aber vom Erzbischof in Mainz. Hildegard hatte es guten Glaubens getan. Die Kirchenbehörde reagierte mit Empörung über diese Eigenmächtigkeit und drohte mit dem Interdikt. Hildegard war tief erschrocken und betroffen, weil dieses Begräbnis in geweihter Erde eine für sie selbstverständliche Sache gewesen war; und so befragte sie ihre Gabe zur Schau, wie sie es bei den Entscheidungen wegen Richardis getan hatte. In ihrer Schau erfuhr sie, daß sie recht gehandelt habe und bis zum Ende zu dieser Sache stehen solle. Da ging sie zu dem Grab des Edelmanns und zeichnete feierlich mit ihrem Äbtissinnenstab ein Kreuz darauf; anschließend verwischte sie die Konturen des Grabes mit eigenen Händen, so daß es künftig unauffindbar war. Von dem Moment an begann sie den Rechtsstreit für diesen Mann zu führen; sie beruhigte sich nicht nur mit diesem Tarnen seines Grabes, sondern schritt zum Kampf. Sie legte die Rechtssache in Mainz bei der Kirchenbehörde vor und verlangte ein gerechtes Urteil. Man gab ihr nicht nach. Sie stand zu ihrer Überzeugung und nahm das angedrohte Interdikt für sich und ihr Kloster auf sich. Nach einiger Zeit gelang es einem einflußreichen Mann, der Mainzer Kirchenbehörde glaubhaft zu machen, daß sie wirklich im Recht sei. Das Interdikt wurde aufgehoben.

Doch zu dem Zeitpunkt war der Erzbischof selbst noch auf dem Laterankonzil, fühlte sich wieder übergangen und verhängte das Interdikt ein weiteres Mal. Erst als er zurückkam, löste sich die Sache: Hildegard wurde sozusagen freigesprochen; es wurde anerkannt, daß dieser arme Sünder wirklich zu Recht in geweihter Erde lag.

Hildegard – das ist nun ein zweites tragisches Moment in ihrem Leben – hatte offensichtlich ihre Kräfte aufgezehrt in diesem letzten Kampf, in dem Kirchenrecht gegen Inspiration stand. Sie überlebte den Streit nur um wenige Monate. Sie sagte ihren Todestag voraus; am selben Tag trat er auch ein. Sie ist in ihrem 82. Lebensjahr gestorben. Bedenken wir, was es bedeutet, daß diese Frau in ihrem 82. Jahr einen solchen Konflikt durchgestanden hat!

Diese beiden Geschichten scheinen mir Hildegards Charakter zu umreißen. Beide Male hat sie sich im Alltag auf ihre Schau berufen, einmal zu Recht, das andere Mal wohl zu Unrecht. Als Hildegard starb, sah das Volk über ihrem Kloster ein Lichtkreuz am Himmel stehen. Das Volk hatte nun selbst eine Vision[28]. Es gibt darüber keine genaueren Angaben; aber man muß annehmen, daß ein großer Teil der Bevölkerung im Umkreis ihres Klosters ihr Sterben innerlich begleitet hat, so daß durch diese Vision beim Tode Hildegards diese gläubigen Menschen selbst zu Visionären wurden. So begann Hildegards Ausstrahlung über ihren leiblichen Tod hinaus.

Klostergründungen und politisches Engagement machen Hildegard zu einer geschichtlich bedeutenden Persönlichkeit. Was aber das Interesse an ihr in den letzten fünfzig Jahren weit mehr ansteigen ließ, sind ihre Werke, die nun fast vollständig ins Deutsche übersetzt sind. Neben den Übersetzungen der beiden Benediktinerinnen *Adelgundis Führkötter* und *Maura Böckeler* stehen diejenigen des Medizinhistorikers *Heinrich Schipperges*. Sie umfassen sowohl naturkundliche wie medizinische Texte, Lieder und Hymnen, vor allem aber die drei umfangreichen theologisch-mystischen Schriften *Scivias*[29], *Liber vitae meritorum*[30] und *De operatione Dei*[31].

In diesen Schriften fließen die drei geistigen und geistlichen Traditionsströme, die in der Zeit und im Lebensumkreis Hildegards wirksam sind, zusammen. Dazu gehören zunächst die biblisch-patristische und die liturgische Tradition, die Hildegard durch ihre benediktinische Erfahrung und Lebensweise zu eigen wurden; ferner gehören dazu Anregungen aus der jüdischen Mystik. Ihre Biografin *Adelgundis Führkötter* schreibt über Hildegards Erziehung und Ausbildung:

> »Meisterin Jutta unterwies Hildegard und die ihrer Leitung untergebenen Gefährtinnen im klösterlichen Leben nach der Regel des hl. Benedikt, lehrte sie den Psalmengesang und machte sie vertraut mit der Heiligen Schrift. Es ist von nicht geringer Bedeutung, daß Hildegard, die sich später mit Vorliebe ungelehrt (indocta) nennt, einen Magister – einen Lehrer und Ratgeber – hatte... [Sie] erhielt zwar keinen wissenschaftlichen Unterricht wie die Mönche der berühmten Klosterschulen in den großen Abteien, doch mußte sie zum verständnisvollen Vollzug des göttlichen Offiziums und der Liturgie in ausreichendem Maße die lateinische Bibel erlernen. Hildegards Werke bezeugen, daß sie die Bibel, die Schriften der Kirchenväter und der mittelalterlichen Autoren (oder deren Exzerpte) eingehend und ergiebig gelesen hatte, daß sie aus diesem Geistesgut ihre Schriften schöpferisch-genial gestaltete. Ihr lateinisches Vokabular entstammt diesen Quellen und wird eigenständig, ja eigenwillig verwendet. Hildegard, die sich indocta, ungelehrt, nennt, ist fürwahr eine docta, eine gelehrte Frau, die die meisten Autoren an Genialität überragt.«[32]

Sie kannte keinen Musikunterricht, auch nicht im Sinn der damaligen Zeit; nur war sie täglich mit der benediktinischen Liturgie in Kontakt. Das hat sie angeregt, Lieder zu komponieren, in einer frei weiterentwickelten, auf der Gregorianik basierenden Melodik, für Einzelstimmen und für Chor[33].

Aus den vielfältigen Anregungen, die Hildegard aus den geistigen Traditionsströmen erwachsen, entsteht nun dennoch eine ganz eigenständige Bildwelt. Diese Einmaligkeit hängt mit der Eigenart der mystischen Begabung Hildegards zusammen. Wir haben das Glück, Teile einer Autobiografie (soweit man bei mittelalterlichen Menschen davon sprechen kann) von ihr zu haben. Alle Biografien mittelalterlicher Menschen, besonders der Heiligen, sind »sub specie aeternitatis«, also von einem letzten Ziel der Seele her geschrieben. Hildegard berichtet: »Bei meiner ersten Gestaltung, als Gott mich im Schoße meiner Mutter durch den Hauch des Lebens erweckte, prägte er dieses Schauen meiner Seele ein.«[34]

Diese Aussage muß natürlich als ein Glaubensurteil verstanden werden. Hildegard kann es sich nicht anders vorstellen, als daß ihr Gott schon bei ihrer Schöpfung, bei ihrer Erfindung gleichsam die visionäre Begabung mitgegeben hat – so wesenseigen ist sie ihr. Doch beschreibt sie ihren Umgang mit dieser Gabe weiter (und das ist glaubwürdig):

»In meinem dritten Lebensjahr sah ich ein so großes Licht, daß meine Seele erbebte, doch wegen meiner Kindheit konnte ich mich nicht darüber äußern... Bis zu meinem fünfzehnten Lebensjahr sah ich vieles, und manches erzählte ich einfach, so daß die, die es hörten, sich sehr wunderten, woher es käme und von wem es sei. Da wunderte ich mich auch selbst... Darauf verbarg ich die Schau, die ich in meiner Seele sah, so gut ich konnte... Da ward ich von großer Furcht ergriffen und wagte nicht, dies irgend jemandem zu offenbaren... Wenn ich von dieser Schau ganz durchdrungen war, sprach ich vieles, was denen, die es hörten, fremd war. Ließ aber die Gewalt der Schau ein wenig nach, in der ich mich mehr wie ein kleines Kind als nach den Jahren meines Alters verhielt, so schämte ich mich sehr, weinte oft und hätte häufig lieber geschwiegen, wenn es mir möglich gewesen wäre. Denn aus Furcht vor den Menschen wagte ich niemandem zu sagen, was ich schaute.«[35]

Wir hören oft davon, daß Scham und Scheu die Menschen erfüllen, die Neues, Selbsterfahrenes von Gott zu sagen haben, was noch nicht in ihre geistige Umwelt paßt. Aber hier erschüttert und befremdet Hildegard auch einfach dieses Erlebnis, daß es etwas Unvergleichliches ist, was ihr passiert. Sie erzählt, daß sie mit ihrer Amme darüber gesprochen habe, ob diese denn auch das visionäre Bild sehe, das ihr so unabweisbar vor Augen steht; aber die Amme konnte nichts dergleichen wahrnehmen. Darauf reagierte Hildegard ganz verstört, da sie jetzt erst merkte, daß ihre Visionen subjektives Erleben darstellten; dabei waren sie für sie unbedingt real. Es ist begreiflich, daß sie lange nicht wagte, etwas niederzuschreiben, und später kaum den Mut aufbrachte, überhaupt mit jemandem darüber zu sprechen. Über der Erfahrung spontaner Visionen und den eigenständigen religiösen Vorstellungen, die sie enthielten, lag damals allzuleicht auch ein Hauch von Ketzerei.

Hildegard hat übrigens der damals aufkommenden Katharer-Bewegung gegenüber selbst große Vorbehalte gehabt. Es lief ihrer persönlichen Weltschau – die eine dialektische, kontrapunktische Verbindung des Hellen und des Dunklen, des Irdischen und des Himmlischen intendierte – strikt zuwider, einem so schroffen Dualismus wie im Katharertum zu begegnen, dem radikalsten Dualismus, den die christliche Geschichte kennt. Die Katharer waren davon überzeugt, daß der Schöpfer dieser Welt nicht Gott sein könne; denn die Welt wirke so erschütternd mißlungen, daß ein Gegengott angenommen werden müsse. Gott als reine Lichtexistenz konnte nach ihrer Überzeugung nur außerhalb des geschaffenen Kosmos vorgestellt werden; und der »reine« Mensch, der »Katharer«, der sich auf diesen außerweltlichen Gott bezog, verweigerte konsequenterweise sogar den sexuellen Verkehr, heiratete nicht, um die unglückselige Existenz auf dieser Erde nicht noch weiterzuzeugen und weiterzuvererben. Es ist ein heroisches Lebensgefühl, das diese Menschen auszeichnete; und es ist (so meine ich) eine extreme, aber dennoch mit christlichen Traditionen verbundene Auffassung, die sie vertreten, sofern sie sich an die Lichtseite Christi halten, an die Lichtspekulationen, die im Johannesevangelium und später in der gnostischen Strömung innerhalb des Christentums überliefert worden sind. Diese Lehre lief Hildegards Natur und Denken diametral entgegen und widersprach allen Voraussetzungen ihres theologischen Denkens. Ihre theologische Gesamtschau bildete den stärksten Gegenentwurf zum Katharertum, der sich denken läßt. Und es mag sein, daß sich in ihrer Schau sogar vom kollektiven Unbewußten her eine Gegenströmung gegen die breit hervorbrechende dualistische Bewegung durchzusetzen suchte, daß ihr ganzheitlicher Gegenentwurf aus einer großen Tiefe heraus aufbrach, die über ihr Persönliches hinauswies. Man muß natürlich auch die Katharer begreifen, die ihre Vorstellungen gegen ein eher korrumpiertes, in die Kreuzzüge verwickeltes christliches Europa setzten. Sie gehörten zu den christlichen Armutsbewegungen jener Zeit und glichen in manchen Zügen und Forderungen den Minderbrüdern um den heiligen Franz. Es gab Gründe für einen Pessimismus, der die vor Augen liegenden Entwicklungen einer satt und reich gewordenen Kirche angesichts der großen Not der Volksmassen nicht mehr mit dem Glauben an einen gütigen Gott zusammenbringen konnte. Hildegard war allerdings auf ihre Art ebenso heroisch wie die Katharer, wenn sie den gleichen Erfahrungen von Fragmentierung, wie diese sie hatten, ein Weltbild entgegenzustellen suchte, in dem auch das Dunkle seinen Ort hat und nicht aus Gott herausfällt.

Wichtige Aufschlüsse über ihre Visionsgabe gibt ein Brief, den Hildegard im hohen Alter schrieb, als Antwort auf die dringende Bitte des Mönches *Wibert von Gembloux* um Erläuterungen dieser eigentümlichen Erfahrungen:

»Von meiner Kindheit an, als meine Gebeine, Nerven und Adern noch nicht erstarkt waren, erfreue ich mich der Gabe dieser Schau in meiner Seele bis zur gegenwärtigen Stunde, wo ich doch schon mehr als siebzig Jahre alt bin. Und meine Seele steigt – wie Gott will – in dieser Schau empor bis in die Höhe des Firmamentes... Ich sehe aber diese Dinge nicht mit den äußeren Augen und höre sie nicht mit den äußeren Ohren, auch nehme ich sie nicht mit den Gedanken meines Herzens wahr noch durch irgendwelche Vermittlung meiner fünf Sinne. Ich sehe sie vielmehr einzig in meiner Seele, mit offenen leiblichen Augen, so daß ich dabei niemals die Bewußtlosigkeit einer Ekstase erleide, sondern wachend schaue ich dies, bei Tag und Nacht.

Das Licht, das ich schaue, ist nicht an den Raum gebunden. Es ist viel, viel lichter als eine Wolke, die die Sonne in sich trägt. Weder Höhe noch Länge noch Breite vermag ich an ihm zu erkennen. Es wird mir als der ›Schatten des Lebendigen Lichtes‹ bezeichnet. Und wie Sonne, Mond und Sterne in Wassern sich spiegeln, so leuchten mir Schriften, Reden, Kräfte und gewisse Werke der Menschen in ihm auf.«[36]

In diesem »Schatten des Lebendigen Lichtes« also leuchten sie auf: Es stellt sich ihr wie eine lichte Scheibe dar, auf die alles projiziert wird, was sie sieht. Hildegard scheint die Gabe gehabt zu haben, jederzeit bei offenen Augen diesen Lichtschimmer zu sehen. Auffallend ist, daß sie in diesem Licht nicht nur Bildhaftes sieht, sondern auch Worte, Kräfte, Taten wahrnimmt, daß das Licht zu tönen, zu sprechen vermag – es gibt ihr wohl auch die Worte ihrer Hymnen ein – und daß sie von dessen Glanz wie von einer Hand angerührt wird. Es ist, als ob die sonst vorhandene Abgrenzung der Sinne voneinander schwindet, Hören, Sehen und Fühlen eins werden. In einem ihrer Briefe beschreibt sie, daß sie sich in der Schau wie eine »kleine Feder«[37] emporgehoben fühlte und ihre Erkenntnisse fast nach der Art eines körperlosen Wesens empfing. Noch ein letztes erwähnt sie:

»In diesem Licht sehe ich zuweilen, aber nicht oft, ein anderes Licht, das mir das ›Lebendige Licht‹ genannt wird. Wann und wie ich es schaue, kann ich nicht sagen. Aber solange ich es schaue, wird alle Traurigkeit und alle Angst von mir genommen, so daß ich mich wie ein einfaches junges Mädchen fühle und nicht wie eine alte Frau.«[38]

Daran erkennt Hildegard dieses einzigartige lebendige Licht, das *lumen vivans*, daß es in ihrer ganzen leibseelischen Verfassung wirksam wird und sie als etwas ungeheuer Vitales und zum Leben Erweckendes durchdringt. Hier ist der Unterschied zwischen der natürlichen Schau der Imagination (oder wie wir es nennen wollen) zu den visionären Einbrüchen in das psychische Gefüge, die aus einer anderen Dimension zu kommen scheinen, klar genannt. Offensichtlich erlebt Hildegard diese Erleuchtung ohne die Mühen eines methodischen Weges in einem »Nu« (wie *Meister Eckhart* sagen würde), andererseits ist sie natürlich dennoch die Frucht eines lebenslangen Weges. Doch hat sie keine Meditationsübungen in einem methodischen Sinn gekannt.

Für die Eigenart der Mystik Hildegards ist nun entscheidend, daß sie sich erst nach dem Erlebnis dieser »Erleuchtung« berufen, ja gedrängt fühlt, ihre Gesichte und Auditionen weiterzusagen. Sie fühlt sich nicht nur dazu aufgerufen, sondern gegen heftige innere Widerstände so sehr bedrängt von dieser Aufgabe, an die Öffentlichkeit zu gehen, daß sie wieder einmal krank wird, weil sie es nicht wagt. Erst nach der Antwort *Bernhards* – das ist etwa in ihrem 42./43. Jahr – beginnt sie niederzuschreiben, was sie sieht. Die bedeutsame Erschütterung, in der ihr endgültig klar wird, daß sie den Inhalt ihrer Geschichte nicht für sich behalten darf, beschreibt sie in der Einleitung von *Scivias*:

»Und siehe! Im dreiundvierzigsten Jahre meines Lebenslaufes schaute ich ein himmlisches Gesicht. Zitternd und mit großer Furcht spannte sich ihm mein Geist entgegen.

Ich sah einen sehr großen Glanz. Eine himmlische Stimme erscholl daraus. Sie sprach zu mir: ›Gebrechlicher Mensch, Asche von Asche, Moder von Moder, sage und schreibe, was du siehst und hörst!... Sage, was du siehst und hörst, und schreibe es, nicht wie es dir noch irgendeinem andern Menschen gefällt, sondern schreibe es nach dem Willen dessen, der alles weiß, alles sieht, alles ordnet in den verborgenen Tiefen seiner geheimen Ratschlüsse.«[39]

Noch einmal zum Thema ihrer Schau: Es ist nicht ihre persönliche Erleuchtung, sondern es sind die *miraculi Dei*, die sie oft auch besingt, die »Wunderwerke Gottes«, die sie im Kosmos und im Menschen findet. Ihr Thema ist die »Durchlichtung« der gesamten Schöpfung. Den Kosmos versteht sie als eine Emanation, als ein Ausströmen und Ausfließen aus dem göttlichen, lebendigen Licht, das sich in der Geschichte entfaltet, ständig weiter durchströmt vom Leben und Licht Gottes, nicht nur am Anfang; zugleich aber durchdrungen von Gottes »Dunkel-Licht«. Das ist eine eigentümliche und wesentliche Erfahrung Hildegards, daß das Licht Gottes neben dem Hellen auch ein Dunkel-Licht enthält; und nach seinem Verströmen kehrt dieser ganze Kreislauf des Lichtes zurück und wird wieder zurückgenommen in den göttlichen Ursprung: Ausströmen und Wieder-Einziehen des Lichtes und des Lebens vollziehen sich wie ein rhythmisches Atmen des Kosmos. Dieser mystische Weg der ganzen Schöpfung ist das Grundthema der beiden Kosmos-Schriften Hildegards. Noch eines der Visions-Bilder Hildegards soll vorgestellt werden, um einen Eindruck zu vermitteln, wie ihre Visionen aussahen, die übrigens unter ihren Augen von einer Mitschwester für den Rupertsberger »Scivias«-Kodex in eindrucksvollen Bildern gemalt wurden[40]. Dieses Bild stellt eine Vision vom »Urquell des Lebens«, als »wahre Dreiheit in der wahren Einheit« gesehen, dar[41]. Hildegard schreibt dazu nieder:

> »Alsann sah ich ein überhelles Licht und darin eine saphirblaue Menschengestalt, die durch und durch im sanften Rot funkelnder Lohe brannte. Das helle Licht durchflutete ganz die funkelnde Lohe und die funkelnde Lohe ganz das helle Licht. Und (beide), das helle Licht und die funkelnde Lohe durchfluteten ganz die Menschengestalt, (alle drei) als *ein* Licht wesend in *einer* Kraft und Macht.«[42]

Das »überhelle Licht« und das »sanfte Rot funkelnder Lohe« umströmen den saphirblauen Menschen wie konzentrische Energie-Kreise, umschließen ihn, verbrennen ihn jedoch nicht; seine zugleich konzentrierte und gelöste Haltung strahlt zurück auf die kosmischen Kreise: Eine Entsprechung zwischen ihm und ihnen, ein Austausch der Kräfte finden statt. Wenn Hildegard selbst dieses Bild kreisender Energien als Bild der »wah-

ren Dreiheit in der wahren Einheit«, also als Vision der Trinität interpretiert, so ist man gewiß nicht befugt, sie zu korrigieren. Das trinitarische Prinzip erscheint hier aber unübersehbar in eigenwilliger Weise: Im Zentrum steht ein eher weiblicher Typus des Menschen – vielleicht Symbol der Sophia? –, umloht vom rötlichen Feuer der Wandlung; beide umströmt vom überhellen, weißen Licht der Ganzheit und der Vollendung, das alle

Farben in sich zusammenschließt. Ist es Hildegard – und mehr als Hildegard: die Sophia? – als ein Bild des Menschen im Kosmos, ein Bild seines Wesens-Geheimnisses, seines ihn transzendierenden Selbst?

Anmerkungen

1 Zit. bei *A. Rosenberg*, Christliche Bildmeditation, München 1975, 72f. (nach *Hildegard von Bingen*, Lieder, hg. und erl. von Pudentiana Barth, Immaculata Ritscher und Joseph Schmidt-Görg, Salzburg 1969).
2 *Hildegard von Bingen*, Briefwechsel, übers. von *A. Führkötter*, Salzburg 1965, 81–87.
3 *Hildegard*, Briefwechsel (Anm. 2) 29ff. 38ff. 41f.
4 Vgl. *L. Geisenheyner*, Über die Physica der heiligen Hildegard von Bingen und die in ihr enthaltene ältere Naturgeschichte des Nahegaues, in: Sitzungsberichte des Naturhistorischen Vereins der preußischen Rheinlande und Westfalens 1911, 49–72.
5 *H. Fischer*, Die heilige Hildegard von Bingen, die erste deutsche Naturforscherin und Ärztin, in: Münchener Beiträge zur Geschichte und Literatur der Naturwissenschaft und Medizin 7/8, München 1927, 381–538.
6 *Hildegard von Bingen*, Naturkunde. »Physica«. Das Buch von dem inneren Wesen der verschiedenen Naturen in der Schöpfung, übers. von *P. Riethe*, Salzburg 1959.
7 *Hildegard von Bingen*, Heilkunde. »Causae et Curae«. Das Buch von dem Grund und Wesen und der Heilung der Krankheiten, übers. von *H. Schipperges*, Salzburg [4]1981; vgl. *H. Schipperges* Krankheitsursache, Krankheitswesen und Heilung in der Klostermedizin, dargestellt am Welt-Bild Hildegards von Bingen, Diss. Bonn 1951.
8 *Hildegard von Bingen*, Wisse die Wege. »Scivias«, übertr. und bearb. von *M. Böckeler*, Salzburg [6]1975, 357; ähnlich: Heilkunde (Anm. 7), 310.
9 *Hildegard*, Heilkunde (Anm. 7) 89f. 101f. 178f. 215.
10 *Hildegard*, Heilkunde (Anm. 7) 252.
11 *H. Leuner*, Katathymes Bilderleben. Grundstufe. Einführung in die Psychotherapie mit der Tagtraumtechnik. Ein Seminar, Stuttgart [3]1982.

12 Das Leben der heiligen Hildegard von Bingen – berichtet von den Mönchen Gottfried und Theoderich, übers. und komm. von *A. Führkötter*, Salzburg [2]1980, 111.
13 *B. Bienczyk*, Hildegard von Bingen. Vortrag bei der Tagung »›Die Ros' kennt kein Warum‹ – Mystik in Europa« vom 27. bis 29. Oktober 1978 in der Evangelischen Akademie Hofgeismar.
14 *Hildegard von Bingen*, Welt und Mensch. »De operatione Dei«, übers. von *H. Schipperges*, Salzburg 1965, 25.
15 *Hildegard*, Welt und Mensch (Anm. 14), 25f.
16 *Hildegard*, Heilkunde (Anm. 7), 306.
17 Das Leben... (Anm. 12).
18 *Hildegard*, Briefwechsel (Anm. 2), 86.
19 *Hildegard*, Briefwechsel (Anm. 2), 25f.; auch in: Das Leben... (Anm. 12), 133f.
20 *Hildegard*, Wisse die Wege (Anm. 8), 90.
21 Siehe Anm. 8.
22 Das Leben... (Anm. 12), 63ff.; auch *A. Führkötter*, Wie Hildegard von Bingen betete, in: Geist und Leben 1979, 324ff.
23 Das Leben... (Anm. 12), 55f. 60ff. (das Zitat: 55).
24 Zum folgenden *Hildegard*, Briefwechsel (Anm. 2), 93–100.
25 Als Beispiel diene die Schau »Der Urquell des Lebens« (II 2): Nach der Vision, die mit den Worten eingeleitet wird: »Alsdann sah ich ein überhelles Licht und darin eine saphirblaue Menschengestalt...«, folgt die Audition, eingeleitet durch die Formel: »Wiederum hörte ich, wie dieses lebendige Licht zu mir sprach: Das ist der Sinn der Geheimnisse Gottes...«, worauf die Auslegung der Vision folgt (Wisse die Wege [Anm. 8], 156ff.).
26 »Die heilige Hildegard von Bingen ist wirklich eine in der ganzen christlichen Geschichte einzig und unerreicht dastehende Erscheinung. So hoch wie sie hat nie ein Prophet neuerer Zeit sein Ansehen gebracht, so allgemeinen Glauben und uneingeschränkte Verehrung nie ein Heiliger gefunden« (*J. J. I. von Döllinger*, Kleinere Schriften, hg. von F. H. Rentsch, Stuttgart 1980, 502).
27 Zum folgenden *Hildegard*, Briefwechsel (Anm. 2), 235–246; auch *A. Führkötter*, Einführung, in: Das Leben... (Anm. 12), 11–49, hier 44ff.
28 Das Leben... (Anm. 12), 131f.
29 Siehe Anm. 8.
30 *Hildegard von Bingen*, Der Mensch in der Verantwortung. »Liber vitae meritorum«, übers. von *H. Schipperges*, Salzburg 1972.
31 Siehe Anm. 14.
32 *A. Führkötter*, Einführung (Anm. 27), 13f.; auch: Das Leben... (Anm. 12), 53. 73.

33 Vgl. die vom Instrumentalkreis Helga Weber (Hamburg) bespielte Schallplatte: Geistliche Musik des Mittelalters und der Renaissance. Hildegard von Bingen, J. Dunstable, G. Dufay. Teldec 66.22387.
34 Das Leben... (Anm. 12), 71.
35 Das Leben... (Anm. 12), 71f.
36 *Hildegard*, Briefwechsel (Anm. 2), 226f.
37 *Hildegard*, Briefwechsel (Anm. 2), 31.
38 *Hildegard*, Briefwechsel (Anm. 2), 227.
39 *Hildegard*, Wisse die Wege (Anm. 8), 89.
40 *Hildegard*, Wisse die Wege (Anm. 8), 15–86.
41 *Hildegard*, Wisse die Wege (Anm. 8), Tafel 11 zur Schau II 2.
42 *Hildegard*, Wisse die Wege (Anm. 8), 156.

Elisabeth von Schönau

PETER DINZELBACHER

In der berühmten »Schedelschen Weltchronik« von 1493 liest man am Ende des Abschnittes über das »Jar cristi 1160«: »Elisabeth ein heillige closterfraw leüchtet in sachßenland an wunderzaichen vnd hat auß englischer (d. h. von Engeln überbrachter) offenbarung wunderperliche gesiht beschriben, sunderlich ein buch der weg des herrnn genant.« Diese knappe Notiz in einer der populärsten Weltgeschichten des ausgehenden Mittelalters erinnert immerhin daran, daß Elisabeth von Schönau etwa 350 Jahre nach ihrem Tode durchaus noch einen Platz im Bewußtsein des gebildeten und religiös interessierten Lesepublikums in Deutschland innehatte. Diesen Platz hat sie freilich in den folgenden Jahrhunderten weitestgehend verloren, und noch heute werden ihre Werke auch von Kennern der mittelalterlichen Mystik kaum gelesen – ganz zum Unterschied zu denen ihrer Freundin Hildegard von Bingen. Während Hildegard besonders in den letzten Jahren im angelsächsischen und deutschen Sprachraum geradezu eine Renaissance erlebt, bleibt Elisabeth mehr oder weniger vergessen. Im Mittelalter selbst war die Situation gerade umgekehrt: Die Visionen der Schönauer Benediktinerin wurden immer wieder studiert und abgeschrieben, wofür die hohe Zahl von mehr als 150 erhaltenen Handschriften zeugt, und man fertigte sogar Teilübersetzungen des lateinischen Originals ins Frühneuhochdeutsche, Altisländische und Altfranzösische an. König Karl der Weise ließ sich um 1370 das auch in der »Schedelschen Weltchronik« genannte Werk der Mystikerin über die Gotteswege eigens ins Französische übertragen und mit Miniaturen illustrieren. Von Werken ihrer Ordensschwester Hildegard existieren dagegen kaum mehr als zehn Handschriften, denn sie wurde nach ihrem Tode – ganz im Gegensatz zur Gegenwart –

fast vergessen und kaum gelesen. So ist Elisabeth mit ihren Schriften wesentlich typischer für die Mystik des 12. Jahrhunderts als Hildegard, so war sie den Menschen des hohen und späten Mittelalters wesentlich verständlicher und interessanter als die inzwischen so viel berühmtere »Prophetin Deutschlands«. Es ist zu bedauern, daß es bis heute – wieder ganz anders als bei Hildegard – keine moderne und vollständige Übersetzung ihrer Visionen gibt und nur sehr wenige weiterführende Einzelstudien, von einer Monographie ganz zu schweigen.

Der äußere Verlauf von Elisabeths kurzem Leben läßt sich rasch skizzieren: Um 1129 wurde sie wahrscheinlich in Bonn als Tochter eines Adeligen geboren und mit etwa zwölf Jahren zu den Benediktinerinnen nach Schönau in Nassau (südwestlich von Bonn) gegeben, wurde also wie so viele Kinder ihres Standes für das Klosterleben bestimmt. Damit brachte eine wohlhabende Familie Gott ein Opfer (das selbst freilich nicht gefragt wurde), bekam einen »Repräsentanten« im Mönchsstand, der sozusagen stellvertretend für die ganze Sippe dem Gebet zu obliegen hatte. Elisabeth scheint das Kloster nie wieder verlassen zu haben: Nach fünf Jahren legte sie die ewigen Gelübde ab, 1157 wurde sie Leiterin der Gemeinschaft. Am 18. Juni 1164 verstarb sie im 36. Lebensjahr.

Über die Art ihres Lebens schrieb ihr Neffe Symon:

> »Seit ihrer Jugend trug sie das Joch des Herrn und wandelte unter der Ordensregel in Armut und vielfältiger Bedrängnis. Die Hand des Herrn lag stets schwer auf ihr, und in keinem Augenblick fehlte ihr die göttliche Heimsuchung, die ihr Wesen bedrückte und ihren armen Leib in Drangsalen und Bedrängnissen zerbrach...«

Dieses Gottesjoch zeigte sich vor allem in fast ständiger Krankheit und unablässigen, oft äußerst anstrengenden Ekstasen, in die Elisabeth bisweilen mehrmals am Tage fiel. Ihr Bruder Egbert, der im Doppelkloster Schönau auf ihren Rat hin Mönch geworden war, berichtet darüber:

> »Es wurde ihr nämlich gegeben, im Geiste den Leib zu verlassen und Visionen der Gottesgeheimnisse zu sehen, die vor den Augen der Sterblichen verborgen sind... Es überkam sie nämlich oftmals und regelmäßig an den Sonn- und Feiertagen zu den Stunden, wenn die Andacht der Gläubigen ihren Höhepunkt erreicht, ein bestimmtes inneres Leiden, und eine große Angst überfiel sie, bis sie wie entseelt liegenblieb, so daß

in ihr kein Lebenshauch und keine Bewegung mehr zu spüren war. Wenn sie dann nach einer langen Entraffung wieder nach und nach zu sich kam, brach sie auf einmal in die göttlichsten Worte aus, und zwar in Latein, das sie nie gelernt hatte...«

Was Elisabeth während dieser Ekstasen schaute, was ihr von ihrem Engel oder von Christus, Maria und den Heiligen gesagt wurde, das erzählte sie ihren Mitschwestern und ihrem Bruder, der dann alles (gewiß stilistisch bearbeitet) zu Pergament brachte. So entstanden drei Schriften: das »Visionenbuch«, das »Buch der Gotteswege« und das »Buch der Offenbarungen über die heilige Schaar der Kölner Jungfrauen«. Egbert hat an manchen der darin aufgezeichneten Schauungen auch insofern Anteil, als er seine Schwester immer wieder mit theologischen Fragen bedrängte, die sie dann zu visionären Antworten anregten.

Neben den ekstatischen Gesichten, von denen ihre Werke vor allem handeln, berichtet Elisabeth auch von anderen Begnadungen, die heute als parapsychische »Psi-Fähigkeiten« eingestuft würden: so die eingegossene Rede (Glossolalie), das Hören einer »Donnerstimme« und die Television, also die Fähigkeit, Dinge in weiter Entfernung oder hinter Mauern usw. zu sehen. Auch das Sehen von Erscheinungen kommt häufig vor, wenn eine Person, zum Beispiel ein Heiliger, in ihrem gewohnten Lebensraum auftaucht, ohne daß sie in die andere Welt entrafft würde.

Diese Visionen und Erscheinungen, diese Einsprachen (Auditionen) und Zungenreden (Glossolalie) traten, wie es scheint, erst mit Elisabeths 23. Lebensjahr plötzlich auf und bedeuten für die junge Nonne anfänglich mehr Belastung als Begnadung. Denn zunächst fühlte sie sich vom bösen Feind verfolgt, der ihr in Menschen-, Hunde- und Rindsgestalt erschien und sie mit Glaubenszweifel und Lebensekel bis zu Selbstmordgedanken erfüllte. Später sollten beglückende Träume nicht fehlen, aber immer wieder muß die Charismatikerin von der großen leibseelischen Anstrengung berichten, die sie ihre Entraffungen kosteten, von dem Wechsel zwischen Freude und Angst, den ihr der Kontakt mit den Himmlischen brachte. Da sie sich zudem tapfer der in ihrer Zeit von fast allen Heiligen praktizierten Askese wie dem Fasten oder dem Tragen eines Eisengürtels hingab, wundert es nicht, daß Elisabeth an diesen ihr auferlegten Spannungen früh zerbrochen ist, erst 36 Jahre alt. Das wohl gute Verhältnis zu ihren Mitschwestern, die immer wieder gemeinsam für sie beteten, und die Anerkennung von seiten ihres gelehrten Bruders, der sehr bemüht war, ihren Offenbarungen weites Gehör zu verschaffen, mögen ihr ein Trost in ihrem innerlich so erschütterungsreichen Leben gewesen sein.

Das umfangreichste Werk der Heiligen ist der *Liber visionum*, das Visionenbuch. Es könnte, wie so viele andere visionäre Texte der mittelalterlichen Frauenmystik (Hadewijch, Beatrijs, Mechthild von Magedburg, Agnes Blannbekin, Birgitta von Schweden, Francesca von Rom usw.), als Form einer (gewiß sehr selektiven) spirituellen Selbstbiographie bezeichnet werden. Die in ihm beschriebenen Schauungen, die im einzelnen verschiedenste Themen haben, spielen sich vor allem im Jenseits ab, sei es in den himmlischen oder, seltener, höllischen Regionen, sei es in nicht näher bezeichneten, symbolisch zu verstehenden Räumen. Bisweilen sieht sich Elisabeth aber auch an irdische Orte, namentlich ins Heilige Land, versetzt.

Geben wir für jeden dieser Visionstypen ein Beispiel, zuerst für den der Himmelsschau.

»Es geschah in einer Sonntagsnacht..., daß ich am ganzen Körper erstarrte und meine Finger- und Zehenspitzen zu kribbeln begannen und dann mein ganzes Fleisch, und überall brach mir der Schweiß aus; es war, als ob mir mein Herz von einem Schwert in zwei Teile zerrissen würde. Und siehe, ein großes Flammenrad strahlte am Himmel auf, dessen Anblick mir heftige Angst einjagte, und war plötzlich verschwunden. Dann öffnete sich an derselben Stelle sozusagen eine Pforte, und ich schaute hinein und sah ein Licht, viel heller als das, das ich sonst gewöhnlich sehe. Und viele Tausende Heilige waren dort, die rund um eine große Majestät standen, in dieser Reihenfolge: Vorne standen herrliche und hervorragende Männer, mit Palmen und hell strahlenden Kronen geschmückt und dem Symbol der Passion an der Stirne gezeichnet. Und ich verstand sowohl aus ihrer Anzahl als auch aus der einzigartigen Glorie, die sie vor den anderen hatten, daß dies die verehrungswürdigen Apostel Christi waren. Zu ihrer Rechten aber stand eine zahlreiche und glorreiche Schar ebenso Gezeichneter... Zur Linken der Apostel leuchtete der heilige Stand der Jungfrauen, die mit den Attributen des Martyriums geschmückt waren... Auch ein anderer Kreis in großer Helle erschien darunter, und ich erkannte darin die heiligen Engel. In ihrer aller Mitte aber die Glorie der unermeßlichen Majestät, die ich überhaupt nicht auszusprechen vermag und deren glorreichen Thron ein blitzender Regenbogen umzog. Zur Rechten der Majestät aber sah ich einen dem Menschensohne Gleichenden in höchster Glorie residieren, zu ihrer Linken aber erschien hell strahlend das Kreuzeszeichen. Als ich dies alles zitternden Herzens anschaute, würdigte der Herr mich noch, dies hinzuzufügen, daß er mir unwürdigster Sünderin aus der Glorie seiner unaussprechlichen Dreifaltigkeit auf eine Art, die ich nicht zu erklären wage, bezeichnete, daß wirklich eine Gottheit dreifältig in den Personen ist, und drei Personen in einer göttlichen Substanz...« (I,20).

Ins Wachbewußtsein zurückgekehrt, läßt Elisabeth sogleich eine Messe zu Ehren der Dreifaltigkeit lesen, worauf sich die Vision noch deutlicher wiederholt.

Was die Seherin hier schaut, ist ein aus Elementen des Neuen Testaments und der christlichen Tradition zusammengesetztes Bild der Himmelshierarchien, genau nach Ständen gegliedert, wie es der feudalen Welt, in der Elisabeth lebte, zukam. Wir wissen aus zeitgenössischen Quellen, welche Bedeutung damals Rangfragen etwa bei Feierlichkeiten und Hoftagen für die Großen der Kirche und der Welt hatten. Auch bei der Beschreibung anderer Gesichte legt Elisabeth Wert darauf, säuberlich zu vermerken, wer im Himmel vor, neben und hinter wem seinen Platz hat, wie nahe oder weit die Verklärten von der göttlichen Majestät entfernt sind usw. Es gibt romanische Miniaturen, welche die himmlischen Heerscharen ähnlich hierarchisch gegliedert übereinander darstellen. Diese Art von Schauung könnte man noch nicht als mystisch beurteilen, sie zeigt vielmehr Ähnlichkeit mit der älteren Visionsliteratur der Jenseitsreisen, wie sie seit dem 6. Jahrhundert im christlichen Abendland immer wieder aufgezeichnet worden sind.

Dies gilt auch von den Gesichten der Strafregionen, wie etwa von diesem am Allerseelentag geschauten: Elisabeth erblickt

»einen sehr hohen Berg, und davor ein tiefes, überaus furchtbares Tal. Es war nämlich mit schwarzem Feuer erfüllt, das wie zugedeckt seine Flamme nicht in die Höhe schießen lassen konnte. Dort schaute ich unzählige Foltergeister und Seelen, die ihrer Gewalt anheimgegeben waren. In schrecklicher, beweinenswerter Weise wurden sie von jenen geschlagen, geschliffen und unendlich und unerträglich gequält... In der Ferne aber sah ich gegen Osten einen überaus herrlichen Bau, so wie mit drei Mauern umgeben, und darin verschiedene Wohnungen, und ein unsäglich heller Glanz erleuchtete alles... Dazwischen aber war ein Gebiet voll von spitzesten Dornen, das zur Gänze mit Dorngestrüpp erfüllt schien...« (I,32).

Es handelt sich hier um ein Fegefeuergesicht, wie es so häufig in der Visionsliteratur des frühen und hohen Mittelalters vorkommt, auch wenn die Existenz dieses Zwischenbereiches noch nicht theologisch und dogmatisch gefestigt war. Gerade diese mit Feuer erfüllten Täler werden immer wieder beschrieben, desgleichen die oft ungemein sadistisch ausgemalten Strafaktionen der Dämonen. Die Seelen müssen sich nun bemühen, aus dem Tal durch die Dornenebene ins Himmlische Jerusalem – dies ist jenes leuchtende Bauwerk – zu gelangen, ein schmerzhafter Weg, der kein symbolisches Bild, sondern eine ganz konkret gedachte »Reinigung« von ihren Sünden vorstellt.

Solche Schauungen der Jenseitsregionen werden in der späteren Frauenmystik immer wieder vorkommen, doch bilden meist sie nicht den Schwerpunkt des ekstatischen Erlebens, sondern die – in Elisabeths religiöser Erfahrung noch ganz fehlende – Begegnung mit dem Himmelsbräutigam, mit dem Minne- und Passionschristus. Häufig sind aber auch Visionen symbolischen Gehalts, wie wir sie auch schon bei Hildegard und, wohl von dieser angeregt, bei Elisabeth finden. So etwa in dieser Allegorie der Trinität:

»Ich war im Geiste und wurde gleichsam auf eine grüne und sehr liebliche Wiese gebracht, und der Engel des Herrn war mit mir. Und ich sah das Bild einer Marmorsäule, die wie vom Abgrund bis zur Höhe des Himmels aufgerichtet war, und ihre Form war dreieckig. Die eine Kante war weiß wie Schnee, die andere aber rötlich, die dritte aber hatte die Farbe des Marmors... und als ich mich über diese Vision wunderte, sprach der Engel zu mir: ...Diese Säule, die du erblickst, steigt vom Thron Gottes hinab zum Abgrund, und die drei Ecken, die du an ihr siehst, bezeichnen die Heilige Dreifaltigkeit. Drei Farben siehst du an ihr: Weiß, Rot und Marmorfarbe. Die weiße Farbe symbolisiert die Menschheit Christi, die rote den Heiligen Geist, die marmorne aber bezieht sich auf die Göttlichkeit des Vaters...«

Dieses Bild, das von Elisabeth noch weiter ausdifferenziert und von dem Engel noch genauer ausgelegt wird, gehört religionsphänomenologisch in den Themenkreis der Weltachse, der archetypischen Verbindung von irdischer und himmlischer Sphäre, wie sie aus zahlreichen Mythologien bekannt ist (z. B. die Weltenesche im Germanischen). Angeregt wurde die Seherin offensichtlich durch einen Passus im *Scivias* Hildegards (III,7), wo ebenfalls eine dreikantige »Säule der wahren Dreieinigkeit« beschrieben wird. Dies bedeutet nicht – und das muß in diesem Zusammenhang betont werden, weil es für die Offenbarungsliteratur grundsätzlich gilt –, daß hier eine Mystikerin einfach aus den Werken einer anderen abgeschrieben hätte, sondern, wie wir dies ja aus dem Traumerleben kennen, so werden auch in der Ekstase Bilder und Informationen wiederverarbeitet und neu zusammengesetzt, die im Wachzustand aufgenommen wurden. Diese Bilder können Reflexe eigenen Erlebens sein, können aber genauso der Lektüre, der Meditation, der Bildbetrachtung, der Predigt usw. entstammen. Da ja die Visionäre nicht selten Zugang zu den jeweils älteren Offenbarungsschriften hatten, ist es durchaus verständlich, wenn sich des öfteren dieselben Motive finden, zumeist nacherlebt, aber nicht abgeschrieben (was im konkreten Einzelfall zutrifft, kann natürlich nur die genaue philologische Analyse klären). Dazu kommt für alle christlichen Seher noch ein gemeinsames Reservoir, nämlich das der in der Bibel und den Kirchenschriftstellern enthaltenen Bilder, die immer neu variiert aufscheinen.

Eine weitere Art von Elisabeths Visionen schildert Szenen hier auf Erden, die aber nicht in ihrer Gegenwart spielen, sondern in der Heilszeit, in der Epoche, die Gegenstand des Neuen Testaments ist. Auch dieser Typus, dessen älteste Beispiele eben das »Visionenbuch« Elisabeths enthält, ist in der späteren Frauenmystik häufig, Mechthild von Hackeborn, Agnes Blannbekin, Margery Kempe, Lidwy von Schiedam, Veronika von Binasco und viele andere erleben die Passion des Herrn visionär mit. Was seit dem Spätmittelalter mit vielen Details und sehr ausführlich geschildert wird, ist freilich bei Elisabeth noch ganz knapp angelegt. An einem Palmsonntag

> »fiel ich mit großer Erschütterung meines Leibes in Ekstase und sah den Heiland wie am Kreuze hängend... bei der Messe, als die Passion des Herrn begonnen wurde, kam ich abermals in Ekstase. Da schaute ich in

der Ferne einen lieblichen Berg, und von ihm ritt der Heiland auf einem Esel sitzend herab, und er kam zu einer großen Stadt. Am Fuß des Berges aber kam ihm eine Schar kleiner und großer Menschen mit blühenden Baumzweigen entgegen, und sehr viele von ihnen zogen ihre Kleider aus und breiteten sie auf der Straße aus...« (I,43).

Elisabeth wird hier wie noch oft von der Liturgie und den ihr zugrundeliegenden Abschnitten der Heiligen Schrift zu ihrer Schauung angeregt, die an dieser Stelle fast wie eine Paraphrase des Evangeliums wirkt. Zum Unterschied zu den späteren Charismatikerinnen stellt die Benediktinerin hier das Geschehen fast unbeteiligt dar, während zum Beispiel eine spätmittelalterliche Visionärin wie Margery Kempe (15. Jahrhundert) aktiv in die Handlung eingreift, mit den Personen der Leidensgeschichte spricht, für Maria eine stärkende Suppe kocht usw. Wenn man also diese Visionen vor dem Hintergrund der weiteren Entwicklung betrachtet, erhellt deutlich, daß Elisabeth eine Gestalt des Übergangs, des Beginns der praktischen Mystik ist, die in Ansätzen religiöse Erlebnisse erfährt und beschreibt, welche dann in entfalteter Form für die christliche Mystik bis in die Gegenwart bezeichnend sein werden.

Bisweilen bilden die Visionen ihres ersten Werkes zeitlich und thematisch zusammenhängende Gruppen wie die Passionsgeschichte oder die Heiligen des jeweiligen Festtages, stehen aber oft auch als Einzelbilder für sich. Meist ist in ihnen eine theologische Belehrung enthalten, wie etwa in der Schauung über Mariae Himmelfahrt, die den am öftesten abgeschriebenen und übersetzten Teil ihres Werkes darstellt. Bisweilen enthalten diese Offenbarungen aber auch Stellungnahmen zu aktuellen kirchenpolitischen Fragen, und Elisabeth gibt hier, ganz wie Hildegard von Bingen, Drohungen von prophetischer Furchtbarkeit und Kraft von sich. So verurteilt Christus die gegen die katholische Kirche wirkende Sekte der Katharer mit folgender Rede:

»Mit Schwefelzungen verbreiten sich Flammenworte, und die ganze Erde ist von ihrem abscheulichen Glauben angesteckt. Und wie mich einst die Heiden kreuzigten, so werde ich täglich unter ihnen gekreuzigt... O welch teuflischer Wahnsinn! ... Wenn sie mich zum Zorn reizen, werde ich, der Herr, in meinem Rasen die Erde mit ihrem Leben bis zur Hölle vernichten... Wenn ihr nicht von diesem Wahnsinn ab-

> laßt, werde ich euch foltern lassen, mehr als man sich vorstellen kann, in Schwefel und unauslöschlichem Feuer, und von den ewigen Höllenwürmern...« (III,24).

Elisabeth muß hinter ihren Klostermauern viel von diesen »Reinen« (das bedeutet der Name Katharer) gehört haben, denn ihr Bruder Egbert war ja einer der engagiertesten Kämpfer gegen die Häresie. Auch diese Einflußnahme auf die Geschehnisse in Kirche und Welt mittels ihrer Offenbarungen und Briefe (auch von Elisabeth sind einige erhalten) ist ein Zug, den wir in der späteren Frauenmystik des Mittelalters immer wieder finden werden: Klara vom Kreuz zum Beispiel entdeckte und vernichtete die »Sekte vom freien Geist« in Umbrien, Birgitta von Schweden versuchte, ihren Verwandten, den König Magnus II., mit Hilfe ihrer Offenbarungen vom schwedischen Thron zu stürzen, Katharina von Siena setzte sich für einen neuen Kreuzzug ein.

Das »Buch von den Gotteswegen« ist ganz anders aufgebaut als das bisher betrachtete Werk: Eigentlich handelt es sich nur um ein allegorisches Bild, das von Elisabeths Engel ausführlich interpretiert wird. Auf den Berg der himmlischen Seligkeit führen verschiedene Wege, auf denen die Angehörigen der verschiedenen Stände zum Heil schreiten sollen. Hier gibt die Mystikerin Verhaltensregeln für verschiedene Arten von Menschen: für die Verheirateten, die Enthaltsamen, die Prälaten, die Witwen, die Einsiedler, die Heranwachsenden. Sehr viel ist hier im Verbotston gehalten, aber es findet sich im Abschnitt über die Jungfrauen auch dieser Passus, der schon zur Brautmystik gehört:

> »Ihn selbst verlangt es nach eurer Zierde, Er selbst lädt euch zu seinen keuschen Umarmungen ein. Er selbst fordert von euch die glorreiche Lilie eurer Jungfräulichkeit, um damit sein verborgenes Brautgemach zu schmücken... Wenn ihr Lust und Freude begehrt, eilt zum frohen Brautgemach, das euch bereitet ist, mit dessen Glück und Süße nichts, was das Auge sieht oder das Ohr hört, oder was in ein Menschenherz aufsteigt, verglichen werden kann« (14).

Aber wieder erweist sich hier Elisabeths geistesgeschichtliche Stellung am Beginn der Epoche der praktischen Mystik: Sie schildert mit Anklängen an das Hohe Lied nur den zukünftigen

Zustand in der ewigen Seligkeit, ohne das Geschilderte selbst schon zu erleben, wogegen die späteren Mystikerinnen die liebende Vereinigung mit dem Bräutigam schon im irdischen Leben in ihren Ekstasen vorwegnehmen werden.

»Das Offenbarungsbuch Elisabeths über die heilige Schar der Kölner Jungfrauen« schließlich zeigt, welche wichtige Funktion für die damalige Gesellschaft auch eine klausurierte Seherin haben konnte: 1156 war man vor den Mauern Kölns auf einen antiken Friedhof gestoßen und hatte die zahlreichen dort ruhenden Gebeine sofort mit denen der 11000 Jungfrauen identifiziert, welche die heilige Ursula aus England nach Deutschland begleitet haben sollen und von denen man glaubte, daß sie in Köln den Märtyrertod erlitten hatten. Elisabeths Aufgabe war es, die Echtheit der Reliquien durch entsprechende Visionen zu bestätigen bzw. weiteres über die Heiligen herauszufinden. Sie fungierte hier, wie auch sonst des öfteren, sozusagen als übersinnliche Auskunftei. Man muß sich bewußtmachen, daß der Heiligen- und Reliquienkult für das Mittelalter eine von uns überhaupt nicht mehr nachzuvollziehende Bedeutung hatte und die Menschen dieser Zeit diese Fragen wirklich bewegten. Was Elisabeth nun in ihren Ekstasen über die Märtyrerinnen erfuhr, hat sicher nichts mit historischer Wahrheit zu tun, ist aber auch keineswegs eine bewußte Täuschung von seiten der Seherin. Sie war von der Echtheit ihrer diesbezüglichen Gesichte schlicht überzeugt, dasselbe gilt wohl für ihren Bruder, der sie verbreitete, und ein anderer Visionär, vielleicht Herrmann Joseph von Steinfeld, spann diese Legende später noch weiter aus. Jahrhundertelang hatten so diese teilweise auf Elisabeth zurückgehenden Fabeln ihren Platz als »fromme Lesungen« im Brevier. Wiewohl es auch den Visionärinnen gegenüber prinzipiell Skeptische gab (Elisabeth klagt gelegentlich darüber), wurde die Seherin von den meisten doch sehr ernst genommen. Das geht auch daraus hervor, daß mehrere mittelalterliche Geschichtsschreiber die Chronologie der Frühzeit Kölns, wie sie sich aufgrund anderer Quellen darstellte, ausdrücklich nach Elisabeths Visionen korrigierten – eine tatsächlich auf das Mittelalter beschränkte »historische Methode«. So hat die kranke und ganz zurückgezogen lebende

Seherin einen weiter wirkenden Einfluß ausgeübt als Hildegard von Bingen, die ihr Kloster ganz ungewöhnlicherweise mehrfach verließ, um Klerikern und Laien zu predigen.

Literatur

»Die Visionen der hl. Elisabeth und die Schriften der Äbte Ekbert und Emecho von Schönau« wurden kritisch herausgegeben von *F. W. E. Roth*, Wien–Würzburg [2]1886. Auszüge aus ihren Visionen in deutscher Übersetzung bieten *J. Ibach*, Das Leben der hl. Elisabeth von Schönau nebst den schönsten ihrer Visionen, Limburg 1898, und *M. David-Windstosser*, Frauenmystik im Mittelalter, Kempten 1919, 70–114. Der jüngste wissenschaftliche Beitrag ist: *P. Dinzelbacher*, Die Offenbarungen der hl. Elisabeth von Schönau: Bildwelt, Erlebnisweise und Zeittypisches, in: Studien und Mitteilungen zur Geschichte des Benediktinerordens und seiner Zweige 97 (1986) 462–482. Dort ist in den Anmerkungen auch die weitere Sekundärliteratur angegeben und teilweise diskutiert.

Mechthild von Magdeburg

MARGOT SCHMIDT

Die Glanzpunkte mystischer Literatur sind die Autobiographien großer Mystiker, ein immer wieder fesselndes literarisches Phänomen. Ein solcher Glanzpunkt sind die Aufzeichnungen der Mechthild von Magdeburg, deren Buchtitel sie sich nicht selbst zuschreibt. Auf ihre Frage wurde er ihr von Gott eingegeben: »Es soll heißen ein fließendes Licht meiner Gottheit.« Den göttlichen Ursprung erhellt ferner die Vorstellung von Gott in seiner höchsten Wirkkraft der Liebe, die sich als höchstes Gut mitteilen muß, unfähig sich zurückzuhalten im Gegensatz zu seiner Allmacht, wenn Mechthild im Vorspruch Gott sagen läßt: »Ich habe es gemacht in meiner Ohnmacht, da ich meine Gabe nicht zurückhalten kann.« Wenn es sich bei diesen Aufzeichnungen auch nicht im strengen Sinne um eine Autobiographie handelt, sind der Anlaß ihres Buches doch ihre überwältigenden inneren Erfahrungen, die sie zum Schreiben drängen: »Ich muß sprechen, um Gott zu verherrlichen und auch wegen der Lehre des Buches.« Es trägt daher verschlüsselt autobiographische Züge. Dieser höchst persönliche Ursprung ihres Schreibens ist von Anfang an ein Sprechen im Auftrage Gottes. Nach der Überschrift des Vorwortes »spricht Gott selbst die Worte: ›Der Klang der Worte ist der lebendige Geist‹« (II,26), weshalb sie sagt: »Mein Mund ist geformt von deinem Heiligen Geiste, meine Augen strahlen von deinem göttlichen Lichte« (II,18); sie bezeugt existentiell die göttliche Urheberschaft. Der inspiratorische Charakter steigert sich im Laufe der Bücher zur prophetischen Rede. So haben es ihre zeitgenössischen Bewunderer verstanden, die in der lateinischen Vorrede ihrer volkssprachigen Aufzeichnungen Mechthild mit den Prophetinnen des Alten Testaments, Deborah und Olda, verglichen, und bemerkt:

»Auch damals habe es Hohepriester und Leviten aus priesterlichem Geschlecht und im Gesetze erfahrene Männer gegeben. Allein nicht ihnen eröffnete der Heilige Geist die Geheimnisse seiner Ratschläge, sondern heiligen Frauen. Es wundere sich daher niemand, wenn Gott in der Zeit seiner Gnade seine Wunder erneuert und sich das wiederholt, was schon zur Zeit des mosaischen Gesetzes geschah, nämlich, daß Gott dem schwachen Geschlecht seine Geheimnisse enthüllt.«

Diese Legitimation der Hallenser Dominikaner im Hinblick auf die Ungewöhnlichkeit des Buches und seiner Verfasserin offenbart zugleich die zeitgenössische Bildungssituation. Wenngleich ca. hundert Jahre vorher Hildegard von Bingen mit gewaltiger Stimme redete und auf lateinisch ihre Visions- und heilkundlichen Bücher schrieb und ca. um das Jahr 1000 Hortsvith von Gandersheim in lateinischen Hexametern religiöse Theaterdichtungen zur Bekämpfung schlüpfriger heidnischer Komödien verfaßte, war es noch immer keine Selbstverständlichkeit, daß Frauen schriftstellerten, zumal auf dem Gebiet religiös-theologischer Inhalte. Diese Disziplin wurde vom Stand der Priester, Mönche und Theologen verwaltet. Die paulinische Unterscheidung von Amt und Charisma jedoch durchbrach gelegentlich das Standesdenken und gestattete auch »dem schwachen Geschlecht« die Möglichkeit, sich in freier, selbständiger Rede zu äußern. Daß dies nicht ohne Turbulenzen vor sich ging, verraten Mechthilds Aufzeichnungen. Sie ist sich bewußt, in welche Situation sie sich mit der Abfassung ihres Buches aufgrund göttlicher Legitimation hineinbegibt, und ahnt die möglichen drohenden Gefahren. Der klare Blick für das Risiko, dem sie sich ausliefert, steht hinter ihren Worten: »Ich wurde vor diesem Buche gewarnt und von Menschen in der Weise belehrt, wenn ich nicht davon ablassen wolle, könnte es leicht in Flammen aufgehen« (II,25). Ihre Aufzeichnungen stehen zwischen Scheiterhaufen und Bewunderung. Und sie fährt fort zu schreiben.

Wer ist diese Frau, die ihre Zeitgenossen durch ihr Buch so irritierte, daß gerade die angeblich Frommen tuscheln: »Was eigentlich ein solches Deutsch soll?« und Mechthild diese in ihrer geistlichen Blindheit kennzeichnet und drastisch mit einem bildhaften Vergleich darauf pariert: »Sie stoßen sich wie ungebundene Rinder in einem finsteren Stall«, die nichts anderes als »nur Stroh fressen« und deswegen bei ihnen wegen fehlender Disposition jedes Bemühen um Aufnahme geistiger Nahrung sinnlos ist, »genauso, wie wenn man des Kaisers Licht in einen finsteren, faulen Stall setzen würde» (III,19).

Wer ist diese Frau, die so kühn und unerschrocken ihren Weg ging? Die urkundlich verbürgten Nachrichten über Mechthilds Leben sind sehr dürftig. Aus sparsamsten, eher verschlüsselten Angaben in ihrem Buch, aus der Art ihres Wortschatzes sowie aus den lateinischen Vorreden der Hallenser Dominikaner und aus einzelnen verstreuten Mitteilungen ihrer jüngsten Mitschwestern Mechthild von Hackeborn und Gertrud der Großen in den eigenen Schriften läßt sich über Herkunft und Biographie folgendes erschließen:

Ihre Lebenzeit fällt in den Zeitraum von ca. 1207 bis 1282 oder 1294. Ihre Sprache beweist, daß sie unter den Eindrücken des Ritter- und Hoflebens aufgewachsen ist. Die Entrückung beschreibt sie als eine »Hofreise der Seele«, wo Gott sie »in der Hofsprache anredet, die man in dieser Küche nicht versteht, noch die Bauern beim Pfluge, noch die Ritter im Turnier« (I,2). Die Anstrengungen des geistlichen Lebens vergleicht sie mit einem Ritterturnier in vollen Waffen, ohne deren Handhabung kein Starker den Sieg erringen kann. Als man sie ersuchte, durch ihr Gebet einen Menschen von den natürlichen Regungen seines Leibes zu befreien, vernimmt sie die Stimme des Herrn.

> »Schweig! Gefiele es dir, daß ein Ritter in vollen Waffen stünde, erfahren in edler Kriegskunst, in voller Manneskraft und mit flinken Händen, daß der kraftlos reagierte und die Ehre seines Herrn versäumte und den reichen Sold und den weithin ertönenden Ruhm verlöre, den beide, der Herr und der Ritter, im Lande wahren sollten? Wohin käme ein ohne Panzerhemd ausgerüsteter Mann, der aus Mangel an Rüstzeug nie einen Kampf aufnehmen würde? Wollte der zu einem Fürstenturnier kommen, ihm würde schnell sein Leben genommen«(III,18).

Solche Rede zeugt von einer intimen Kenntnis des Hoflebens. Sie spricht sozialkritisch von einer Frau, die, statt nach Gottes Ehre zu trachten, »nur unnütze Hofsitten pflegt« (IV,17). Die rasche Heiligsprechung der Landgräfin Elisabeth von Thüringen deutet Mechthild als »schnelle Botin« zu den »unfrommen

Frauen, die auf den Burgen saßen« (V,34). Sie ist mit den Gepflogenheiten des höfischen Spielmannes vertraut, »der im Übermut sündhafte Eitelkeit wecken kann«, wie sie distanzierend anmerkt, dessen bildende Werte sie aber auch für den Aufstieg im geistlichen Leben festhält, denn »er ist die Liebenswürdigkeit, seine Harfe ist die Innigkeit« (I,46). Die kenntnisreiche Widerspiegelung höfischen Lebens und die Selbständigkeit ihres Geistes weisen auf eine Abstammung von Stand hin, der ihr bereits ein beachtliches Bildungsgut mitgab. Nach Hans Neumann entstammt sie einer ritterlichen Burgenfamilie in der westlichen Mittelmark, Erzdiözese Magdeburg. Trotz ihrer adligen Abkunft stand ihr zwar nicht ein gelehrtes systematisches Studium offen wie ihrem Bruder Balduin, dem Subprior im Dominikanerkloster zu Halle, dessen hervorragende Bildung und hohe Tugenden gerühmt werden und mit dem sie im Briefwechsel stand (VI,42). Dafür aber verfügte sie neben ihrer guten weltlichen Bildung über ein außergewöhnliches inneres Erfahrungswissen. In ihrem am stärksten autobiographisch gefärbten Kapitel IV,2 berichtet sie, daß sie »mit 12 Jahren vom Heiligen Geist angeredet wurde. Diese überaus innige Anrede *(gruos)* kam alle Tage... und verstärkte sich alle Tage«, und zwar »während 31 Jahren«. Diese mystische Erfahrung veränderte ihr weiteres Leben, ihre Blickrichtung und Beurteilung aller Dinge, so daß sie »den Freuden dieser Welt, ihrer Süßigkeit und Ehre, keinen Geschmack mehr abgewinnen konnte«. Sie riß sich, gut zwanzigjährig, um 1230, von ihrer Familie und ihren Verwandten los, »denen sie stets die Liebste war«, um in der fremden Stadt Magedeburg fern aller Absicherungen in konsequenter Weise ein Leben in asketischer Heimatlosigkeit, Armut und Buße als Begine zu führen. Die Beginengemeinschaft stand unter der geistlichen Leitung der Dominikaner. Der Dominikaner Heinrich von Halle veranlaßte sie, ihre inneren Erfahrungen etwa ab 1250 aufzuschreiben. Er sammelte sie und faßte sie zu sechs Büchern zusammen. Das letzte, siebente Buch entstand nach 1260, als Mechthild im vorgerückten Lebensalter Aufnahme im Zisterzienserinnenkloster Helfta bei Eisleben fand.

Ihre Abkehr von einem Leben in Standesehre beruht nicht auf Furcht, Enttäuschung oder Unkenntnis des Lebens, die sie zu einem billigen moralisch-sozialkritischen Klischee umformt. Eine solche falsche Askese der Wissensentsagung ist keine Entbehrung, da die Warum- und Wozu-Frage nicht gestellt wird. Wie im frühen Mönchtum war im Mittelalter die Loslösung von der Familie gemäß der Mächtigkeit des Standes und der Sippenbande ein ungeheurer Vorgang, der bei der älteren Zeitgenossin Mechthilds, der Landgräfin Elisabeth von Thüringen, nichts weniger als ein Skandalum war. Der Versuch, sich aus der geschützten wohlhabenden Umgebung in den unsichtbaren Abgrund Gottes zu begeben, ist eines der großen Abenteuer des Menschen. Erbarmungslos hart wie das Training von Sportlern und Astronauten heute ist die asketische Einübung im Prozeß der ständigen Ablösung, um in der neuen Atmosphäre bestehen zu können; ein Prozeß, dessen Größe und Würde, Wagnis und Bedeutung für das Selbstverständnis des Menschen und seine Selbstentfaltung gar nicht abzuschätzen ist. Er setzt Selbständigkeit, Urteilsvermögen und Willenskraft voraus. Selbständigkeit des Denkens und Handelns bekundet Mechthild im ersten Schritt der Ablegung ihres adligen Namens und der damit verbundenen Standesprivilegien. Für sie ist die höchste Auszeichnung ein Leben aus dem Geist unter »geistlichem Namen«, den sie über alle Namen preist:

> »O geistlicher Name, wie bist du edel über alle irdischen Namen! Alle hohen Namen der Könige, Kaiser, Grafen und alle jene Namen, die sonst noch adelig genannt werden, müssen vor diesem Namen verblassen. Allein der geistliche Name wird erhöht werden, sofern er hier adelig getragen wird« (V,11).

Die Vorbilder des geistlichen Namens sind Jesus und Maria, die »zu allererst diesen geistlichen Namen in großer äußerer Verachtung getragen haben«. In gesellschaftskritischer Wachheit durchschaut Mechthild die Banalität und Eitelkeit nur äußerer Standesehre mit ihrem Glanz, der in keiner Weise an das heranreicht, was Gott denen schenkt, die ihn lieben.

Vor der Absolutheit ihres inneren Anrufes, der sie in beseligende Ekstasen emporreißt, erkennt sie ihren eigentlichen Adel und ihre Würde. Vor dieser Höhe bricht nicht nur ihr gewohntes höfisches Leben als eine Scheinwelt zusammen, auch die ganze Schöpfung tritt bei ihr zurück und verblaßt zu einer

Kulisse, vor der die Glut ihres Herzens »mit der Begierde des Adlers« aufsteigt:

> »Herr, die innige Liebe, die ich zu dir habe, die ist in sich selber so reich und vor deinen göttlichen Augen so groß: Wenn du es nicht wüßtest, Herr, so könnten es dir alle Sandkörner, alle Wassertropfen, alles Gras und Laub, Steine und Holz, alle toten wie lebenden Kreaturen, Fische, Vögel, Tiere, Würmer, Fliegendes und Kriechendes, Teufel, Heiden, Juden und alle deine Feinde, darüber hinaus alle deine Freunde, Menschen, Engel und Heilige, selbst wenn alle diese Personen sprechen könnten, wollten und ohne Unterlaß bis an den Jüngsten Tag riefen, Herr, du weißt es wohl, sie vermögen dir nicht halb zu offenbaren die Absicht meiner Sehnsucht und die Not meiner Qualen und das Jagen meines Herzens und das Empordrängen meiner Seele« (V,31).

Ihre große Qual und Trostlosigkeit wird die Trennung von Gott nach der *unio*: »Deswegen kann mich keine Kreatur meiner adligen Natur versichern ... als allein Gottes Liebe« (I,22). Jeder irdische Trost geht ins Leere, ja in erregten Worten lehnt Mechthild ihn als sinnlos ab: »Ich kann auch das nicht ertragen, daß mich irgend ein Trost berührt, außer von meinem Gott« (IV,12).

Bei Mechthild ist der Aufstieg zur Gottesvereinigung ein Ablösungsprozeß auf den verschiedenen Ebenen, keine Phase, sondern ein Dauerzustand, in dem alle Kräfte eingebunden sind. Fern aller Leib- und Geistfeindlichkeit oder Aufspaltung der Kräfte sind auch die Sinne mit in den Verwandlungsprozeß hineingenommen. Sie werden zu einem bleibenden Ausdruck für göttliche Vorgänge und göttliches Durchdringen, wenn sie in ihrer blutvollen Sprache ausdrückt, daß kein Organ bei ihr ausgetrocknet ist:

> »Ich will und kann nicht schreiben, wenn ich es nicht sehe mit den Augen meiner Seele und es nicht höre mit den Ohren meines ewigen Geistes und in allen Gliedern meines Leibes nicht die Kraft des Heiligen Geistes empfinde« (IV,13).

Die »fließende Gottessüßigkeit» und die »Breite der göttlichen Empfindung« (V,11), als Erscheinungsformen des Göttlichen entreißen sie der Ungöttlichkeit aller Dinge, um nach ihrer wahren Natur als göttliches »Ingesigel« zu leben. Die Ausschließlichkeit ihrer Gottesbeziehung, neben der nichts Platz hat, drückt sich in der Variation bildhafter Anrufungen aus:

> »O du gießender Gott in deiner Gabe!

O du fließender Gott in deiner Minne!
O du brennender Gott in deiner Sehnsucht!
O du verschmelzender Gott in der Einung mit deinem Lieb!
O du ruhender Gott an meinen Brüsten!
Ohne dich kann ich nicht mehr sein« (I,17).
Gott, »Du bist mein Spiegelberg,
meine Augenweide,
ein Verlust meiner Selbst,
ein Sturm meines Herzens,
ein Fall und Untergang meiner Kraft,
meine Höchste Sicherheit« (I,20).

In leidenschaftlichen Worten pocht sie auf ihre geradezu naturhafte Gottzugehörigkeit auf Grund des göttlichen Eros, dessen trinitarisches Wesen sie in der Wendung *»spilende minnevluot«* veranschaulicht und für sich reklamiert:

»Gott hat allen Kreaturen das gegeben,
daß sie ihrer Natur gemäß leben.
Wie könnte ich denn meiner Natur widerstehn?
Ich muß von allen Dingen weg zu Gott hingehen,
der mein Vater ist von Natur,
mein Bruder nach seiner Menschheit,
mein Bräutigam von Minnen
und ich seine Braut ohne Beginnen.
Wähnt ihr, ich würde diese Natur nicht fühlen?
Gott kann beides: kräftig brennen und tröstlich kühlen« (I,44).

Die kühn klingende Rede, daß die Seele »von nature« zu Gott in Beziehung steht, greift sie im VI. Buch wieder auf, ein Hinweis dafür, daß dies wohl eine der Angriffsflächen ihres Buches war. Ergänzend erklärt sie, daß allein die mit Gott einförmig gewordene liebende Seele »ein Auge besitzt, das Gott erleuchtet hat«. Nur mit dieser neuen, gnadenhaften Erkenntnis erfaßt sie, wie »die göttliche Natur in der Seele gewirkt hat«. Sie erkennt ferner, daß Gott die Seele »nach sich selbst gebildet, sie in sich selbst eingepflanzt hat und er sich selbst ihr unter allen Kreaturen am allermeisten vereint« (VI,31). Die Erfahrung lehrte Mechthild, daß die Ebenbildlichkeit Gottes dem Menschen von Natur aus eignet. Durch das Offensein für die Gnade kommt die göttliche Ursprungsbeziehung zur Entfaltung, so »daß sie nichts anderes sagen kann, als daß Gott in aller Vereinigung mehr als ihr Vater ist« (ebd.).

Mechthilds Lebensgrund ist die Gott-menschliche Beziehung als die wesentlichste Beziehung überhaupt; ihre Innigkeit und Stärke veranschaulicht das Bild der Brautschaft gemäß einer langen Auslegungstradition des Hohenliedes, dessen Sprache in Mechthilds Rede eingeflossen ist. In der brautmystischen Aussage wird das Geheimnis des Eros zur Analogie für die noch tiefer gegründete Liebeseinheit zwischen Gott und Mensch. Ihre ekstatischen Beschreibungen lassen den Leser an ihren Entrückungen teilnehmen, wenn sie ausführt, wie sie die Kräfte des Leibes überschreitet, in einer überwachen Versunkenheitsstufe erst zu ihrem eigenen Selbst gelangt und sich ganz in Gott wiederfindet: »In hoher Vereinigung ist die Seele in der wunderbaren Dreifaltigkeit ganz versunken, so daß der Leib zur Seele spricht: ›Wo bist du gewesen? Ich kann nicht mehr‹« (I,5). Die Seele weiß nur: »Ich bin dieser Welt auf ganz wundersame Weise tot, mir schmeckt nichts, außer Gott« (IV,12). »O Herr, ich sehe dich, – Wo bin ich hingekommen? Bin ich in dir verloren?« (III,1) Mechthild betont die Treue Gottes zum Menschen, den er trotz des Sündenfalles nicht aufgegeben hat. Denn so wie Gott im Paradies mit dem Menschen »in sichtbarer Weise umgegangen wäre, seine Seele gegrüßt und seinen Leib erfreut hätte«, so zwingt ihn die Natur seiner Liebe »immer noch, uns hier mit Erkenntnis und mit heiliger Innigkeit zu grüßen«, eine Umschreibung für eine hohe Stufe der Gotteserfahrung. Im bräutlich-ekstatischen Bild drückt Mechthild die extreme Erlebnishöhe ihres mystischen Bewußtseins der *unio*-Erfahrung aus: »Und da leuchtet Aug in Auge, und da fließet Geist in Geist, und da grüßet Hand zu Hand, und da redet Mund zu Mund, und da grüßet Herz zu Herz« (IV,14), denn »der geistliche Geist des Menschen wurde gezeugt von der heißen Gottheit« (IV,18), nach der er in unstillbarem Drang immer dürstet. Gott selbst hat zwar »an allen Dingen genug; nur allein die Berührung der Seele wird ihm nie genug« (IV,12).

Mechthild legt den Drang der Liebe zuerst in Gott, der sich aber in seiner Güte dem Maße des Menschen anpaßt, um ihn nicht zu zerstören: »Wollt ich mich nach meiner Allmacht dir geben, du behieltest nicht dein menschliches Leben« (V,18). So wie Gott sich der Aufnahmefähigkeit der menschlichen Natur anpaßt, muß auch der Mensch lernen, die sprengende Gewalt der Liebe in das ihm von Gott gesetzte Maß einer »geordneten Liebe« zu bringen. »Hätte sie kein Maß, ach, süßer Gott, wie manches reine Herz bräche in süßer Wonne« (V,4).

Die Spannung zwischen der überwältigenden »großen Himmelsflut« (V,18) und der begrenzten irdischen Wirklichkeit ist Mechthilds Lebensaufgabe. Der Überstieg in eine transzendente Wirklichkeit schärfte den Blick für die Größe und Grenze menschlicher Natur, die bei aller göttlichen Erhebung dennoch menschlich schwach und begrenzt bleibt. In scharfen Antithesen skizziert Mechthild diesen Kontrast: »Die Seele ist so kühn, sie ist aber nicht so stark. Sie ist so mächtig, aber nicht so beständig. Sie ist so liebevoll, aber nicht so selig. Sie ist so gütig, aber nicht so reich. Sie ist so heilig, aber nicht so unschuldig. Sie ist so gesättigt, aber nicht so erfüllt« (V,4). Aus diesem Grunde bleibt die Seele nach jeder Entrückung in Hunger, Durst und Liebesnot in einer Paradox-Situation zurück: »Wer sich in dieser Not verfängt, bleibt immer ungelöst in Gottes Seligkeit versenkt« (III,3).

Bemerkenswert ist, daß Mechthild ihre eigene Erfahrung wiederholt mit dem Mysterium der Trinität verbindet, das Bernhard von Clairvaux aus dem Kreis des Erfahrbaren ausschließt. Anders als die Evangelienberichte oder der Inhalt des Hohenliedes läßt sich das Trinitätsdogma nicht in allgemeine Erfahrungsinhalte einordnen. Aber gerade die Höhepunkte ihrer inneren Erfahrungen verknüpft sie mit dem innertrinitarischen Leben, so, wenn sie die dionysische Seligkeitsvorstellung ins trinitarische Gottesbild umschmilzt und in der Weinmetaphorik das Hingerissenwerden zu Gott zu einem ungewohnten Glanz himmlischer Wonne wird, in der persönlich-mystische Erfahrung mit Glaubenslehre und heilsgeschichtlichem Ereignis ineinander verschmelzen. Die Entrückung wird zu einem berauschenden Leben trinitarischer Liebe, in dem »Gott Vater der selige Schenke, Gott Sohn der Kelch, der Heilige Geist der lautere Wein ist und die ganze Dreifaltigkeit der volle Kelch und die Liebe die gewaltausübende Kellermeisterin« (II,24). Der Macht der Liebe unterstehen Gott und der Mensch. Sie ist das Wesen und die Wirkkraft des trinitarischen Gottes, das

Prinzip der Schöpfung und der Erschaffung des Menschen, ist ferner Ausgangspunkt für die Inkarnation und das Erlösungsleiden Christi. In Nachahmung dieser göttlichen Liebe und auf Grund der Verwandtschaft des Menschen mit Gott wird der Weg des Gottessohnes auch der Weg des Menschen mit der Betonung: »ohne Sünde und ohne Schuld zu leiden« (I,25).

Mechthilds Preis ihrer Gottesliebe sind alle daraus resultierenden Leiden als Stufen der Liebesläuterung. Die Ausformung dieser Stationen zeigt, wie sich die *Passio Christi* und das Mitleiden Mechthilds im Gotterleiden bis zur Identität steigern, und ist zugleich eine Möglichkeit, die Stufen der Reinigung, Erleuchtung und Vereinigung zu beschreiben. Da diese subjektiven Erfahrungen mit der *Passio Christi* verglichen werden, offenbaren sie die Intensität und Tiefe der Erschütterung. So vergleicht Mechthild zum Beispiel die unwiderrufliche Übergabe an Gott mit der Kreuzannagelung: »Der Hammer der starken Minnegelübde nagelt ans Kreuz sie an, daß die ganze Schöpfung sie nicht mehr zurückrufen kann.« Als Kreuzestod erfährt Mechthild die ekstatische Trennung von Leib und Geist als eine hohe Stufe der *unio*: »Ihr Leib wird getötet in der lebendigen Minne, aber ihr Geist wird erhöht über alle menschlichen Sinne.« Als eine Stufe der Reinigung werden in der Gerichtsszene unter anderem die Versuchungen des Teufels genannt: »Sie wird geohrfeigt vor Gericht, wenn der Teufel sie geistlich anficht« (III,10).

Das Teufelsthema kommt bei Mechthild in verschiedenen Visionen und Dialogen zur Sprache. Ihre Szenen über Engel und Teufel haben das Ziel, im Kampf um Gut und Böse die satanische Zweideutigkeit als vorgespieltes Ebenbild Gottes zu durchstoßen. Sie spricht vom »leuchtenden Buch« des Teufels als Zeichen strahlender Macht, die betört, und rühmt dagegen Eindeutigkeit unter Verzicht auf jegliche Vieldeutigkeit. Ihre Streitgespräche mit dem Teufel kreisen um die Frage der richtigen und falschen Macht. Es geht darum, die Unwürde der usurpierten Macht aufzudecken. Sie legt den Finger auf ein hybrides Verhalten, wenn sie den Teufel sagen läßt: »Ich will, wie ich es immer wollte, meinen Stuhl jetzt neben den Seinen setzen« (V,29).

Mechthild schärft den Blick für teuflisches Blendwerk im Hinblick auf falsche Visionen und innere Erfahrungen: »Einfältige Seele, hüte dich« (II,19), mahnt sie.

Die Nagelprobe der Liebe aber ist ihrc Erniedrigung und ihr Absinken in Nacht und Finsternis. In Analogie zur Passionsgeschichte ist die *statio* der Grablegung für die liebende Seele die Erniedrigung unter alle Geschöpfe als ihr tiefstes Grab: »Man schließt sie ins Grab tiefer Demut, da ist sie sich größter Unwürdigkeit unter allen Geschöpfen bewußt« (III,10). Das Verlangen nach dem untersten Platz der Nichtbeachtung und des Verstoßenseins aus miterlösender demütiger Liebe im paulinischen Sinne nach Römer 9,3 äußert Mechthild auch an anderer Stelle, wenn sie sich bereit erklärt, bis in die Hölle hinunterzusteigen, um Verlorene zu retten (V,4). Das heißt, neben die Qualen der Liebe treten auch die der Hölle. Aber auch das ist noch nicht die äußerste Bewährungsprobe. Im freiwilligen Verzicht auf Gottes Seligkeit und Trost bittet sie um das härteste aller Leiden: die Entfremdung Gottes, die Nacht: »Eia, geh fort von mir und laß mich um deiner Verherrlichung willen noch tiefer sinken« (IV,12). »Die Süße sollst du von mir nehmen, und laß mir nur deine Fremdheit«, um frei von jedem Eigengenuß einzig der Ehre Gottes und dem Heil des Nächsten verpflichtet zu sein. Das Bild der »großen Finsternis« veranschaulicht die neue Situation, in der der Lobpreis Gottes seine reinste Form erhält: »Diesen Geschmack der Süße will ich mit Freuden entbehren, damit Gott wunderbar gepriesen werde« (IV,12). Erst in der radikalen Ablegung der letzten Stützen bis zur Gottverlassenheit, allein gestützt auf Gottes Treue, auf welcher die eigene Treue steht, geschieht die letzte Übereinkunft mit der Unergründlichkeit göttlicher Liebe als Nachfolge Christi. In den Bildern der »Nacht« und der »Finsternis« wird das Drama der Anfechtung durch den Unglauben und der Zustand der Trockenheit in der Gottverlassenheit in aller Schärfe versinnbildet, in dem »der Leib schwitzte und sich in Krämpfen wand«.

So wie die Glut der Gottesliebe und das Licht der Schauungen den ganzen Menschen in Leib und Seele erschütterte – der Station der Geißelung entspricht eine hohe Stufe der Schau, deren starkes Licht Mechthild wie ohnmächtig machende Schläge empfindet: »Die Seele wird geschlagen *(gehalsschlaget)* mit großer Übermacht, da sie das ewige Licht nicht unaufhörlich zu ertragen vermag« (III,10) –, ebenso wird auch diese Phase der Läuterung in den Todesqualen des Ausharrens in der Dunkelheit als leiblich-geistliche Erfahrung erlitten (V,4). In dieser mystischen Nacht erfährt Mechthild »die Gnade des Nullpunkts«, ohne diesen Vorgang durchschauen zu können, wie sich die Qual der Gottesfremde in Seligkeit verwandelt, »gemäß der Wandelbarkeit der Liebe«. »Wie mir das geschieht, wage ich nicht auszusprechen. Gott verfährt jetzt wunderbar mit mir, da mir seine Entfremdung lieber ist als er selbst.« In der paradoxen Anrede: »Eia, selige Gottesfremde« preist Mechthild diese Nacht: »Wie immer ich mich näher zu dir geselle, Gott ist stets größer und wunderbarer auf mich gefallen« (IV,12).

Diese Erfahrungsberichte umspannen ein Lebensbewußtsein von höchster Seligkeit göttlicher Liebesmystik bis zur Leidensmystik und tödlichen Nacht der Fremde. Steht die Liebesmystik unter der bildstarken Hoheliedsymbolik von Braut und Bräutigam in Analogie für das Geheimnis des göttlichen Eros, so wird die Leidensmystik zur Nachfolge der Passion und Auferstehung Christi. Die Liebesbeziehung wird in ihren Höhepunkten sprachlich zur Musik. Die Seele singt »mit der Stimme des Heiligen Geistes« (IV,27), sie wird zur »Harfe« für Gottes Ohren und zum »Klang seiner Worte« (III,2), denn im Herzen *»spilet* die göttliche Liebe und erklingt in der edlen Seele«, in der »alle Saiten so süß erklingen« (V,30). Diese gott-menschliche Symphonie gründet in der tiefen Übereinkunft Gottes mit der Schöpfung, weil sie in dem »ewig singenden Klang der vollen dreifaltigen Stimme« ruht (V,26), die Mechthild wie ein Jubelchor ins Wort zwingt: »Und wie die Gottheit klingt, und die Menschheit singt, und der Heilige Geist die Harfen des Himmels spielt, daß alle Saiten erklingen, die da gespannt sind in der Minne« (II,3). Das Liebesglück, das schon in der »stürmenden, gewalttätigen Minne« die Todesnähe erfährt, aus der das Gleichgewicht des Maßes errettet, stürzt in die noch größere Todesgefahr der Gottesfremde. Im Umschlag vom Vertrauten und Sicheren in die Haltlosigkeit der Nacht erwächst jene Kraft, um das Leben zu erhalten. An dieser Stelle ihrer Qual versteht Mechthild den Sinn des Leides. Sie erkennt: »Frau Pein ist zwar das nächste Kleid«, das Christus auf Erden trug, aber seiner Verherrlichung dient es nicht, denn der Ursprung der Pein »liegt in Luzifers Herz« (IV,12). Daher ist das Leid an sich nichts Gutes und nicht Ziel des Menschen, sondern ein Mittel der Nachfolge Christi. Die paradoxe Gestalt der »Frau Pein« veranschaulicht eine Gewalt, »die alles verzehrt und verschlingt«, ohne jedoch mit den zerstörenden Aspekten von Panik und Chaos behaftet zu sein, wie bei den Gestalten der griechischen Rachegöttinnen oder bei der im Schmerz rasenden, alles zerstörenden Medea. Sie ist mit den positiven Zeichen der »weisen Sinne« und der Heiligkeit ausgestattet für die Verwandlung vom Tode zur Wiedergeburt, ein Zeichen für die seelisch-geistige Kraft Mechthilds.

Die inneren Erfahrungen von Gottesnähe, Teufelskampf und Todesnähe geben Mechthild die Sicherheit für das prophetische Wort. Aus dem Überdruck der mystischen Erfahrungen ersteht die Pflicht der Verkündigung, so wie Mose nach der Schau auf dem Berge Zeichen der Schau mitbrachte, und ein Zeugnis der Schau war »die süße Lehre« (V,12). Oder aus der Kraft bestandener Leiden, deren empfindlichste in Analogie zur Passion die blinde Durchbohrung der Seele ist »mit einem Speere, dadurch entfließt ihrem Herzen viel heilige Lehre« (III,10). Ihre Lehre entspringt keinem Buchwissen oder theoretischer Spekulation, sondern einem Erfahrungswissen, das »aus der lebendigen Gottheit in ihr Herz geflossen« ist (IV,43). Mit solch wiederholten Beteuerungen begründet und rechtfertigt Mechthild ihr Reden und Schreiben, um es auf die Ebene des zeitlos Gültigen zu heben. Als Mechthild gut sechzigjährig ins Kloster Helfta zu den belesenen, hochgebildeten Zisterzienserinnen in geschützter und gleichgesinnter Umgebung kam, fragte sie den Herrn: »Was soll ich hier in diesem Kloster?« »Du sollst sie lehren und erleuchten.« Auch hier versteht sie sich aufs neue als von Gott Beauftragte, nun in Helfta zu lehren wie vorher in Magdeburg, nämlich aus ihrem Erfahrungsschatz Einsichten zu vermitteln.

Aus diesem Verständnis erwächst ihre Verantwortung für die *»ganze christanheit«*, die Kirche. So wie ihr mystisches Mitleiden für Lebende und Verstorbene unter dem Auftrag des Heilsdienstes steht, versteht sie auch ihr Sprechen an die Adresse der Kirche, das gerade hier besonders zukunftsorientiert ist, als Auftrag. Die Idee der Erneuerung durchzieht ihr ganzes Buch, sei es in den antithetischen Sentenzen und gereimten Sinnsprüchen als geistliche Ratschläge, die große Menschenkenntnis und psychologische Einfühlung verraten, oder wenn sie zur Reform der Kirche aufruft, wie: »Ist der Mantel alt, dann ist er auch kalt. Darum muß ich meiner heiligen Braut, der Kirche, einen neuen Mantel umlegen« (VI,21). Die Priesterausbildung scheint ihr offensichtlich nicht auf der Höhe der Zeit zu sein, wenn sie kritisch anmerkt: »Auf einem Bein kann man nicht gut ›zu hove‹ kommen« (V,24), das heißt, ein gründliches Studium beider Testamente, des AT und NT, bildet die Grundlage des Glaubenswissens. Ihr kirchlicher Auftrag hat eine erkenntnistheoretische und eine praktische Seite. Nach ihr wird die Erkenntnis von der Liebe geformt »durch ein Auge, das Gott erleuchtet hat« auf Grund innerer Erfahrung. Die Betonung dieses Erkenntnisweges zielt darauf ab, daß für Glaubensverstehen und -vermittlung nicht allein schultheoretisches Wissen ausreicht, sondern daneben die Disposition für die Erfahrung aus dem Glauben gesehen und bereitet werden soll. Glaubenswissen und Glaubenserfahrung bis hin zur Totalität der Mystik sind die beiden Säulen, auf denen das Lehrgebäude stehen soll. Zur Stützung dieses Gebäudes sendet Mechthild laut Prolog ihr Buch »als Boten allen geistlichen Menschen (die die Säulen der Kirche sind), den guten wie den schlechten, denn wenn die Säulen fallen, dann kann das Gebäude nicht überdauern«. Die Risse in diesem Gebäude beklagt sie in wortgewaltiger Rede über den Zustand der Kirche: »Wehe dir, Krone des heiligen Priestertums! Wie bist du dahingeschwunden. Du hast nichts mehr als die Überreste deiner selbst, das ist die priesterliche Gewalt. Mit ihr kämpfst du gegen Gott und seine auserwählten Freunde« (VI,21). Für diese innere Reform in den eigenen Reihen appelliert sie an das höchste Leitungs- und Lehramt der Kirche: »Sohn Papst, das sollst du vollbringen.« In ihrer Ortskirche wirkt sie trotz heftiger Anfeindung als Ratgeberin. Den zögernden Dekan Dietrich (von Dobin) bestärkt sie, trotz herrschender Schwierigkeiten sein Amt im Domkapitel anzutreten, um Reformen durchzuführen. Dem Ausweichen vor Schwierigkeiten setzt sie entgegen: »Man soll stark sein und Gott vertrauen, denn er selbst wird die Lasten mittragen helfen« (VI,3). So kann nur jemand sprechen, der selbst viele auf sich genommen hat.

Noch in der Gebrechlichkeit des Alters, in der sie ganz auf fremde Hilfe angewiesen war, verharrt Mechthild in der Hoffnung. Aus ihr entsprang ihre erste und letzte Gebärde, der Lobpreis Gottes, getreu ihrem Zeugnis: »Worauf Gott seine Hoffnung setzt, das wage ich«(III,3).

Das Wagnis ihres Lebens war das Sich-Einlassen mit Gott, um von der Göttlichkeit im Menschen zu reden, die ihm in der Ebenbildlichkeit Dimensionen erschließt, das Leben zu erhalten und schöpferisch zu gestalten. Denn ihre Forderung lautet: »Wenn Gott uns Einsicht gibt, dann sollen wir die Talente gebrauchen.« So erklärt Mechthild bei ihrem reichen Innenleben in Gottversunkenheit den Wert und die Kostbarkeit des irdischen Lebens unter dem Gesichtspunkt, alle Bereiche des Menschlichen und allzu Menschlichen aus der Kraft und Fülle göttlicher Inspiration zu kultivieren. Diese Kultur zeigt auch ihre Sprache, die bei aller Leidenschaft nie die Grenze des Maßlosen überschreitet; von ihren glutvollen Bildreden mit poetischer Macht aber gehen Glanz und Leuchtkraft aus.

Literatur

Ausgaben: Mittelhochdeutscher Text: Offenbarungen der Schwester Mechthild von Magdeburg oder das fließende Licht der Gottheit, hrsg. von *P. Gall Morel*, Regensburg 1869, Nachdruck Darmstadt [2]1963. Lateinischer Text: Revelationes Gertrudianae ac Mechtildianae II: Sanctae Mechtildis virginis ordinis s. Benedicti Liber specialis gratiae, accedit so-

roris Mechtildis... Lux Divinitatis, editum Solesmensium OSB monachorum cura et opera, Paris 1877, 435–643.
Vollständige Übersetzung: Mechthild von Magdeburg, »Das fließende Licht der Gottheit«, übersetzt und eingeführt von *M. Schmidt* mit einer Studie von *H. U. von Balthasar*, Einsiedeln 1956.

Zur Forschungslage:
M. Schmidt, Mechthild von Magdeburg, in: Dictionnaire de Spiritualité, t. 10, Paris 1978, 877–885; mit weiterer Literatur.
H. Neumann, Mechthild von Magdeburg, in: Die deutsche Literatur des Mittelalters, Verfasserlexikon, Bd. VI, [2]1985, 260–270, hrsg. von *Kurt Ruh* u. a., Berlin/New York 1985; mit weiterer Literatur.
Sekundärliteratur:
A. M. Haas, Helfta und Mechthild von Magdeburg, in: Die deutsche Literatur des späten Mittelalters 1250–1370, Bd. 3/2, München 1987, 242–254.
M. Schmidt, Elemente der Schau bei Mechthild von Magdeburg und Mechthild von Hackeborn, in: Frauenmystik im Mittelalter, hrsg. von *P. Dinzelbacher* und *D. R. Bauer*, Ostfildern 1985, 123–151.
M. Schmidt, »die spielende minnevluot«. Der Eros als Sein und Wirkkraft in der Trinität bei Mechthild von Magdeburg, in: Eine Höhe über die nichts geht. Spezielle Glaubenserfahrung in der Frauenmystik?, hrsg. von *M. Schmidt* und *D. R. Bauer*, Stuttgart–Bad Cannstatt 1986, 71–133.
M. Schmidt, »minne dú gewaltige kellerin«. On the nature of ›minne‹ in Mechthild's »Fließendes Licht der Gottheit«, in: Vox benedictina 3 (1987, Saskatoon, Kanada), 100–125.
M. Schmidt, Das Ries als eines der Mystik-Zentren im Mittelalter, in: Rieser Kulturtage, Bd. VI, Nördlingen 1987, 473–493.
M. Schmidt, Mechthild von Magdeburg »Ich tanze, wenn du mich führst«. Ein Höhepunkt deutscher Mystik. Ausgewählt, übersetzt und eingeleitet von *M. Schmidt*, Freiburg i. Br. 1988.
M. Schmidt, »Frau Pein, ihr seid mein nächstes Kleid«. Zur Leidensmystik im »Fließenden Licht der Gottheit« der Mechthild von Magdeburg, in: *G. Fuchs* (Hrsg.), Die dunkle Nacht der Sinne. Leidenserfahrung in der Mystik, Stuttgart 1989.

Mechthild von Hackeborn

Margot Schmidt

Im Gegensatz zu Mechthild von Magdeburg wissen wir über Herkunft und Leben ihrer jüngeren Namensschwester Mechthild von Hackeborn (1241–1299) etwas Genaueres. Anhaltspunkte hierfür liefern uns Teile ihres »Buches der besonderen Gnade« *(Liber specialis gratiae)*, das im Zisterzienserinnenkloster Helfta nach dem Tode der Mechthild von Magdeburg etwa ab 1292 entstand.

Das der Gottesmutter geweihte Kloster Helfta wurde 1229 vom Burggrafen Mansfeld und seiner Frau unweit des Schlosses gegründet. Nach dem Tode des Grafen verlegte die Witwe die Gründung 1234 in die Grafschaft Rodersdorf (heute Roßdorf) bei Halberstadt. Nach 24 Jahren wurde 1258 wegen Wassermangels eine dritte Verlegung nach Helfta in der Nähe von Eisleben vorgenommen. Es heißt, daß bei der Einweihung von Helfta neben den mächtigen Grafen von Mansfeld und Querfurt auch der Erzbischof von Magdeburg und Ruprecht, Bischof Volradt von Halberstadt, anwesend waren. Dies könnte ein Hinweis dafür sein, daß Mechthild von Magdeburg unter anderem über ihre Kontakte zum Magdeburger Domkapitel im Alter hier Aufnahme fand. Auf Grund einer Fehde zwischen den Herzögen von Braunschweig und den Grafen von Mansfeld wurde das Kloster 1342 zerstört und zum vierten Male 1346 in der Vorstadt von Eisleben wiederaufgebaut, bis es bald danach unterging. In der kurzen Zeit seiner Blüte entwickelte sich in Helfta durch die beiden Mechthilden und Gertrud die Große ein Höhepunkt deutscher Mystik und Frauenbildung.

Nach der ersten Äbtissin von Helfta, Kunigunde von Halberstadt († 1251), wurde Gertrud von Hackeborn mit 19 Jahren Äbtissin und leitete gut vierzig Jahre lang bis 1291 mit offensichtlichem Erfolg die Geschicke des Klosters. Gertrud und deren jüngere Schwester Mechthild stammen aus dem mit den Hohenstaufen verschwägerten Geschlecht der Freiherren von Hackeborn, das in Nordthüringen und am Harz begütert war. Als Mechthild in Begleitung ihrer Mutter mit sieben Jahren ihre Schwester Gertrud im Kloster Rodersdorf besuchte, war sie nicht zu bewegen, nach Hause zurückzukehren. Daher besuchte sie ab sieben Jahren die Klosterschule und trat später im Kloster ein. Gertrud überwachte sorgfältig die Ausbildung ihrer jüngeren Schwester. Kloster Helfta stand unter der geistlichen Leitung der Dominikaner von Halle. So empfing Mechthild nach dem Stand der Zeit eine gute Ausbildung, was sich daran ablesen läßt, daß ihr die Ordenstheologen Albertus Magnus und Thomas von Aquin vertraute Gestalten sind und daß sie die Spekulationen der Gelehrten über das Jenseitsschicksal des Samson, Salomon, Origenes und Kaiser Trajan kennt (V,16). Auf Grund ihrer vorzüglichen Stimme und musikalischen Begabung wird sie Vorsängerin im liturgischen Chorgesang und erhält die Leitung der Klosterschule. Das Vorwort berichtet, daß sie »nicht allein mit geistlichen und inneren Gnaden reichlich beschenkt war, sondern auch mit natürlichen und äußeren Gaben, wie mit Kunsttalent, mit Verständnis der Schriften und einer wohlklingenden Stimme, so daß man im Kloster meinte, Gott habe in ihr keine seiner Gaben vergessen.«

1261 wird ihr die fünfjährige Gertrud von Helfta, später Gertrud die Große, anvertraut. 1270 findet Mechthild von Magdeburg nach vielen Anfeindungen und Verkennungen im Kreise Gleichgesinnter in Helfta ihren Alterssitz. Sie hatte bereits die sechs Bücher ihres »Fließenden Lichts« vollendet und verfaßte in Helfta ihr siebtes Buch. Bis zu diesem Zeitpunkt hatte Mechthild von Hackeborn noch nichts geschrieben. Ihre früh beginnenden inneren Erfahrungen verschweigt sie bis zu ihrem 50. Lebensjahr, als ein immerwährendes Siechtum und ständige Kopfschmerzen sie für den Rest ihres Lebens ans Bett fesselten. Während dieser letzten sieben Lebensjahre begann sie von ihren Erfahrungen zu erzählen. Auf Weisung der neuen Äbtissin, Sophie von Querfurt, zeichneten Gertrud die Große und eine oder mehrere ihrer befreundeten Mitschwestern ab 1292 die Berichte über ihre inneren Gnadengaben und Visionen sieben Jahre lang auf, ohne daß Mechthild zunächst davon wußte. Nachträglich bestätigte sie die Richtigkeit des Inhalts. Die endgültige Fassung des so entstandenen »Buches der besonderen Gnade« muß nach der redaktionellen Seite wohl als Werk Gertruds der Großen betrachtet werden. Das Ansehen und die Verehrung, die Mechthild auf Grund ihrer inneren Einsicht hatte, bezeugt das Vorwort ihres Buches: »Jeder, der sich an sie wandte, ging getröstet und belehrt von ihr«, so daß sie sehr bald ohne förmlichen Kanonisationsprozeß als Heilige verehrt wurde.

Die ursprünglich deutsche Fassung ihres Buches ist verloren, erhalten ist nur die lateinische Version in der ältesten Handschrift aus Wolfenbüttel, einer Abschrift von Priester Albert, Vikar von St. Pauli in Erfurt von 1370, die er »sorgfältig mit dem (verlorenen) Original aus Helfta in Eisleben verglichen« hatte.

Der Inhalt des Buches umfaßt sieben Teile, die in lockerer Reihung und thematischer Aufgliederung Gesichtspunkte ihrer mystischen Frömmigkeit schildern. Der erste Teil beschreibt Mechthilds Gesichte nach dem Festkreis des Kirchenjahres unter besonderer Berücksichtigung der Jungfrau Maria als Gnadenvermittlerin; der zweite Teil berichtet von besonderen Gnaden, die sie an sich und im Umgang mit ihrem göttlichen Bräutigam erfahren hat, verknüpft mit der Aufzeichnung des geistlichen Weges; der dritte und vierte Teil enthalten Belehrungen über die rechte Gottesverehrung, über das Tugendleben bis zur mystischen Hingabe; der fünfte Teil bringt Jenseitsvisionen mit Aufschlüssen über das Schicksal Verstorbener, wie dies schon sehr eindrücklich Mechthild von Magdeburg geschildert hat; der sechste Teil befaßt sich mit Leben und Tod ihrer Schwester Gertrud, der vorbildlichen Äbtissin, während der siebte Teil über das Sterben und die Verdienste Mechthilds sprechen. Zudem enthält ihr Werk zwei Briefe von ihr an eine Freundin sowie zwei kurze Ermahnungen an dieselbe (IV,59), die nach W. Oehl wohl nur der Rest eines ganzen Briefwechsels sein dürften.

Der rein äußere Lebensablauf erweckt den Eindruck, daß Mechthild in einer behüteten, weltabgeschlossenen Atmosphäre in rein klösterlicher Ausbildung wohl nur einen begrenzten Blick für die Welt und Menschen hatte. Ihr Buch zeigt bei näherem Betrachten etwas anderes. Die ihr leicht zufließenden Bilder dienen einer symbolischen Veranschaulichung geistiger Vorstellungen ihres Menschen- und Weltbildes. Wenngleich diese allegorischen Ausmalungen auf den heutigen Leser teilweise fremd bis abstrus wirken, enthüllen sie unter Abzug des historisch Bedingten eine klare, zielgerichtete Persönlichkeit von Tiefe und Weitblick, die weiß, daß es ein von den Herzkräften gespeistes Leben des Geistes gibt, das höher steht als das Leben nach der rein natürlichen Vernunft und des Leibes, und daß allein diese Kräfte das Leben zu tragen vermögen. So wird alles, was ihr Herz und Geist beseelt, als verlängerter Ausdruck des Lobpreisens zum Gegenstand ihrer Mitteilungen.

Ähnlich wie Mechthild von Magdeburg versteht sie ihr Sprechen als göttlichen Auftrag, dessen Legitimation verschiedentlich erklärt wird. Alois M. Haas hat aufgezeigt, wie sich »in subtilster Weise menschliche und göttliche Regie«, göttliche Vorsehung und menschliche Eigeninitiative miteinander vermischen. Bei der Suche nach Sicherheit über ihre Aufzeichnungen, die andere ohne ihr Wissen tätigten und die sie noch nicht kannte, fragte sie in einer Vision den Herrn: »Woher kann ich wissen, ob alles wahr sei?« (V,22). Sie mißtraut hierin auch ihrer eigenen Urteilskraft. Ist es nicht nur eine Selbstspiegelung der eigenen Natur? Woran soll sie erkennen, daß es sich um eine göttliche Offenbarung handelt und nicht um ein Produkt der eigenen Phantasie? Wie bei Mechthild von Magdeburg ist hier das Mißtrauen gegen den Offenbarungscharakter innerer Erfahrungen und die dahinter stehende Diskussion über echte und falsche Visionen zu beobachten, verbunden mit der Angst vor der Illusion. Die visionäre Antwort auf ihre Unsicherheit bringt jeden Einwand zum Schweigen, vertreibt alle Zweifel und Bedenken, womöglich aus Ruhmsucht zu handeln. Denn Christus selbst ist Ziel und Inhalt des Schreibens. Er erklärt ihr:

> »Ich bin im Herzen derer, die von dir etwas hören wollen. Ich bin das Verständnis im Ohr der Hörenden, durch welches sie verstehen, was sie hören. Ich bin im Munde der davon Sprechenden, ich bin in der Hand der Schreibenden« (V,22).

Sie erkennt: Die Schreiberinnen sind »Mitarbeiterinnen« am

Werke Gottes für die Wahrheit. Den inspiratorischen Charakter dieser Wahrheit von Gott dem Dreifaltigen veranschaulicht die Fortsetzung dieser Vision: »Aus dem Herzen Gottes fließen drei Strahlen in die Herzen der beiden Schreiberinnen.« Die trinitarische Einbettung des Buches wird ergänzt durch den christologischen Akzent, wenn Christus ihr sagt:

> »Alles, was in diesem Buche steht, strömt aus meinem göttlichen Herzen und wird in dasselbe zurückfließen« (II,43). »Fürchte dich nicht, ich selbst habe alles gemacht« (V,31).

Mit einer solchen Abstützung erhält es zum Schluß den Titel *Lumen ecclesiae* (Licht für die Kirche). Es überschreitet auf diese Weise den Bereich des persönlichen Verhältnisses der Seele zu Gott und erhält Sendungscharakter mit dem Ziel einer verändernden Kraft.

Im Gegensatz zu Mechthild von Magdeburg ist Mechthilds Darstellungsart fast vorwiegend an Texten des liturgischen Gebetes, an Schrift- und Väterlektüre gebildet. Sie gibt Rechenschaft über die Art ihres Schreibens: Das »Unsichtbare und Unaussprechliche« kann nach alter Tradition auch bei ihr nur »durch Gleichnisse und Bilder« veranschaulicht werden (VII,21), und auch diese enden letztlich in Unsagbarkeit, wenn sie über eine Erhebung berichtet, in der sich »die Gottheit wie ein Bach mit starker Gewalt in sie ergossen hatte«, und darum ringt, wie sie das, was sie hier erkennt, den Menschen erklären könne, wenn sie hilflos auf ihre armselige Kreatürlichkeit zurückfällt, die »nur soviel auszudrücken vermag, wie eine Ameise von einem großen Berge hinwegtragen kann« (V,22).

Mechthilds Visionen geschehen fast ausschließlich während liturgischer Tagzeiten (Chorgebet, Meßfeier) mit den auslösenden Schriftzitaten oder Handlungen (Kommunionempfang). Die inneren Erfahrungen lehren sie, die Größe und Kleinheit des Menschen schärfer in den Blick zu bekommen. Seine Größe liegt in der göttlichen Herkunft, wie es eine *unio*-Beschreibung in Verbindung mit Schriftzitaten erhärtet.

> »Sie sah einen Baum, rein und klar wie ein Kristall; der bedeutet die lichtvollste Reinheit des göttlichen Wesens, die der Herr ihr mitteilen wollte. Dies geschah, indem sich der Baum öffnete, der Herr trat in

ihn ein und verband sich der Seele in solcher Einung, daß ihr das Psalmwort erfüllt erschien: »Ich sprach: Ihr seid Götter« ([Psalm 81,6] III,50).

Wie Mechthild von Magdeburg verlegt sie das Sehnen und Drängen der Liebe in Gott selbst, aber verifiziert durch den alttestamentlichen Spruch: »Meine Lust ist es, bei den Söhnen der Menschen zu sein« (Sprüche 8,31). Diese Einkleidung in Bibelzitate als Ausdruck des persönlichen Umgangs Gottes mit den Menschen wird durch ein Pauluszitat weiter untermauert: »Ich werde in ihnen wohnen und mit ihnen wandern« (2. Korinther 6,16). Unter den geistlichen Schriftstellern, die Denken und Sprechen geformt haben, ragen Hieronymus, Augustinus, Gregor der Große, Bernhard und die Viktorianer hervor. In augustinischer Tradition ist das »Angesicht der Seele das Bild der hl. Dreifaltigkeit« (III,21). Das bedeutet, daß der Mensch dauernd »Gedächtnis, Verstand und Willen« im »Spiegel des göttlichen Antlitzes« reinigen muß, nämlich in der Weise, daß alles Denken und Handeln im »Stehen vor Gott« verantwortet werden soll. Im paradoxen Bild wird das undurchdringliche Wesen der Trinität eingefangen über eine Schau der Jungfrau Maria. Von ihr erfährt sie »die unaussprechliche Freude, als ich das unzugängliche Licht der heiligsten Dreifaltigkeit zum ersten Mal sah, in welchem ich wie in einem klaren Spiegel die ewige Liebe erkannte« (I,26). Das »unzugängliche Licht« als »klarer Spiegel der ewigen Liebe« ist eine Ausdrucksweise der pseudo-dionysischen Tradition, ebenso wie die ausführliche Engellehre als Mittel für den Aufstieg der Seele, und verrät die Bildungsstufe der Helftaer Nonnen. Die fast naturhafte Gottverbundenheit, wie sie auch Mechthild von Magdeburg in der ihr eigentümlichen poetischen Bildmächtigkeit vertritt, erklärt Mechthild von Hackeborn in Anlehnung an Augustinus (Conf. III,3, 6, 11), wenn der Herr zu ihr spricht: daß »ich tiefer in dir unten liege als dein Innerstes in dir selbst« (I,19). Diese eingepflanzte Ebenbildlichkeit im »hohen, weiten Hause des göttlichen Herzens« birgt zugleich die unendliche Spannung zwischen irdisch und himmlisch des für Gott aufnahmefähigen Menschen (III,26), die im weiterführenden Bild zur Sprache kommt. Bei aller Ursprungsnähe, erklärt ihr der Herr, »ist dennoch mein göttliches Herz so unendlich erhaben und hoch über deine Seele, daß es von dir nicht berührt werden kann. Dies bedeutet die Höhe und Weite des Hauses« (I,19). Schlagartig beleuchtet dieses Bild die Paradoxie von Gottesnähe und Gottesferne. Aus dieser Spannung von »schon« und »noch nicht« entsteht die dauernde Sehnsucht und das sich ausstreckende Verlangen. Und da es mitunter erlahmt, sagt ihr der Herr: »An allen Gütern bin ich überreich, ausgenommen am Herzen des Menschen, das mir so oft entgleitet« (IV,54). Lebendigkeit, Wachheit und Glut des Herzens sind Ausdruck einer geisterfüllten Seele, denn »die Seele kann ohne den göttlichen Geist nicht leben, sondern erscheint wie tot, so wie ein menschliches Herz ohne Luft nicht leben kann«. Der irdischen Vitalität parallel läuft eine geistliche:

> »So wie ein Menschenherz drei Lebensströme hat: einen für die Luft, die es einatmet, den anderen, wodurch es mit Speise und Trank gestärkt wird, den dritten, auf der es (über den Energiefluß) den übrigen Gliedern die Kräfte zuführt, so hat auch das Herz der Seele drei Lebensströme: Mit dem ersten Strom zieht sie meinen göttlichen Geisthauch in sich, auf dem zweiten wird sie über Gottes Wort... mit ausgezeichneter Speise gestärkt, mit dem dritten liefert sie durch Werke der Liebe den Gliedern Kraft. Und da die Seele keine eigenen Leibesglieder besitzt, spendet sie ihre Liebe den Gliedern der Kirche, die sie als ihre eigenen betrachtet« (III,12).

In dieser Kraft weitet sich die persönliche Beziehung Mensch–Gott auf alle anderen Menschen, so daß Mechthild ihr eigenes Herz ausgeweitet sieht in der Größe von zwei Palmen, gleich einer lohenden Flamme (III,10). Ihre besondere Sorge galt der Kirche, »welcher gerade zu diesen Zeiten viel Schmach zugefügt wurde und die an ihren Gliedern viel Unbill ertragen mußte« (I,13), ein Nachhall der viel schärferen Kirchenkritik und Klage über deren inneren Zerfall seitens Mechthilds von Magdeburg.

Bei aller Askese einerseits und geistiger Schau andererseits bleibt das sichere Wohnen in der sinnenhaften Welt, ja es kommt gerade zu einer Versöhnung zwischen Mystik und erhabener sinnenhafter Wirklichkeit. Mechthild von Hackeborn fordert, Gott über und in allen fünf Sinnen zu suchen: »Die getreue Seele soll mich mit ihren fünf Sinnen suchen, die die Fenster ihrer Seele sind.« Wie ein Hausherr soll sich der

Mensch verhalten, »der aus allen Fenstern und Türen nach seinem Freunde Ausschau hält«, um über die Sinne die Spuren Gottes zu entdecken.

»Erblickt sie etwas Schönes und Liebliches, denke sie, wie schön, liebenswert und gut derjenige ist, der das gemacht hat, und so lenke sie alles schnellstens zu ihm, der alle erschuf. Hört sie eine süße Melodie oder sonst etwas, das sie begeistert, denke sie: Ach, wie wundervoll wird die Stimme dessen sein, der dich einst rufen wird, aus dem jede Anmut und jeder Stimme Wohlklang ausging. Und wenn sie die Menschen etwas reden hört, wenn etwas vorgelesen wird, horche sie immer gespannt, ob sie wohl etwas vernehme, worin sie den Geliebten finden kann... Und wenn sie liest oder singt, so überlegt sie: Was sagt dir dein Geliebter jetzt gerade bei diesem Vers, bei dieser Lesung, oder was trägt er dir auf? Und so soll sie in allen Dingen so lange suchen, bis sie etwas Leises verspürt von der Süße Gottes. Mit dem Geruch und Getast halte sie es gleicherweise... Und an welchem Geschöpf sie immer sich ergötze, stets behalte sie Gottes Wonnen im Gedächtnis, der all dies Schöne, Erfreuliche und Bezaubernde für uns dazu erschuf, daß er alle zur Erkenntnis und zur Liebe seines Gutseins anlocke und hinbewege« (III,44).

Zu dieser Kultur der Sinne als Zeichen des Austausches mit Gott und des Ausdrucks seiner Nähe gehört auch die gepflegte Sprache, vor allem die des Gottesdienstes, da »alles Sprechen, Beten und Singen« durch einen von Gott geformten Mund geschehen soll (III,34). Dieser Anspruch der Sprache kann sich auch eindringlich rhetorischen Ausdrucks bedienen.

Auffallend ist die das ganze Buch durchziehende Symbolik des Herzens. In einer Schau fragt Mechthild Maria: »Was ist der Mund der Seele?« »Der Mund der Seele ist ein für Gott offenes Herz, das in dem Maße seines Verlangens von Gottes Liebe erfüllt wird« (I,26). Die Zwiesprache zwischen Mensch und Gott geschieht von Herz zu Herz. So wie das Herz beim Menschen das Zentrum aller Sinnes- und Geisteskräfte ist, die von hier ihre Formung und Steuerung für alle Verhaltensweisen erfahren, ist das göttliche Herz Ursprung und Sitz aller Gnaden und Seligkeit. Daher »zieht sie allen Atem aus dem Herzen Gottes« (III,7), ein Bild, wie der Mensch ganz aus der göttlichen Kraft lebt, von der sie behauptet, daß diese Erfahrung bei entsprechender innerer Haltung alle machen können:

»So geschieht es jedem, welcher in meiner Liebe oder in Sehnsucht nach mir aufseufzt, er holt den Atem nicht aus seinem, sondern aus meinem göttlichen Herzen wie ein Gebläse, das nur die Luft enthält, die es zuvor eingesogen hat« (ebd.).

Christus fordert sie auf: »Durchwandere die Länge und Breite meines göttlichen Herzens. Die Länge ist die Ewigkeit meiner Güte, die Breite ist die Liebe und das sehnende Verlangen, die ich von Ewigkeit nach deinem Heil hatte. Fordere sie für dich, und sie teilte ihr Herz mit dem Herzen Gottes« (I,19).

Die Gottheit in der Menschheit prägt das Christusbild, die der Glanz auf dem Angesicht des Herrn, leuchtender als die Sonne, kennzeichnet. In der Schau des Abendmahles füllt Christus »alle Gefäße mit seinem Licht statt der Speise und des Trankes. Alle wurden durch den Glanz des Angesichtes des Herrn bekleidet wie mit einem Kleide« (I,10). Das Lichtkleid ist ein altes Bild für den Paradieseszustand des Menschen, eine Vorstellung, die auch Hildegard von Bingen kennt und hier die Gotteinigung und Vergöttlichung des Menschen versinnbildlicht, an anderer Stelle auch den auferstandenen Leib (V,14): »Durch den Glanz wurde die Gottheit (Christi) bezeichnet, denn Gott war sein eigener Träger auf Erden« und »die Gottheit regiert die Menschheit« (I,12). Die göttliche Natur erlöste über die Menschwerdung von der tödlichen Folge der Sünde. Darum ist für Mechthild im Anschluß an Philipper 2,9 der vornehmste Name Christi, »der über alle Namen« steht: »Salvator und Redemptor«, der Retter und Erlöser »aller Zeiten« (I,16). Der verherrlichte Christus in der Überwindung der Leiden ist Trost und Kraft in ihren Leiden,

»die sie für unfruchtbar hielt. Da sprach der Herr zu ihr: ›Lege all deine Pein in mein Herz, und ich will sie so vollenden, wie je ein Leiden erhoben werden kann. Denn wie die Gottheit alles Leiden meiner Menschheit in sich zog und mit ihr vereinigt hat, so will ich deine Leiden ganz in meine Gottheit hinübernehmen und mit meinem Leiden vereinigen, und will die Verklärung meiner Menschheit auch dir mitteilen... Wie mein Leiden in Himmel und Erde unendlich Frucht trug, so wird auch dein Schmerz und jegliche Drangsal in Einigung mit meiner Passion so fruchtbar, daß sie allen Gerechten auf Erden vermehrten Lohn, den Sündern Vergebung und den Seelen im Fegfeuer Erleichterung verschafft« (II,36).

Christi Erlösungsleiden aus Liebe wird bei Mechthild zum Sühneleiden für andere.

Die Geduld im Leiden zieht sie aus der umwandelnden Kraft Christi, der ihr sagt: »Alle deine Schmerzen will ich in mich ziehen und durch meine Leiden heiligen« (II,31). Aber realistisch stellt sie fest: »Niemand kann das Leiden unseres Herrn lieben ohne die eingegossene Gnade Gottes« (I,17). Über aller Askese und Eigenleistung steht die Gnade. Die Erfahrung des eigenen Leidens lehrt Mechthild die unübersteigbare Grenze des Menschen, das dauernde Zurückbleiben und damit die Kleinheit des Menschen, der für seine Rechtfertigung ganz der Gnade ausgeliefert ist. Diesen Vorrang der Gnade beschreibt eine Vision, wo der Herr zu ihr sprach:

»›Wenn dir die Wahl gegeben würde, entweder daß du alle Güter, welche ich dir verliehen habe, durch dich selbst mit Werken und Tugenden erworben hättest, oder daß ich sie dir alle umsonst gegeben hätte, was würdest du wählen?‹ Die Seele antwortete: ›Mein Herr, die geringste Gnade, die mir von dir umsonst verliehen wurde, schätze ich höher und nehme sie lieber an, als wenn ich die Verdienste aller Heiligen mit den größten Tugenden und Arbeiten verdienen könnte‹« (IV,15).

Die Gnade als Zeugnis der Liebe ist kostbarer als Selbstverwirklichung.

Diese mehrfach dargestellte Allmacht der Liebe, die in Gestalt der freigebigen »Mundschenkin« (III,22) Gott und den Menschen einschenkt – bei Mechthild von Magdeburg ist es die Gestalt der gewaltausübenden Kellermeisterin –, veranschaulichen die zwei folgenden Visionen:

»Es war, als sähe sie im Herzen Gottes eine sehr schöne Jungfrau, die einen Ring in der Hand hielt, in dem ein Diamant war, mit dem sie ohne Unterlaß das Herz Gottes berührte. Sie antwortete: ›Ich bin die göttliche Liebe, und dieser Stein bezeichnet die Schuld Adams. Sogleich als Adam sündigte, trat ich dazwischen und nahm die ganze Schuld auf mich; und indem ich das Herz Gottes unablässig berührte und zum Mitleid und Erbarmen bewegte, ließ ich ihn nicht ruhen, bis ich in einem Augenblick den Sohn Gottes vom Herzen des Vaters in den Schoß der Jungfrau Maria legte‹« (II,17).

Ein andermal sah sie, wie die Liebe in Gestalt einer sehr schönen Jungfrau das Konsistorium umwandelte und dabei sang: »Den Umkreis des Himmels habe ich allein umwandelt« (Jesus

Sirach 24,8). In diesen Worten erkannte sie, »wie allein die Liebe sich die Allmacht der göttlichen Majestät unterworfen und seine unerforschliche Weisheit gleichsam betört und seine allersüßeste Güte ganz ausgegossen, die Strenge der göttlichen Gerechtigkeit gänzlich besiegt und in Milde umgewandelt hat« (II,35).

Aus der zentralen Stellung der Liebe Gottes erklärt sich die reich entwickelte Herzsymbolik. Mechthild entwirft mit ihr eine Anthropologie, nach welcher der Seinsgrund des Menschen im Herzen Gottes verwurzelt ist. Das Herz Gottes symbolisiert einen Urgrund, aus dem die emotionalen und geistigen Kräfte gespeist und geformt werden, ihr Recht und ihre Berechtigung haben. Von daher versteht sich das Mithineinnehmen aller Sinneskräfte, von daher die ausgeprägte Liebe und Verehrung des göttlichen Herzens Jesu, die nicht Ausdruck sentimentaler Frömmigkeit ist, sondern Wesensaussagen über die Liebe und Freundschaft zwischen Gott und den Menschen beinhaltet. Das Herz Christi ist nicht allein der Ort innerer Erfahrung und Ausdruck der Brautmystik, sondern Sinnbild für den Ursprung und die Rettung des Menschen und des ganzen Universum. Die Rettung erscheint so stark, daß sie die Todesstunde in einen Liebesaugenblick verwandelt, wie es ein Gespräch zwischen Mechthild und dem Herrn schildert:

> »Warum fürchten die Menschen zu sterben? Auch ich erschrecke davor.« »Die Furcht kommt vom Leib, die Bitterkeit des Todes zu erleiden. Aber warum fürchtest du dich? Wenn du mein Herz zur immerwährenden Vereinigung empfängst, zur ewigen Wohnung? Und alle Süße göttlicher Liebe wird in dir fließen, so daß alle Pein und Bitternis des Todes dir aus Liebe süß wird« (I,20).

Das Wesen der Liebe, das Gottes Wesen ist, beleuchtet sie in einzigartiger Weise nach Psalm 32,2 im Bilde der Harfe, »dem süßtönenden Instrument im Herzen Gottes«. Gott wird so zur klingenden, lobpreisenden Symphonie seiner selbst – ähnlich wie Mechthild von Magdeburg das Wesen der Trinität vorstellte –, der wiederum in der Seele die Saiten spielt in der *unio mystica*. Als Ausdruck der verschiedenen Stufen der Gotteinigung lobpreist Mechthild auf den neun Saiten der Harfe Gott mit den neun Engelchören; die zehnte Saite konnte sie noch nicht anschlagen, weil sie die Höhe Gottes noch nicht erreicht hatte (II,35). Das Wesen Gottes, seine Beziehung zum Menschen und zum Universum wird bei Mechthild zu einem musikalischen Fest, bei dem »Christus die Harfe ist« (II,2).

Eindrücklich ist ferner ihre Schau vom kreisenden Rad und seine Deutung. Entgegen der aus der Antike überlieferten Auffassung als Bild eines (blinden) Schicksals- oder Glückszeichens sieht Mechthild in dem rotierenden Rad, das mit einem Seil im Herzen Gottes festgemacht ist, den freien Willen des Menschen (IV,20), ein in seiner Bewegung sprechendes Symbol für die stets neu geforderte und neu zu setzende Situationsentscheidung vor Gott, die Beweglichkeit und Verantwortung erfordert, um die Disposition für die helfende Gnade zu schaffen.

Die Vorstellung der Gnade, die dem Buche zugrunde liegt, lehrt die Vision einer der Schreiberinnen. Sie sieht Mechthild den Mitschwestern einen Goldbecher voll Honig des himmlischen Jerusalems reichen. Der Schreiberin des Buches wird ein Stück in Honig getränktes Brot gereicht, das auf wunderbare Weise zu einem großen Brot anzuwachsen beginnt und den Honig überallhin versprengt (V,24). Diese Allegorie verweist auf die Wirkmächtigkeit des Buches. Tatsächlich bezeugen eine breit gestreute lateinische und volkssprachige handschriftliche Überlieferung von mehr als 250 Textzeugen die Wirkweite des Buches. Die Verbreitung und Übersetzung ihres Buches reichte im Mittelalter bis nach England und Schweden. Der Kapuziner Martin von Kochem führte in seinem 1668 erschienenen »Gebetbuch der hl. Gertrudis und Mechthildis samt Unterricht über das mündliche Gebet« die Herz-Jesu-Frömmigkeit der beiden Helftaerinnen weiter, die einen jahrhundertelangen Einfluß auf die katholische Frömmigkeit ausgeübt haben. Mechthilds Visionen in symbolisch-allegorischer Darstellung, mit denen sie ihre geistigen Einsichten und Ideen ausdrückt, sind mehr künstlerische Schöpfungen. Ihre selbstverantwortete Urheberschaft scheint noch in der Schau der verherrlichten Mechthild im Jenseits durch, wo sie über ihre Glorie berichtet: »Ich bin in solcher Weise in die Gottheit aufgenommen und auf das glücklichste mit ihr vereinigt, daß ich gleichsam allmächtig bin durch ihre Allmacht, weise durch ihre Weisheit, gütig durch ihre Güte; und so bin ich mit allen Gütern, die in Gott sind, bereichert« (VII,21).

Literatur

Ausgabe: Revelationes Gertrudianae ac Mechthildianae, Bd. II, Sanctae Mechthildis virginis ordinis s. Benedicti Liber specialis gratiae ... Opus ... editum Solesmensium OSB monachorum cura et opera, Paris 1877, 1–421.
Übersetzungen: *W. H. Reischel,* Das Buch der geistlichen Gnade von Mechthild von Helfeda, Regensburg 1857.
J. Müller, Leben und Offenbarungen der hl. Mechthildis und Schwester Mechthildis, Regensburg 1880.
H. U. v. Balthasar, Das Buch vom strömenden Lob (Auswahlübersetzung und Einführung), Einsiedeln 1955.
Sekundärliteratur:
A. Haas, Mechthild von Hackeborn. Eine Form zisterziensischer Frauenfrömmigkeit, in: Die Zisterzienser, Ordensleben zwischen Ideal und Wirklichkeit, Erg.bd., hrsg. von *K. Elm,* Köln 1982, 221–239.
Zur Forschungslage:
M. Schmidt, Mechthild von Hackeborn, in: Dictionnaire de Spiritualité, t. 10, Paris 1978, 873–877.
M. Schmidt, Mechthild von Hackeborn, in: Verfasserlexikon, Die deutsche Literatur des Mittelalters, hrsg. v. *K. Ruh*, Bd. 6, ^{2}1985, 251–260; (mit weiterer Literatur).

Gertrud die Große von Helfta

Johanna Lanczkowski

Die Kirchengeschichtsschreibung ist mit der Vergabe des Ehrentitels »der Große« eher sparsam; auf Anhieb fallen mir nur drei Päpste ein, Leo I., Gregor I. und Nikolaus I., und ein Gelehrter, der Theologe und Naturwissenschaftler Albert Graf Bollstädt, besser bekannt als Albertus Magnus, die als »Große« ausgezeichnet wurden. Und neben diesen Männern eine Frau: Gertrud, einst Nonne im untergegangenen Kloster Helfta. Über die »großen« Männer der Kirchengeschichte und noch mehr die der Profangeschichte sind wir durch zahlreiche Werke gut informiert. Wer aber war Gertrud die Große? Woher kommt sie, die Große? Warum wird eine einfache Nonne des 13. Jahrhunderts mit dem ehrenden Beinamen »die Große« ausgezeichnet?

Auf Frage eins und zwei muß die Forschung eingestehen: Das weiß man nicht genau. Wer und welchen Standes Gertruds Eltern waren, wie sie mit Familiennamen geheißen hat, aus welcher größeren Familie sie stammte, wo sie geboren wurde, Ort oder auch nur Gegend, das ist unbekannt. Wo das Kind die Zeit vor seiner Übergabe an das Kloster Helfta verbracht hat, wer es übergab, wissen wir ebenfalls nicht. Man wird, will man Gertruds Leben nachzeichnen, an neutestamentliches und altkirchliches Schrifttum erinnert: Alles Persönliche, das nicht unabdingbar notwendig ist, wird nicht erwähnt, hat keine Bedeutung; allein die Botschaft, die Verkündigung zur Ausbreitung und Stärkung des Glaubens zählt. Wie in den Evangelien und Briefen keine Andeutung über das Aussehen Christi, der Apostel und anderer genannter Personen und nur knappste Andeutungen über deren Lebensumstände zu finden sind, so kann man dem Werk Gertruds nichts entnehmen, das über ihr oder einer der genannten Mitschwestern Äußeres oder Näheres zur Person informieren könnte. Die Botschaft allein zählt, die Niederschriften der Visionen und der *Exercitia* Gertruds, in denen Gott »ein entschiedenes Zeugnis seiner göttlichen Liebe haben wollte für die letzten Zeiten, in denen er viel Gutes tun will« (Legatus II,10). Diese Visionen und Gebete Gertruds, die von der unendlichen, unwandelbaren Liebe Gottes und von der vertrauensvollen, liebenden Hingabe Gertruds an Gott künden, sie allein haben Gewicht – und Bestand.

Aus Gertruds Hand haben wir zwei Werke. Zum einen den *Legatus divinae pietatis* (»Der Gesandte der göttlichen Liebe«) und zum anderen die *Exercitia spiritualia* (»Geistliche Übungen«), theologisch und stilistisch vielleicht noch gewichtiger als der Legatus. Dieser ist in fünf Bücher unterteilt; Buch II hat Gertrud eigenhändig niedergeschrieben, die Bücher III und IV und Teile von V hat sie aus Demut diktiert; die letzten Kapitel von Buch V sind nach Gertruds Tod von einer oder mehreren Mitschwester(n) kompiliert worden; das Buch I wurde unmittelbar nach ihrem Tod von Mitschwestern verfaßt. Diese stehen noch ganz unter dem Eindruck der Persönlichkeit der Verstorbenen. Wir erfahren, wie Gertrud unter ihren Schwestern gelebt und wie sie auf ihre Umgebung gewirkt hat, von ihrer Arbeit im Kloster und ihrem Dasein für Ordens- und Weltleute. Zwei Charakterzüge vor allem treten hervor: Gertruds Treue im Gebet; ob für Schwestern, Brüder, die im Kloster arbeiten, ratsuchende und bedrückte Menschen oder Tiere, die unter der Not des Winters leiden, Gertrud bittet für alle Gott um Hilfe. Daneben ihre Demut und Bedürfnislosigkeit: Bei der Vergabe von Kleidung usw. streckte sie mit geschlossenen Augen die Hände aus und ließ sich, was auch immer verteilt wurde, hineinlegen, und sie nahm das Gegebene voller Dankbarkeit an, als habe es ihr Christus selbst in die Hand gelegt. Weiter erfahren wir, daß Gertrud zu jeder Zeit tat, was ihr beliebte, und daß sie mit Gott, dem Herrn des Alls, umging als wie mit ihresgleichen. Sie muß eine außergewöhnliche, faszinierende Frau gewesen sein.

Von Gertruds Leben kennen wir nur drei präzise Daten: den Tag ihrer Geburt, das war der 6. Januar 1256, das Fest der Epiphanie, der Erscheinung des Herrn; das andere genaue Datum ist der 27. Januar 1281, der Tag, an dem Gertrud ihre erste mystische Begnadung empfing: Das Gnadenereignis, das göttliche Handeln macht den Tag bedeutsam, deshalb ist er genau festgehalten. Das dritte Datum ist der Tag, an dem Gertrud auf göttliches Geheiß ihre Visionen niederzuschreiben begann, es war der Gründonnerstag des Jahres 1289. Unbekannt ist Gertruds Todestag und -jahr, vermutlich starb sie im Spätjahr 1302. Verschollen ist Gertruds Grab; sie wurde zwar in ihrem Kloster beigesetzt, aber das ging in den Wirren der Reformation zugrunde. Von Reliquien Gertruds ist nirgends die Rede, es können auch wohl keine erhalten sein, da im Kloster Erdbestattung ohne Sarg (V,1) sogar für die Äbtissin praktiziert wurde.

Legatus I,16 erwähnt, daß die kleine Gertrud alleinstehend war, als sie der Äbtissin Gertrud von Hackeborn übergeben wurde. Wahrscheinlich ist, daß sie Waise war, denn in einer Vision (III,30) fragt sie der Herr, ob sie jemals eine Mutter gesehen hätte, die ihr Kind liebkost. Gertrud antwortet, daß sie sich dessen nicht entsinnen könne; also kann sie sich auch nicht erinnern, daß ihre eigene Mutter sie im Arm gehalten hat. Aus anderen Visionen wird erkennbar, daß sie darunter gelitten hat, keinerlei leibliche Verwandte zu haben; sie fragt Johannes den Täufer (IV,42), ob er Verdienst erlangt hätte, weil er gerechte Eltern gehabt? In anderen visionären Gesprächen bittet sie Christus, ihr Maria als Mutter zu geben; sie redet Gott an: »Gott, Vater, Herr und Mutter«; sie nennt Christus »Du wahrer, einziger Freund«. Aus diesen und ähnlichen Visionen kann man entnehmen, daß Gertrud sich inmitten ihrer Mitschwestern, trotz der guten Beziehungen zu ihrer Lehrerin Mechthild von Hackeborn, der Schwester der Äbtissin, sehr oft einsam und verlassen gefühlt haben muß.

Daß Gertrud als kleines Mädchen dem Kloster übergeben wurde, deutet die Schreiberin des Buches I als Erwählung: »Der Herr hat sie auserwählt, als sie fünf Jahre zählte, hat sie den Stürmen der Welt entrissen und in das Brautgemach des heiligen Ordenslebens verpflanzt« (I,1). Weiter wird berichtet: Gertrud war schon als Kind ernst, liebenswürdig, gefügig (die erwachsene Gertrud bezeichnet sich als »sehr zornig« [II,12 u. ö] und gesteht, daß sie Schwestern Kummer bereitet [IV,2]) und lernbegierig. Bald stellte sich heraus, daß sie hochbegabt war und ihre Mitschülerinnen und später ihre Mitschwestern an Intelligenz weit überragte. Mit fast verzehrendem Eifer widmete sie sich dem Unterricht und später dem Studium. Gertrud wurde, getreu dem Grundsatz des Benediktiner-Ordens, *in virtutibus et litteris*, in Tugenden und in den Wissenschaften, äußerst sorgfältig erzogen. Zunächst studierte sie die Sieben Freien Künste: Grammatik, Rhetorik, Dialektik, Arithmetik, Geometrie, Astronomie und Musik. Aus Legatus IV,25 läßt sich entnehmen, daß die heilige Katharina das große Vorbild der damals noch kleinen Gertrud war; da heißt es: »Sie verlangte (in einer Vision) auch etwas von der Herrlichkeit der glorreichen Jungfrau Katharina zu erkennen, welche sie von Kindheit an besonders liebte.«

Katharina war – nach der Legenda aurea – die gelehrte Tochter des Königs Costus von Cypern, die in Alexandria dem Kaiser Maxentius bewies, daß seine Götter machtlose Götzen sind, und die 50 Philosophen widerlegte und zu Christus bekehrte, ehe sie für ihren Herrn und Seelenbräutigam das Martyrium erlitt. Dieses Vorbild der hl. Katharina ist wie ein Schlüssel zu Gertrud: Es wird die tiefe Sehnsucht erkennbar, die von Kindheit an in Gertrud brannte, ihre Kraft für ihren Herrn hinzugeben, ihre Sehnsucht, ihr ganzes Wesen zu gestalten, wie es ihrem Herrn gefällt.

Gertrud wandte sich, innerlich von dem Studium der Freien Künste in keiner Weise ausgefüllt, davon ab; sie wurde »eine Jüngerin der Theologie« und studierte ohne Ermüden alle Bücher der Heiligen Schrift, so daß ihr zu jeder Zeit ein göttliches oder erbauliches Wort zu Gebote stand (I,2). Aber auch in diesem Studium trat eine Krise ein, sie begann kurz vor der Adventszeit, in den Tagen um den 25. November, dem Fest der hl. Katharina. Gertrud berichtet selbst davon (II,22):

> »Es begann in der Adventszeit vor jenem Epiphaniefeste ... an welchem ich das 25. Jahr vollendete, und zwar mit einer gewissen Verwirrung, wodurch mein Herz so stark bewegt wurde, daß mir alle jugendliche Ausgelassenheit zuwider wurde. Nach begonnenem 26. Jahr sodann, am Montag vor dem Fest der Reinigung deiner allerheiligsten Mutter, in der Dämmerung dieses Tages, nach der Komplet, hast du, du wahres Licht, das in der Finsternis leuchtet, mit der Nacht der Verwirrung auch den Tag meiner jugendlichen Torheit beendet. Zugleich begannst du von da an in wunderbarer und geheimnisvoller Weise an mir zu handeln.«

Am Abend dieses 27. Januar 1281 sah Gertrud zum ersten Mal Christus; er erschien ihr in jugendlicher Gestalt. Wiederum wird man an die Alte Kirche erinnert: Die ersten Christusbilder und -statuetten zeigen Christus als schönen Jüngling. Der Herr verkündet Gertrud: »Ich werde dich retten, fürchte dich nicht!« (II,1). Gertrud sagt von sich nach dieser ersten Begnadung: »Von da begann ich, durch meine geistige Fröhlichkeit erheitert, im Wohlgeruch deiner (Christi) Salben einherzuschreiten, so daß auch ich dein Joch süß und deine Last leicht fand, während sie mir noch kurz vorher fast unerträglich erschienen war« (II,1).

Diese Nähe ihres Herrn, die Gnade der Beschauung und der göttlichen Zwiesprache ist Gertrud – ausgenommen elf Tage – bis an ihr Lebensende erhalten geblieben. Die Nähe des Herrn und das Wissen darum, daß er sie retten wird, vertrieb alle Furcht, ließ sie alle Lasten und Nöte ertragen. Und dies ist wortwörtlich zu nehmen, denn Gertrud war oft und schwer krank, über vierzigmal wird im Legatus Krankheit erwähnt, einmal (III,3) wird die Krankheit benannt: Pest. Schlaflosigkeit und Schwäche sind dabei nicht mitgezählt, darunter litt sie beständig; Mitteilungen darüber sind selten, Legatus III,2.3 sind Ausnahmen; meist muß man zwischen den Zeilen lesen und das heraushören, was gerade nicht gesagt ist. Zu diesen körperlichen Nöten kommt sehr oft das Gefühl völliger Einsamkeit und Verlassenheit, mitgenährt von der Ungewißheit ihrer Herkunft. Immer wieder fleht sie den Herrn mit den Worten von Psalm 142,8 an, sie aus dem Kerker dieses Leibes zu befreien; an anderen Stellen betet sie: »Mein barmherzigster Herr, mache du meinen Beschwernissen ein Ende! Befreie mich, stelle mich neben dich, dann mag eines jeden Hand gegen mich sein!« (II,4). Mehr als einmal spricht sie davon, daß ihre Mitmenschen sie bis zum Ekel belasten; wörtlich heißt es das eine um das andere Mal: »Mich ekelt vor aller Kreatur« (III,47 u. ö.). Doch dann – und das ist charakteristisch für Gertrud – »flieht sie zum Herrn, wie sie es gewohnt war«. Diese Aussage, »wie sie es gewohnt war, floh sie zum Herrn«, zieht sich wie ein roter Faden durch die Bücher III und IV. Und so wird der oben erwähnte Charakterzug erneut deutlich: Gertruds Treue, ihr Hängen an Christus, erwachsen aus der Liebe zu ihrem Herrn und Erlöser, ihrem »einzigen, wahren Freund«, dem Durst ihrer Seele (Ex. VI, Zeile 591).

Das Vorbild der gelehrten hl. Katharina, der Märtyrerin, hat nicht nur das junge Mädchen Gertrud, es hat auch die Theologie der erwachsenen Gertrud mitgeprägt. Märtyrerin für Christus konnte sie nicht werden; sie lebte als Ordensfrau relativ sicher, wenn auch in der »kaiserlosen, der schrecklichen Zeit« das Kloster von der undisziplinierten Soldateska des Bischofs von Halberstadt mehrmals hart bedrängt wurde. Wie stark Gertrud das Martyrium ersehnte, geht aus einer in III,55 niedergeschriebenen Vision hervor, die sie am Fest Allerheiligen empfing. Da heißt es:

> »Sie erkannte, daß dem Chor der hl. Märtyrer die angereiht sind, die, im Gehorsam der Ordensregel unterstellt, Gott dienen. Wie die hl. Märtyrer an dem Glied, an dem sie für den Herrn gelitten, besonderen Schmuck empfangen, so werden die Ordensleute für alle Freuden, deren sie sich, in welcher Hinsicht auch immer, enthalten, sei es, daß sie im Sehen, Hören, Schmecken oder in Gesprächen Verzicht leisten, den hl. Märtyrern an Verdiensten gleichgestellt und gleichgeachtet, auch werden sie im Himmel gleichen Lohn empfangen. Zwar vergießt kein Verfolger ihr Blut, aber – und das wiegt schwerer – sie bemühen sich, den eigenen Willen auszureißen; sie bringen Opfer durch fortdauernde, beständige Enthaltsamkeit.«

Den eigenen Willen ausreißen, Ludolf von Sachsen sagt, den eigen Willen schlachten, das heißt: demütig gehorchen, sich dem Willen Gottes beugen. Gertrud hat, durch mystische Begnadung erleuchtet, ihren eigenen Lebensweg als ihren Kreuzweg in der Nachfolge Christi erkannt; und sie ist diesen Weg ihrem Grundcharakter gemäß konsequent gegangen im Gehorsam und gehorsamen Ertragen des ihr auferlegten Leidens. Anfangs war es vor allem Gehorsam, später dann, als die Schwächung durch Krankheit mehr und mehr zunahm, gehorsames Ertragen ihres schweren Leidens, die in den visionären Gesprächen mit Christus zentrale Gedanken sind. Signifikant dafür ist IV,22 dort wird eine Vision, empfangen am Sonntag Judica, geschildert. Da heißt es: »In tiefer Demut bot sie dem Herrn an, an Körper und Geist gehorsam alles zu ertragen, das seinem göttlichen Willen gefiele und ihn erfüllt.« Es muß in aller

Schärfe betont werden: Gertruds Gehorsam resultiert aus ihrer Liebe zu Christus; sie erweist dem Herrn ihre Liebe, indem sie ihm bedingungs- und widerspruchslos gehorcht: »Forme mich ganz so, wie du willst, daß ich sei« (Ex. VII, Zeile 499); »Mein Herr, dein Wille geschehe« (Leg. V,23). Das ist Gehorsam aus Liebe und Demut, kein Gehorsam *perinde ac si cadaver essent*, als ob sie ein Kadaver wären. Dieser Gehorsam Gertruds wird vordergründig nach der Benedictus-Regel gelebt, die die maßgebende Ordensregel im Kloster Helfta war, verbunden mit der *Charta caritatis*. Im Grunde aber ist dieser Gehorsam Gertruds wahre Nachfolge Jesu, denn – wiederum bezeichnend ist eine Vision (III,11). Auf die Frage des Herrn, was sie begehre, antwortet Gertrud: »Mein Herr, ich bitte dich, daß dein heiliger Wille in mir vollzogen werde; so wie du willst, mein Herr!« Als der Herr weiterfragt, was denen geschehen soll, für die sie betet, gibt sie als Antwort: »Mein Herr, ich erbitte nichts anderes für sie, als daß dein heiliger Wille an ihnen vollzogen wird.« Und gefragt, was für eine besondere Gnade sie für sich ersehne, antwortet sie: »Von allen Vergünstigungen begehre ich dies: daß mir, wie allen deinen Geschöpfen, dein heiliger Wille geschehe. Und damit dein heiliger Wille geschehen kann, sollst du jederzeit jedes meiner Glieder zu jedem Leiden bereit finden.« In dieser gehorsamen Hingabe an den Willen Gottes wird Gertruds tiefstes Sehnen deutlich.

Eines der verloren geglaubten Gedichte Gertruds, bisher unerkannt erhalten in den *Exercitia*, läßt uns in Gertruds Seele schauen und sagt mehr über sie als viele Worte der Interpretation; in Exercitium V, Zeile 213ff. betet sie:

> »Wehe, wehe mir! Wie lange noch wird meine Verbannung dauern? Wie wird jenes ›dann‹ sein, wenn für mich jenes herrliche, beglückende ›jetzt‹ herangekommen ist und sich offenbart und mir erscheint die Glorie meines Gottes, meines Königs und Bräutigams in unendlichem Genießen und ewigwährender Freude? Wann werde ich in Wahrheit schauen? Und wann sehen jenes ersehnte, begehrte und geliebte Antlitz meines Jesus, nach dessen Anblick meine Seele so lange gedürstet und gelechzt? ... Wann, ach wann zeigst du selbst dich mir, damit ich dich sehen kann und schöpfen kann aus dir, mein Gott, du Quell meines Lebens? Dann werde ich trinken, und ich werde trunken sein von dem Überfluß an Süße dieses lebendigen Quells, der hervorquillt aus den

Wonnen jenes heiligen Antlitzes, nach dem meine Seele voller Sehnsucht verlangt. Du geliebtes Antlitz, wann wirst du mich sättigen? Dann werde ich eintreten in den Raum des wunderbaren Zeltes, und ich werde Gott schauen, ich werde jenes Zelt betreten, vor dessen Eingang mein Herz seufzt und klagt, solange sich mein Eintritt verzögert. Wann endlich wirst du mich mit Freude erfüllen, indem ich dein heiliges Antlitz schauen darf? Dann werde ich den wahren Bräutigam, meinen Jesus, sehen, und ich werde ihn küssen, ihn, dem mein Herz wie ein Verdurstender anhängt und nach dem es vergeht... Du Quell ewigen Lichtes, hole mich heim, zurück in dich, woher ich gekommen, du Urgrund allen Seins. Damit ich erkennen kann, so wie ich erkannt bin, damit ich lieben kann, so wie ich geliebt bin. Ich werde dich sehen, du mein Gott, wie du bist, ich werde dich schauen und genießen und besitzen und durch dich beseligt sein in Ewigkeit. Amen.«

Gottesliebe, verzehrende Gottessehnsucht und Leidensbereitschaft stehen in Gertruds Leben und Denken in untrennbarem Zusammenhang. Erschütternd ist eine Vision, welche die schwerkranke Gertrud auf ihrem Sterbelager empfängt. Am Fest des hl. Martin wurde das Responsorium: »Der hl. Martin erwartete seinen Tod« gesungen, da fragte Gertrud den Herrn, wann er sie aus dem Kerker dieses Leibes erlösen werde. Der Herr antwortete ihr: »Wähle, willst du jetzt schon den Körper verlassen, oder willst du in einer langen Krankheit zugerüstet werden? Ich weiß, daß du in einer langen Krankheit dich mit Abscheu vom Staub der Nachlässigkeit abwenden wirst.« Sie unterwarf sich völlig der gütigen Herablassung Gottes und sprach: »Mein Herr, dein Wille geschehe.« Das sind Christi Worte, die er im Gebet im Ölgarten an den Vater richtete.

Diese in Legatus V,23 berichtete Vision führt zu Gertruds innerstem Sehnen und Wollen: dem Bilde Christi gleichgestaltet zu werden, das heißt Christus auf das vollkommenste nachzufolgen. Aus dieser Jesusnachfolge aus Liebe allein wird Gertruds Leidensbereitschaft und Leidensauffassung erhellt. Ein kurzes visionäres Gespräch, aufgezeichnet in Legatus III,2 läßt uns – gleich dem Gedicht aus den *Exercitia* – in der Seele Gertruds lesen wie in einem aufgeschlagenen Buch, da heißt es:

»Einst brachte sie in einem kleinen Gebet alles vor den Herrn, das an Körper und Geist sie beschwerte und bedrückte, auch all die kleinen Freuden, um die sie betrogen worden war. Da erschien ihr der Herr. Er trug ihre Beschwerden und ihre Freuden in Gestalt von Ringen an seinen Händen, und diese Ringe waren mit Edelsteinen besetzt. Als sie das Gebet mehrmals wiederholt hatte, fühlte sie, daß der Herr mit dem Ring , den er an der linken Hand trug – sie erkannte darin ihre körperlichen Beschwerden –, ihr linkes Auge bestrich. Und von da an erregte ihr dieses Auge zeitlebens Schmerz. Hieraus erkannte sie: gleichwie der Ring das Zeichen der Vermählung ist, so ist das Leiden das wahrhafte Zeichen der göttlichen Auserwählung. Und deshalb kann jeder, der von Leid niedergedrückt ist, voller Vertrauen sagen: ›Mit seinem Ring hat mein Herr Jesus Christus sich mir verpfändet.‹ Und wenn ein Mensch im Leiden noch soviel Kraft hat, seinen Geist zum Lobe und zum Danksagen zu Gott zu erheben, dann kann er voller Freude hinzufügen: ›Und wie eine Braut hat er mich mit einem Kranz geschmückt.‹ Denn Dankbarkeit im Leiden ist die ruhmvolle Krone der Herrlichkeit.«

Hätte Gertrud nur diesen Text niedergeschrieben oder niederschreiben lassen, allein mit diesem Text wäre sie des Ehrentitels »die Große« würdig. Niemals in der gesamten Kirchengeschichte, die Schriften des Alten und Neuen Testaments eingeschlossen, bei keinem der Kirchenväter, den genialen Origenes einbegriffen, ist jemals das menschliche Leid so tief als der göttlichen Gnadenordnung zugehörig erkannt worden; ein einziger Anklang bei Mechthild von Magdeburg (Fließendes Licht I,25) sei der historischen Korrektheit halber erwähnt. Gertrud hat durch Gnade erkannt: Die wahre *unio mystica* ist die *unio passionis*, dem Bilde des Sohnes gleichgestaltet zu werden im Leiden; das bedeutet, das Leid in allen menschenmöglichen Variationen anzunehmen und als Zeichen göttlicher Erwählung zu erkennen. Mit dieser in mystischer Schauung erlangten Erkenntnis vollbrachte Gertrud eine bis dahin nie gekannte Würdigung des Leidens, eine Einbeziehung des Leidens in die gnädige göttliche Weltordnung: Leid ist nicht Strafe, nicht Erziehungsmittel, nicht Zuchtrute, Leid ist Erwählung. Gertrud war in innigster Christusliebe im Geiste so mit Christus verbunden, daß sie alles, auch das Leid, gleichsam mit Christi Augen sah: Wie Gott, der Vater, seinen ihm gleichewigen Sohn von Anbeginn an auserwählt hat, diese Welt durch sein unschuldiges Leiden und Sterben zu erlösen, so erwählt der Sohn die Seinen durch Leiden. Und der Sohn Gottes hat Gertrud wahrhaftig auserwählt, doppelt auserwählt. Durch seine Gnade hat sie erkannt und verkündet: Leid ist Erwählung, Leid ist im Grunde Gnade, Heil. Gertrud ist als Künderin dieser tröstenden, aufrichtenden Erkenntnis »die Große«.

Literatur

Gertrud die Große von Helfta: Legatus divinae pietatis, Gesandter der göttlichen Liebe. Neuübersetzung des vollständigen Textes, mit einer Einführung, Anmerkungen, Zeittafel und vollständiger Literatur-Übersicht versehen von *J. Lanczkowski*, Heidelberg 1988.
Dies., Exercitia Spiritualia, Neuübersetzt, eingeleitet und erklärt, im Druck.
Erhebe dich, meine Seele. Mystische Texte des Mittelalters. Ausgewählt und herausgegeben (mit ausführlichen Literaturhinweisen) von *J. Lanczkowski*, Stuttgart 1988.

Hadewijch

FRANK WILLAERT

»Von Hadewijch hatte ich bis heute noch nie gehört, aber ich werde Untersuchungen über ihre Schriften vornehmen.«[1] Dies versprach der Historiker Aubertus Miraeus (1573–1640) in einem Brief vom 15. Dezember 1622 dem Antwerpener Jesuiten Heribert Rosweyde (1569–1629), der ihn offensichtlich um nähere Auskünfte über diese, ihm selbst unbekannte, Autorin gebeten hatte. Miraeus' Bemühungen waren aber fruchtlos, und einige Monate später, in einem Brief vom 25. Februar 1623, mußte er seinen Korrespondenten definitiv enttäuschen: Hadewijch war ihm völlig unbekannt[2].

Für mehr als zwei Jahrhunderte sollte dies das Letzte sein, was über Hadewijch geschrieben wurde. Sie war völlig vergessen, als 1838 der deutsche Philologe Franz Joseph Mone (1796–1871) den Inhalt zweier Handschriften, die er in der Burgundischen (jetzt: Königlichen) Bibliothek zu Brüssel entdeckt hatte, bekanntgab[3]. Beide Handschriften enthielten zum größten Teil dieselben Texte, die offensichtlich ein und derselben Autorin zugeschrieben werden mußten. Die Erforschung dieser Schriften kam aber nur sehr langsam vom Fleck. Aufgrund ihres religiösen Inhalts hatte Mone gemeint, daß die Autorin eine Nonne sein mußte. Ihren Namen hatte er jedoch nicht ermitteln können.

Zwanzig Jahre gingen nach Mones Fund vorüber, bevor man anhand eines Bibliothekkatalogs aus dem Ende des 14. Jahrhunderts zum Schluß gelangte, daß eine gewisse »Hadewijch« die Autorin dieser Texte sein mußte. Diese Annahme fand sich bestätigt, als 1867 eine dritte Handschrift[4], in der Hadewijch eindeutig als Autorin genannt wird, ans Licht kam.

Aber wer war diese Hadewijch? Mones Hypothese, daß sie eine Nonne gewesen sei, wurde anfangs nicht in Frage gestellt, und einige meinten sogar, es sei möglich, sie mit der im Jahr 1248 gestorbenen Äbtissin Hawidis des Zisterzienserinnenklosters zu Aywières (im Französisch [!] sprechenden Teil des Herzogtums Brabant) zu identifizieren. Die erste, vollständige Ausgabe ihrer Schriften erschien denn auch unter dem Titel: *Werken van Zuster Hadewijch* (Werke von Schwester Hadewijch)[5]. Seit den siebziger Jahren des letzten Jahrhunderts wurden aber Stimmen laut, nach denen sie mit einer Brüsseler Begine, Heilwigis Bloemaerts, die erst 1336 starb, gleichgesetzt werden sollte. Diese Heilwigis wurde von mehreren Forschern mit der Bloemardinne, über die Pomerius, der Hagiograph des Mystikers Ruusbroec, spricht, identifiziert: eine Ketzerin, Führerin einer gefährlichen Sekte, gegen die Jan van Ruysbroeck in die Schranken getreten wäre. Diese Hypothese gab Anlaß zu einer (gelegentlich heftigen) Polemik, die erst in den dreißiger Jahren von dem Jesuiten Joseph van Mierlo endgültig geschlichtet wurde.

In seinem Versuch, den historischen Kontext, worin Hadewijch lebte, zu rekonstruieren, ging van Mierlo von einer kuriosen Liste, einer Art Anhang zu Hadewijchs Visionenbuch, aus. In dieser sogenannten »Liste der Vollkommenen« zählt Hadewijch diejenigen, die Gott in vollkommener Weise geliebt hätten, auf, beginnend mit Maria, Johannes dem Täufer, Johannes dem Evangelisten usw. bis zu ihrer eigenen Zeit. Besonders auf eine Stelle legte van Mierlo großen Wert: Als neunundzwanzigste Vollkommene erwähnt Hadewijch »eine Begine, die Meister Robert ihrer wahrhaftigen Minne wegen tötete« (Liste 193f.[6]). Mit einwandfreien Argumenten konnte van Mierlo beweisen, daß mit diesem »Meister Robert« der Dominikaner Robert le Bougre gemeint war. Dieser hatte in den dreißiger Jahren des 13. Jahrhunderts im Norden Frankreichs als päpstlicher Inquisitor fungiert. Aus der Tatsache, daß Hadewijch diese Begine in ihrer Liste als letzte der schon verstorbenen Zeitgenossen erwähnt, geht hervor, daß sie diese Liste während des Auftretens von Robert le Bougre oder, wahrscheinlicher, kurz darauf verfaßte. Hadewijchs literarische Tätigkeit könnte folglich im zweiten Drittel des 13. Jahrhunderts angesiedelt werden.

Nach der Sprache der Handschriften zu urteilen, lebte Hadewijch im Herzogtum Brabant. Laut einer erst aus dem 15. Jahrhundert stammenden Tradition sollte sie aus Antwerpen sein, aber Gewißheit darüber hat man nicht. Ihre hervorragende Beherrschung des höfischen Diskurses, ihre Vertrautheit mit dem Minnesang der Trouvères, die Tatsache, daß sie fähig war, theologische Werke auf lateinisch zu lesen – ihr 10. Brief ist teilweise die Bearbeitung eines Exzerptes aus der *Explicatio in Cantica Canticorum* von (Pseudo-?)Richard von Saint Victor, ihr 18. Brief enthält die Übersetzung einer Passage aus *De natura et dignitate amoris* von Wilhelm von Saint Thierry –, das alles scheint darauf hinzuweisen, daß sie von hoher Geburt war und eine gute Bildung genossen hatte.

Hadewijch sagt in ihren Werken fast nichts über ihre konkreten Lebensumstände, und das wenige, was sie darüber herausläßt, ist nicht leicht zu interpretieren. Es ist trotzdem möglich, unsere Objektive etwas schärfer einzustellen. Bestimmten Äußerungen können wir entnehmen, daß sie selber die Freundinnen, mit denen sie zusammenlebte, gewählt hat (Br. 5,18f.), daß sie nicht immer an demselben Ort gewohnt und (vorübergehend?) ein herumstreifendes Dasein geführt hat (Br. 26; 29,12; Vis. 1,291). Das alles weist nicht auf ein Leben im Kloster hin. Außerdem fällt es auf, daß sie unter den Zeitgenossen in ihrer Liste der Vollkommenen vor allem Leute nennt, die in der damaligen Kirche und Gesellschaft nur marginale Stellungen einnahmen: Klausner und Klausnerinnen, Beginen, »ein verborgenes Männlein«, »einen verstoßenen Priester«, »ein vergessenes Meisterlein allein in einer kleinen Zelle«. Zu Recht hat van Mierlo daraus gefolgert, daß Hadewijch in der Beginenbewegung der ersten Häfte des 13. Jahrhunderts situiert werden muß.

Vom Ende des 12. Jahrhunderts an wählten im Herzogtum Brabant und im Bistum Lüttich immer mehr Frauen, oft aus dem Adel oder dem (Groß-)Bürgertum und häufig gegen die Wünsche ihrer Familie, ein Leben in Keuschheit und Loslösung vom Irdischen, im Einklang mit dem Evangelium. Obwohl diese Frauen keine Nonnen waren – sie blieben in der Welt, legten keine ewigen Gelübde ab und befolgten keine Ordensregel –, lebten sie doch einigermaßen wie Religiöse. Daher wurden sie oft *mulieres religiosae* genannt, wobei *religiosae*

»fromm« bedeutet, aber auch einigermaßen die technische Bedeutung »klösterlich« bewahrt[7]. Gewöhnlich lebten sie in kleinen Gruppen, häufig in der Nähe eines Leprosoriums oder eines Spitals. In den Augen vieler Leute, vor allem zahlreicher geistlicher Würdenträger, stellten diese Frauen, die eine unklare Zwischenstellung zwischen dem geistlichen Stand und dem Laienstand einnahmen, eine Anomalie und eine Bedrohung der bestehenden Ordnung dar. Warum begnügten diese Frauen sich nicht mit der Seelsorge von seiten ihrer Parochialpriester und suchten sie sich ihre geistlichen Führer unter der Regulargeistlichkeit? War ihre überspannte Frömmigkeit keine Hypokrisie? Und begaben sie – die oft nicht einmal Latein konnten – sich mit ihren Diskussionen und Schriften über theologische *subtilitates* und *novitates* nicht in ein Ressort, das nur gelehrten Klerikern vorbehalten war?

Es ist auch nicht unmöglich, daß das Wort »Begine« in diesen Kreisen mißtrauischer Geistlicher entstanden ist. Soviel steht fest: Die Bezeichnung »Begine« galt anfangs nicht als Kompliment. Die Etymologie ist ungewiß, aber Joseph van Mierlo hat in zahlreichen Veröffentlichungen eine interessante Hypothese verteidigt: Das Wort sollte sich von »Albigensis«, womit die Katharer bezeichnet wurden, herleiten. Erst in den dreißiger Jahren des 13. Jahrhunderts verlor das Wort »Begine« seine negative Konnotation und wurde eine neutrale Bezeichnung[8].

Bei allem Widerstand konnten die Beginen auch auf einflußreiche Beschützer rechnen, die ihrem Ideal, ein evangelisches Leben zu führen, aufgeschlossen gegenüberstanden. Einer von ihnen war Jakob von Vitry (1160/70–1240), der so tief durch den Ruf der Begine Maria von Oignies (1177/78–1213) beeindruckt worden war, daß er sich 1211, nachdem er sein Pariser Studium abgeschlossen hatte, als Regularkanoniker zu Oignies (südwestlich von Namur) niederließ. Gleich nach ihrem Tod verfaßte er ihre Vita, und kurz vor seiner Weihe zum Bischof von Akkon im Jahr 1216 gelang es ihm, die Lebensführung der Beginen von Papst Honorius III. (mündlich) billigen zu lassen. Als erfolgreicher Prediger, als Bischof und als Kardinal setzte er sich bis zu seinem Tode für die religiöse Frauenbewegung in den Niederlanden ein.

In einer seiner Predigten hat er die Lebensführung dieser frühen Beginen folgenderweise beschrieben:

»Sie leben in ein und demselben Haus... und unter der Leitung von einer von ihnen, welche die anderen an Tugend und Vorsicht übertrifft, wird ihnen – sowohl durch das gute Vorbild wie durch Schriften – Wachen und Beten, Fasten und allerlei Abtötungen, Handarbeit und Armut, Demut und Selbstverleugnung gelehrt.«[9]

In solch einem Milieu müssen auch Hadewijchs Schriften entstanden sein.

Auf den ersten Blick ist Hadewijchs Werk sehr heterogen: 31 Prosabriefe, 16 Reimbriefe, 11 Visionen, 45 strophische Gedichte. All ihre Werke behandeln aber dasselbe Thema: die Minne, die mystische Liebe zwischen Gott und den Menschen. Und alle sind sie für Freundinnen, die wie Hadewijch selbst von der Minne ergriffen waren, geschrieben.

Daß Hadewijch ihre Schriften für einen Kreis gleichgesinnter Freundinnen verfaßt hat, kommt in ihren beiden Briefsammlungen am deutlichsten zum Ausdruck. Zwar können nicht alle Texte in diesen Sammlungen zur Briefgattung im strengsten Sinne gezählt werden: Mehrere »Briefe« enthalten ja nichts – keinen Gruß, keine Anrede –, das auf irgendwelche Verbundenheit zwischen Schreiberin und Leserin deuten könnte, und sind folglich eher als Traktate zu betrachten. Ungewöhnlich ist dies übrigens nicht; die Grenze zwischen »Brief« und »Traktat« ist in mittelalterlichen Briefsammlungen häufig ziemlich fließend. Aber in vielen Briefen begegnen wir doch zahlreichen Zeichen der Freundschaft, welche Hadewijch ihren Adressatinnen entgegenbrachte. So wird die Leserin zum Beispiel als *suete* oder *lieve Minne* (Br. 3,5; 5,34; 7,14), als *(herteleke) lieve* (Br. 5,1,28; 7,1,4), als *lieve herte* (Md. 12,6) oder *hertelike joffrouwe* (Md. 15,21), vor allem aber als *suete* oder *lieve kint* (Br. 1,46,56; 5,36,204; 9,1; 18,1; 29,4,19; 31,1) angeredet. Die letztgenannte Anrede steht in keiner Beziehung zum Alter der Adressatin(nen): *kint* ist ja eine übliche Anrede in didaktischen Texten, wo die Autorität desjenigen, der lehrt, mit freundschaftlicher Zuneigung für denjenigen, der unterrichtet wird, zusammenfällt. Freundschaft ergibt sich auch aus den Grüßen, die Hadewijch in Br. 25 an die Adressatin und ihre

Freundinnen Sara, Emma und Margriete richtet. Und wie schwer es ihr fiel, von Gott und von ihren Freundinnen getrennt zu sein, können wir am Ende des 26. Briefes lesen: »Ach warum läßt er (Gott) mich so sehr um das Genießen seiner und der Seinen dienen, um mich dann von ihm und der Seinen fernzuhalten?« (Br. 26,32–35).

Der Brief war im Mittelalter die Gattung der Freundschaft schlechthin, eine Gattung also, die es Hadewijch ermöglichte, eine intime, direkte und affektive Kommunikationsgesellschaft zwischen ihren Leserinnen und ihr selbst herzustellen. Selbst erscheint sie in ihren Briefen als eine warmherzige Freundin, als eine weise Führerin, vor allem aber als eine passionierte Geliebte Gottes. Die Briefgattung ermöglicht es ihr, ihr persönliches Minneleben als Zeugnis und Vorbild zur Sprache zu bringen. Und das gab ihr das Recht und die Autorität, ihre Freundinnen zum radikalen Minnedienst aufzurufen: Sie tat ja, was sie anderen anriet.

Diese Freundinnen bildeten kein beliebiges Publikum. Aus der Art und Weise, wie Hadewijch sie anredet, geht deutlich hervor, daß diese Briefe für eine Elite Eingeweihter, die sich, wie Hadewijch selbst, von Gott auserwählt wußten, bestimmt waren.

Einige Beispiele: »Du sollst«, schreibt Hadewijch im 2. Brief, »nicht zweifeln . . .: denn früh warst Du berufen; auch fühlt zuweilen Dein Herz, daß Du auserkoren bist, und daß Gott Deiner Seele beizustehen begonnen hat, wenn Du Dich auf ihn verließest« (Br. 2,93–98). Wenn Hadewijch die Adressatin des 16. Briefes anregt, tugendhaft zu leben, dann sei das, sagt sie, nur *pro memoria*, denn die Freundin setze diesen Rat schon seit langer Zeit in die Praxis um. Und wenn sie in Brief 22 ausführlich die vier Wege, die die Geliebten in Gott führen, beschreibt, erwähnt sie nur eben die Existenz eines fünften Weges, jenes der Durchschnittsgläubigen. Viel Deutung ist hier nicht nötig, denn für diese Leute sind ihre Schriften doch nicht bestimmt.

Wie die übrigen Werke Hadewijchs geben die Briefe uns nicht viele konkrete Informationen über ihre Freundinnen und sie selbst. Die »Biographie«, welche van Mierlo in der Einführung zu seiner Edition der Prosabriefe anhand einiger seltsamer Eigennamen und konkreter (?) Verweise mühsam zusammengescharrt hat, ist äußerst bruchstückhaft und beruht zudem teilweise auf nachweislich fehlerhaften Interpretationen von Hadewijchs Text. Nun ist dieser Mangel an konkreten Daten in den Briefen nicht erstaunlich; er erklärt sich großenteils aus der besonderen Funktion mittelalterlicher Briefsammlungen. Die sollten ja nicht als zufällige Sammlungen von Privatbriefen, sondern als bewußt angelegte »literarische«, für ein breiteres Publikum bestimmte Editionen betrachtet werden. Redaktionelle Eingriffe sind denn auch deutlich spürbar: Eigennamen (z. B. der Adressatinnen) sind weggelassen, und mehrere Briefe sind nur teilweise aufgenommen worden; oft ist der Eröffnungs- oder Abschiedsgruß verschwunden usw. Es ist nicht unmöglich, daß gerade diese Passagen, in denen konkrete Angelegenheiten oder Personen zur Sprache kamen, eliminiert worden sind.

Vieles, der traktatähnliche Charakter ihrer Briefe, der äußerst gepflegte Stil, die Verwendung von Reimprosa und Versen, scheint übrigens darauf hinzudeuten, daß Hadewijch – wie viele andere mittelalterliche Briefautoren – schon beim Schreiben ihrer Briefe an ihre Publikation gedacht hat. Daß sie ihre Briefe für einen Kreis eingeweihter Freundinnen geschrieben hat, ist hiermit nicht im Widerspruch; auch dieses breitere Publikum wird in ihren Augen nur aus Gleichgesinnten bestanden haben.

Für wen Hadewijch ihr Visionenbuch schrieb, ist auf den ersten Blick nicht deutlich. Lange Zeit hat man gemeint, daß Hadewijch diese Schriften für ihren Beichtvater verfaßt habe. Im Jahre 1967 konnte N. de Paepe aber nachweisen, daß Hadewijch auch ihre Visionen für eine Freundin – und, durch Vermittlung dieser Freundin, für einen Kreis Gleichgestimmter – geschrieben hatte[10]. De Paepe machte auf den folgenden Satz in Vis. 14 aufmerksam: »... und daß ich dich so sehr liebte und keine Stunde vergessen konnte und kann« (Vis. 14,57 f.). Solch eine Äußerung scheint doch viel mehr auf eine Freundin als auf einen Beichtvater anwendbar zu sein. In derselben Passage wird diese Freundin auch noch als jemand beschrieben, der im »Tod« und in der »Ungnade von Minne« lebt. Diese Ausdrücke sind vom Kölner Professor H. Vekeman erklärt worden: »Ungnade« deutet im Visionenbuch auf die Erfahrung Gottes als die Erfahrung des unnahbaren Anderen hin und »Tod« auf die Lähmung, welche zuschlägt, wenn der Mensch dieser Unzugänglichkeit Gottes gegenübergestellt wird[11]. Offensichtlich sehnte sich die Freundin, für die Hadewijch ihr Visionenbuch schrieb, innig danach, mit Gott vereinigt zu werden, aber sie bezweifelte, ob sie, endlicher Mensch, dem unendlichen Gott gewachsen sei. Schließlich wird diese Freundin in derselben Passage auch noch »Kind und Mensch« genannt.

Wenn wir diese Angaben vor Augen halten, dann wird uns die zentrale Bedeutung des Visionenbuches klar. Im Anfang der ersten Vision nennt Hadewijch sich selbst ja auch noch »kindisch« und »unerwachsen« (Vis. 1,9f.), weil die Gunst, die sie damals von Gott verlangt hatte (mit ihm genießend eins zu sein), nicht im Verhältnis zur Mühe stand, die sie sich bis zu jenem Zeitpunkt gegeben hatte. Nun beschreibt das Visionenbuch Hadewijchs mystischen Aufstieg von »Kindheit« zu »Erwachsenheit«: In der 13. Vision teilt Maria ihr ja mit, sie gehöre jetzt zu den Geliebten, die in jeder Hinsicht erwachsen seien. Aber dieser schrittweise Aufstieg ist auch ein Lernprozeß: In den Visionen lernt Hadewijch, daß die vollkommene Gottesliebe erfordert, daß sie ihren eigenen Willen mit dem Willen Gottes in Übereinstimmung bringt. Das Visionenbuch ist also ein didaktisches Werk: Anhand von Hadewijchs Vorbild lernt die Freundin, was das Einssein mit Gott gerade impliziert. Aber es ist ja auch ein Trostbuch; es lehrt, daß die Einheit mit Gott hier auf Erden schon möglich sei. Schließlich muß das Visionenbuch der Freundin ein Gefühl der Sicherheit gegeben haben: Die Lehre, die Hadewijch ihr hier vorhält, hat diese selber direkt von Gott bekommen. In Vis. 8 wird Hadewijch übrigens ausdrücklich von Gott als mystische Führerin angestellt.

Lange Zeit sind Hadewijchs strophische Gedichte als der individuelle Ausdruck individueller Emotionen interpretiert worden. Ihre Lyrik sollte Selbstbekenntnis und Selbstenträtselung sein, Versuche einer in der mystischen Liebe enttäuschten

Autorin, mit sich selbst ins reine zu kommen. Und in der Tat, wenn das »Ich« in dieser Lyrik zu Worte kommt, geht es fast immer um Jammergeschrei über das Ausbleiben des Minnegenusses. Das ist schon in der ersten Ich-Aussage der Sammlung der Fall:

»Ach, was muß ich tun, elende Frau!
Zu Recht sollte ich das Glück hassen.
Daß ich lebe, betrübt mich sehr:
Ich kann weder minnen noch die Minne lassen.«
(Stg. I,25 – 28)

Dennoch ist es unrichtig, dergleichen Strophen oder Verse aus ihrem Zusammenhang zu lösen und die Interpretation der ganzen Sammlung auf diese Passagen festzulegen. Strophen, in denen ein »Ich« zu Worte kommt, sind in Hadewijchs Lyrik in der Minderzahl. In mehreren Gedichten kommen solche Passagen nicht einmal vor.

Lesen wir jetzt die erste Strophe des ersten Gedichts:

»Ach, ist jetzt auch der Winter kalt,
Kurz die Tage und die Nächte lange,
Zu uns kommt kühn ein Sommer bald,
Der uns aus diesem Zwange
Eilig wird bringen: das ist gewißlich
Bei diesem neuen Jahre.
Die Hasel bringt uns Blumen herrlich;
Das ist offenbar ein Zeichen.
– Ach, vale, vale milies, –
Ihr alle, die in neuer Zeit
– Si dixero, non satis est –
An holder Minne Euch erfreut.«
(Stg. I,1 – 12)[12]

Man erkennt hier sofort den charakteristischen Exordialtopos des Minnesangs: den Natureingang. Der Druck des kalten Winters mit seinen kurzen Tagen und langen Nächten, das neue Jahr, das den Sommer ins Land bringen wird, die Blumen – all diese Motive finden sich in Tausenden Minneliedern aus dem 12. und 13. Jahrhundert. Hadewijch gebraucht den Natureingang sehr oft: in 42 von den 45 Gedichten. Auch in zahlreichen anderen (thematischen und formellen) Hinsichten sind die strophischen Gedichte durch die profane Minnelyrik beeinflußt. Um so deutlicher springen die Abweichungen, die Hadewijch sich ihrem Modell gegenüber geleistet hat, ins Auge. Eine Divergenz tritt schon in der soeben zitierten ersten Strophe des ersten strophischen Gedichts in den Vordergrund: Die hoffnungsvollen Erwartungen in bezug auf den nahenden Sommer laufen hier nicht, wie in der höfischen Lyrik, mit der freudvollen Hoffnung eines liebenden »Ichs«, sondern mit der Freude eines minnenden »Ihrs« parallel:

»Ihr alle, die in neuer Zeit
An holder Minne Euch erfreut.«

Und am Schluß der nächsten Strophe begrüßt Hadewijch ihr Publikum wiederum:

»– Ach, vale, vale milies –
Ihr alle, die um die Minne
– Si dixero, non satis est –
Abenteuer trotzen willt.«
(Stg. I,21 – 24)

Von allem Anfang an also begrüßt Hadewijch ihre Zuhörer(innen) als diejenigen, die bereit sind, die Minne in all ihren Konsequenzen, in der Freude und im Abenteuer, zu erleben. Dergleichen Anreden sind nicht auf das erste Gedicht begrenzt; immer wieder regt Hadewijch ihr Publikum dazu an, mit dieser Minnebereitschaft Ernst zu machen. »Spart Kosten noch Mühe, / um in der Glut höher Treue zu leben« (Stg. IV,39f.), ruft sie ihrem Publikum zu. »Dient in Treue der Minne und werdet ihre Gesellen, / und genießt ihre edle Güte« (Stg. XII,63f.), »Verleugnet alles und gebt es auf« (Stg. XXIX,116), »Trotzt Abenteuer« (Stg. XXXVI,56) usw.

Dergleichen Anspornungen wird man in der höfischen Minnelyrik vergebens suchen. Der einzige Geliebte, von dem dort die Rede ist, ist das »Ich«. Das Publikum wird nie zum aktiven Minnedienst angeregt. Hadewijch gibt sich aber nicht mit einem Publikum zufrieden, das ihre Gedichte nur schön finden will. Sie will etwas außerhalb des Gedichtes erreichen, im Leben derer, die ihr zuhören.

Aus dieser Perspektive sollten die Passagen, wo Hadewijch ihre eigene Sehnsucht, ihre eigenen Enttäuschungen, ihre eigenen Emotionen zur Sprache bringt, betrachtet werden: Das wehklagende, trauernde, begehrende »Ich« tut ja genau, was

Hadewijch ihrem Publikum vorhält: Es kann sich nur mit der ganzen Minne zufriedengeben. Auch die strophischen Gedichte sollen also nicht als das Bekenntnis eines durch Minnebegierde gequälten Individuums, sondern als eine Art mystische *ars amandi*, eine Art mystische Pädagogik, betrachtet werden.

Was lehrte Hadewijch ihre Freundinnen? Wie unterschiedlich die Gattungen, die sie pflegte, auch sein mögen, es scheint mir, daß sie ihren Leserinnen zwei grundlegende Lektionen immer wieder vorhält. Die erste Lektion ist, daß das Einssein mit Gott auf Erden nie vollkommen ist. Gott ist ja immer größer, als was der Mensch von ihm erhalten kann. Er ist transzendent. Aus diesem Grunde weist Hadewijch ihr Publikum immer wieder auf die Gefahren einer rein »affektiven« Mystik, in der der Mensch den Eindruck bekommt, daß er völlig in Gott aufgegangen ist und Ihn jetzt durch und durch kennt. In Wirklichkeit wird Gott dann auf das Maß der eigenen menschlichen Kräfte reduziert; man findet nicht Gott, sondern sich selbst. Viele Menschen, sagt Hadewijch, geben sich mit kleinen Genußempfindungen zufrieden und kennen die wahre Minne nicht. Denn Genuß ist kein Beweis vollkommener Minne.

Warum wiederholt Hadewijch diese Botschaft immer wieder? Wir sollten nicht vergessen, daß ihre Texte in den Kreisen der *mulieres religiosae*, wo Charismen gang und gäbe waren, entstanden sind. Bekannt ist der sarkastische Ausspruch des französischen Dichters Rutebeuf in seinem *Dit des béguines*: »S'ele dort, ele est ravie; / S'ele songe, c'est vision.« Es bestand durchaus die Gefahr, daß man sich an diesen Gnadengaben festklammerte und allerlei Genußempfindungen als Beweise eigener Vollkommenheit interpretierte, während Minne gerade erfordert, daß man sich von jeder Bindung an das eigene »Ich« befreit und sein Leben in Übereinstimmung mit Gottes Willen gestaltet.

Hadewijch wird es nie leid, ihre Freundinnen immer wieder auf die Gefahren einer rein affektiven Mystik hinzuweisen, die unter dem Vorwand, Gott zu suchen, in Wirklichkeit nur auf die Befriedigung eigener Begierden aus ist.

Dies bedeutet aber nicht – und dies ist Hadewijchs zweite

Lektion –, daß Gott unerreichbar ist. Mit aller Bestimmtheit betont sie, daß es möglich sei, hier auf Erden schon mit ihm vereinigt zu werden. Diese Überzeugung, die ihr von Christus selber in der ersten Vision ausdrücklich bestätigt wurde, bringt sie wiederholt zu Ausfällen gegen diejenigen, die sie in ihren Werken, besonders in den strophischen Gedichten, die »Fremden« nennt und die immer wieder versuchen, sie und ihre Freundinnen von der Minne abzubringen. Mehrere Passagen scheinen darauf hinzudeuten, daß mit dieser Bezeichnung Geistliche gemeint sind, die den Beginen und ihren mystischen Ambitionen mit Mißtrauen begegneten.

Die Tatsache, daß Hadewijch in ihrem Werk sowohl die Transzendenz Gottes als seine Immanenz betont, erklärt, weswegen die Vernunft und die Minne beide in ihrer Spiritualität einen hohen Stellenwert haben. Die Vernunft zeigt dem Menschen ja die Erhabenheit Gottes und die Distanz, die den Menschen noch von ihm trennt. Die Minne aber überwindet immer wieder diese Kluft. Beide führen den Geliebten immer weiter in die unerschöpfliche Gottheit. »Minne und Vernunft«, sagt Hadewijch in einer wichtigen Passage, die sie Wilhelm von Saint Thierrys Traktat *De natura et dignitate amoris* entnommen hat,

> »helfen einander sehr, denn die Vernunft lehrt die Minne, und die Minne erleuchtet die Vernunft. Wenn die Vernunft dann in Verlangen nach Minne fallt, und die Minne sich bezwingen und an den Stab der Vernunft binden läßt, dann bringen sie ein übergrößes Werk zustande« (Br. 18,93 – 98).

Hadewijch hat einen bedeutenden Einfluß auf den großen Mystiker Jan van Ruysbroeck (1293 – 1381) ausgeübt, der sie in seinem Werk wiederholt zitiert. Einen deutlichen Beweis der Achtung, die man in seiner Umgebung für sie hegte, finden wir im Werk seines Schülers Jan van Leeuwen († 1378), der sie »eine sehr heilige Frau« und »eine wahrhaftige Lehrerin« nennt, deren Lehre genauso wahr sei wie die des Apostels Paulus. Sehr wahrscheinlich haben wir es Ruysbroeck und seiner direkten Umgebung zu verdanken, daß Hadewijchs Schriften für uns erhalten geblieben sind; die drei Handschriften, die ihr vollständiges Werk enthalten, sind ja alle in Klöstern, die eng mit Ruysbroecks Kloster Groenendaal liiert waren, entstanden. Aber Hadewijchs Werk ist im Mittelalter auch weiter verbreitet gewesen. Nicht allein ist eine um 1500 entstandene vierte Handschrift unbekannter Herkunft mit den strophischen Gedichten, den Reimbriefen und der Liste der Vollkommenen erhalten[13], es gibt auch mehrere Handschriften, in die Exzerpte, Paraphrasen, Zitate aufgenommen sind. Im 14. Jahrhundert sind sogar Teile aus ihren Briefen, unter dem Namen *sante adelwip* oder *sant adel*, ins Deutsche übersetzt worden.

Es hat sich gezeigt, daß die Vergessenheit, in die Hadewijch nach dem Mittelalter geriet, nur ein (langes) Intermezzo war. Jetzt wird sie allgemein als die größte Schriftstellerin der niederländischen Literatur angesehen. Aber auch außerhalb des niederländischen Sprachgebiets finden ihre Werke immer mehr Leser und betrachtet man sie mehr und mehr als eine der glänzendsten Repräsentantinnen der mittelalterlichen Frauenmystik.

Anmerkungen

1 »Inquiram de Hedwigis Antverpianae, hactenus mihi inauditae opusculis.« (*M. Coens*, »Un manuscrit perdu de Rouge-Cloître, décrit d'après les notes d'Héribert Rosweyde et d'Aubert le Mire. Appendice: Lettres de Miraeus à Rosweyde«. Analecta Bollandiana 78 (1960) 76.
2 »Hedwigis Antverpiensis prorsus mihi est ignota« (Coens, [Anm. 1], 79.
3 *F. J. Mone*, Übersicht der niederländischen Volks-Literatur älterer Zeit, Tübingen 1838, 195–197 u. 217f. Die beiden Handschriften, in der Hadewijchforschung A und B genannt, tragen jetzt die Signaturen 2879–2880 bzw. 2877–2878.
4 Gewöhnlich C genannt (Gent, Universiteitsbibliotheek, 941).
5 Werken van Zuster Hadewijch. Bd. 1: Gedichten, hg. v. *J. F. J. Heremans* u. *C. J. K. Ledeganck*, Gent 1875. Bd. 2: Proza, hg. v. *J. Vercoullie*, Gent 1895. Bd. 3: Inleiding, varianten, errata, hg. v. *J. Vercoullie*, Gent 1905.

6 Alle Verweise beziehen sich auf die in der Bibliographie verzeichneten Ausgaben van Mierlos. Ich benütze die folgenden Abkürzungen: Br. = Prosabrief; Md. = Mengeldicht (Reimbrief); Stg. = Strophisches Gedicht; Vis. = Vision; Liste = Liste der Vollkommenen.
7 Vgl. *A. Mens*, Oorsprong en betekenis van de Nederlandse begijnen – en begardenbeweging. Vergelijkende studie: XIIde–XIIIde eeuw, Antwerpen 1947, 43 [Anm. 15] u. 44 [Anm. 18].
8 Vgl. zu diesem Problem das Kapitel »Etymology and Heresy« in: *E. W. McDonnell*, The Beguines and Beghards in Medieval Culture. With special emphasis on the Belgian scene, New Brunswick 1954 (Reprint: New York 1969), 430–438.
9 »Simul in una domo vivunt...; et sub disciplina unius, que aliis honestate et prudentia preminet, tam moribus quam literis instruuntur, in vigiliis et orationibus, in ieiuniis et variis afflictionibus, in labore manuum et paupertate, in abiectione et humilitate« (*J. Greven*, Der Ursprung des Beginenwesens. Historisches Jahrbuch 35 [1914] 47).
10 *N. de Paepe*, Hadewijch. Strofische Gedichten. Een studie van de minne in het kader der 12e en 13e eeuwse mystiek en profane minnelyriek, Gent 1967, 149–151.
11 *H. Vekeman*, »Die ontrouwe maectse so diep... Een nieuwe interpretatie van het vijfde Visioen van Hadewijch«. De Nieuwe Taalgids 71 (1978) 385–409.
12 *J. Hillner*, Ons Erfdeel 11 (1968) 17.
13 Hs. Antwerpen, Ruusbroec-genootschap, 385 II (Sigel: R).

Literatur

Eine (Vollständigkeit anstrebende) Bibliographie zu Hadewijch wird 1988 erscheinen in: *Gertrud Jaron Lewis*, Bibliographie zur deutschen Frauenmystik des Mittelalters. Mit einem Anhang zu Beatrijs van Nazareth und Hadewijch von Frank Willaert und Marie-José Govers, Berlin 1988.
Ausgaben: Grundlegend und noch immer unentbehrlich sind die Ausgaben *J. van Mierlos*: De Visioenen van Hadewych, 2 Bde., Löwen 1924/25; Hadewijch. Strofische Gedichten, 2 Bde., Antwerpen (1942); Hadewijch. Brieven, 2 Bde., Antwerpen (1947); Hadewijch. Mengeldichten, Antwerpen (1952).

Neuere Ausgaben mit neuniederländischer Übersetzung: *P. Mommaers*, De Visioenen van Hadewijch, 2 Bde., Nimwegen 1979;
H. W. J. Vekeman, Het Visioenenboek van Hadewijch, Nimwegen 1980;
N. de Paepe, Hadewijch. Strofische Gedichten, Leiden 1983.
Übersetzungen: Folgende Übersetzungen ins Deutsche sollten mit Vorsicht benützt werden:
F. M. Hübner, Schwester Hadewich. Visionen, Leipzig (1917); *J. O. Plassmann*, Die Werke der Hadewych, Teil 1: Die Briefe. Mit ausgewählten Gedichten. Teil 2: Die Visionen, Hagen i. W./Darmstadt 1923; *ders.*, Vom göttlichen Reichtum der Seele. Altflämische Frauenmystik, Düsseldorf 1951 [Briefe und Visionen].
Eine gute Bibliographie findet man in:
P. Mommaers, Hadewijch, in: Die deutsche Literatur des Mittelalters. Verfasserlexikon. Hrsg. von *K. Ruh*, Bd. 7, Berlin [2]1981, 368–378.
Seitdem sind u. a. erschienen: *J. Reynaert*, De beeldspraak van Hadewijch, Tielt 1981.
P. Mommaers, Hadewijch in conflict, in: Middeleeuwers over vrouwen, Bd. 1, hrsg. von *R. E. V. Stuip* und *C. Vellekoop*, Utrecht 1984, 127–156.
F. Willaert, De poetica van Hadewijch in de Strofische Gedichten, Utrecht 1984.
E. Heszler, Stufen der Minne bei Hadewijch, in: Frauenmystik im Mittelalter, hrsg. von *P. Dinzelbacher* und *D. R. Bauer*, Ostfildern bei Stuttgart 1985, 99–122.
F. Willaert, Hadewijch und ihr Kreis in den Visionen, in: Abendländische Mystik im Mittelalter, Symposion Kloster Engelberg 1984, hrsg. von *K. Ruh*, Stuttgart 1986, 368–387.

Angela von Foligno

ULRICH KÖPF

Es widerspricht nicht der Ordnung seiner Vorsehung, wenn Gott zur Beschämung der Männer eine Frau zur Lehrerin macht, die meines Wissens nicht ihresgleichen auf Erden hat.«[1] Wer ist die Frau, die ein anonymer Zeitgenosse mit so hohem Lob bedenkt, und wodurch hat sie dieses Lob verdient? So begrenzt unsere Kenntnisse von ihren äußeren Lebensumständen sind, so viel wissen wir doch über ihre innere Entwicklung, auch wenn ihre geistliche Autobiographie in mancher Hinsicht stilisiert sein mag.

Angela wurde 1248 oder 1249 in der umbrischen Stadt Foligno geboren. Sie stammte aus wohlhabender Familie, war verheiratet und hatte mehrere Söhne. In der Mitte ihres Lebens verbanden sich Sündenerkenntnis und Höllenfurcht in ihrem Bewußtsein zu bitterer Reue. Da Beichte und Buße, die üblichen Formen kirchlicher Gnadenvermittlung, ihr nicht die gewünschte Erleichterung brachten, suchte sie einen Weg, der sie immer tiefer in die Askese hineinführte und ihr Erfahrungen vermittelte, die wir mit dem unbestimmten und doch unentbehrlichen Wort »mystisch« zu bezeichnen pflegen. Entscheidenden Anstoß gab ihr der Umgang mit dem Kruzifix, aus dem sie Gottes Willen erkannte. Der Anblick des Kreuzes ließ sie ihr eigenes Vergehen wie den göttlichen Erlösungswillen richtig einschätzen. Sie griff den alten, zu ihrer Zeit neu belebten Gedanken auf, dem nackten Christus nackt zu folgen. Vor dem Kreuz wurde sie von Begeisterung ergriffen. Sie entledigte sich aller Kleider und bot sich in ihrer Nacktheit und Blöße dem Gekreuzigten dar, indem sie ewige Keuschheit aller Glieder und Sinne gelobte[2]. Dieses Ereignis, das man als ihre Bekehrung (*conversio*) ansehen kann, dürfte 1285 stattgefunden haben.

Angela begann jetzt, ihre Lebensweise zu ändern, obwohl

sie noch im Kreise ihrer Familie lebte – freilich nicht mehr lange. Es gehört für den heutigen Menschen zum Befremdendsten im Leben dieser Frau, wie sie das plötzliche Sterben all ihrer Angehörigen erwähnt: ihrer Mutter, die sie als ein großes Hindernis auf dem Weg zu Gott empfunden hatte, und ihres Mannes wie ihrer Söhne, um deren Tod sie Gott ausdrücklich gebeten hatte. Ohne Scheu berichtet sie von der Befriedigung, die sie über die rasche Erfüllung ihrer Wünsche empfand[3]. Nun war sie frei, sich ganz Gott hinzugeben, und sie ging in ständigem Blick auf den Gekreuzigten ihren von Visionen und Auditionen begleiteten Weg.

Wir dürfen dieses Frauenleben nicht an Maßstäben messen, die ihm fremd sind. Angela lebte in einer Welt, der das ehelos-asketische Dasein als Ideal galt. Sie war offenbar ganz durch franziskanische Frömmigkeit in ihrer Stadt und in ihrer Familie geprägt. Franziskus, der Heilige aus dem nahegelegenen Assisi, stand ihr von Anfang an als Vorbild und himmlischer Helfer vor Augen[4], und Bruder Arnaldo, ein Mitglied seiner Gemeinschaft und zugleich Angelas Verwandter, leistete ihr als Beichtvater geistlichen Beistand.

Nach dem Tod ihrer Angehörigen konnte sie ihre Entblößung und Selbsterniedrigung auf jede Weise fortsetzen. Sie verteilte ihren Besitz an die Armen und kümmerte sich um Kranke. Nachdem sie eine Wallfahrt nach Rom unternommen hatte, um den Apostel Petrus um die Gnade wahrer Armut zu bitten, trat sie 1291 dem Dritten Orden des heiligen Franziskus bei[5]. Damit war ihre Beziehung zur franziskanischen Bewegung institutionell gefestigt.

Im Umgang mit Franziskus hatte sie auch ein religiöses Schlüsselerlebnis. Im Herbst 1291 pilgerte sie mit einer Gruppe von Mitbürgern aus Foligno zur Grabeskirche des Franziskus nach Assisi. Bereits während des Fußmarsches führte sie ein intensives Zwiegespräch mit dem Heiligen. Sie bat ihn, ihr von Gott die gewünschten Erfahrungen im Umgang mit Christus und die Gnade wahrer Armut zu verschaffen. Mitten auf dem Weg, als sie die Stadt Spello schon hinter sich gelassen hatte und gegen Assisi anstieg, begann der Heilige Geist mit ihr zu reden. Seine Verheißungen erfüllten sie mit wachsender

Freude und Spannung. Sie erreichte Assisi in einer Verzückung, die selbst durch das Mittagessen nicht gestört wurde. Als sie nach dem Essen ein zweites Mal die Kirche S. Francesco betrat, richtete sie gleich beim Eintreten ihren Blick auf das Glasfenster in der Südwand des Eingangsjoches, das sogenannte »Engelfenster«, in dem Christus dem Betrachter den heiligen Franziskus vorweist. Angela hat das Bild nicht im ursprünglichen Sinn verstanden, sondern ihrem eigenen Wunsch nach Berührung mit Christus gemäß als liebende Umarmung gedeutet. Vor diesem Bild wurde ihr nun eine Audition zuteil, in der ihr der Geist unaufhörliche Verbindung in der Liebe verhieß und die mit einer unbeschreiblichen Vision verbunden war. Solche ekstatischen Erlebnisse sind aber nie von Dauer. Als der Geist Angela verließ, setzte sie sich im Eingang auf den Boden und begann zu schreien. Während ihre Begleiter sich voll Staunen und Furcht rings um sie lagerten, liefen die Brüder des mit S. Francesco verbundenen Konvents herbei, darunter ihr vor Schreck und Entrüstung erstarrter Verwandter und Beichtvater Arnaldo, der sich damals gerade im Sacro Convento aufhielt. Ihm war die ganze Szene äußerst peinlich, und als er wieder nach Foligno zurückgekehrt war, stellte er sein Beichtkind zur Rede[6].

Das Gespräch, das er mit seinen Fragen einleitete, hat eine jahrelange, vertiefte Beziehung begründet, der wir das »Buch« Angelas verdanken. Denn als diese ihre anfängliche Scheu überwunden hatte, begann sie, Arnaldo über ihren bisherigen inneren Weg zu berichten. Der Beichtvater schrieb die Mitteilungen, die sie ihm in der Volkssprache machte, auf Latein nieder, so gut es ihm seine anderen Verpflichtungen und seine begrenzten Fähigkeiten erlaubten. Zunächst erfüllte ihn großes Mißtrauen gegen Angelas Erzählungen, und auch später verlangte er immer wieder Bestätigungen, die tatsächlich durch göttliche Eingebung gewährt wurden. Doch bald betrachtete er sein Beichtkind geradezu als Orakel, dessen Berichte er begierig aufzeichnete oder – wenn er gerade verhindert war – von anderen aufzeichnen ließ.

Arnaldos Vorsicht gegenüber Angelas Offenbarungen war allerdings wohlbegründet. Verschiedene religiöse Bewegungen beunruhigten damals die Römische Kirche, die sich nicht auf die bisher gewohnte Weise kanalisieren ließen. Am Beginn des 14. Jahrhunderts wurden in Umbrien Anhänger der weit verbreiteten »Sekte des Geistes der Freiheit«[7] aufgespürt und verurteilt. Wie konnte man sicher sein, daß Angelas Reden von ihrem vertrauten Umgang mit dem Heiligen Geist nicht mit jener verdächtigen Bewegung zusammenhing? Wie konnte man verhindern, daß ihre Äußerungen von den kirchlichen Amtsträgern in häretischem Sinne verstanden wurden? Auch die heftigen Auseinandersetzungen, die seit Jahrzehnten die franziskanische Gemeinschaft erschütterten, ließen Mißtrauen geraten sein gegenüber einer Frau, die offenkundig die franziskanischen Ideale mit besonderer Strenge vertrat, ohne sich jedoch in den Streit der Parteien einzumischen. Noch zu Angelas Lebzeiten wurden ihre Aussagen wiederholt begutachtet und für rechtgläubig befunden. Ihr Beichtvater und Sekretär hat die Sammlung ihrer Mitteilungen nach einem von ihr selbst angegebenen Schema geordnet und durch viele aufschlußreiche Bemerkungen über seine Beziehungen zu Angela und seine redaktionelle Tätigkeit verbunden und erläutert. So ist eine Art geistlicher Autobiographie entstanden (*Memoriale*).

Neben diesem in sich geschlossenen Werk enthält die Überlieferung als zweiten Teil 36 längere oder kürzere Texte, die bis zu Angelas Tod (am 4. Januar 1309) führen. Da sie ihren Beichtvater wahrscheinlich um mehrere Jahre überlebt hat, ist ein Teil davon wohl von Mitgliedern eines Kreises von Schülern und Verehrern aufgezeichnet worden, der sich in späteren Jahren um sie gebildet hatte. Diese *Instructiones*, deren Umfang den des *Memoriale* sogar noch übertrifft, bestehen aus Briefen und Berichten über Angelas geistliche Erfahrungen. Einige der Texte sind allerdings erst nach Angelas Tod entstanden und ihrem Werk eingefügt worden – ein Beweis für die große geistliche Autorität, die sie schon damals in ihrer umbrischen Heimat besaß. So berichtet auch Ubertino von Casale, einer der Führer der Spiritualen innerhalb der franziskanischen Gemeinschaft, von dem großen Einfluß, den diese Frau im persönlichen Umgang auf ihn ausübte: Er hörte in ihren Worten unmittelbar die Offenbarung Christi[8].

Was zeichnet nun Angela vor anderen religiösen Frauen aus

und worin besteht ihre Bedeutung, die ihr bei späteren Generationen sogar den Ehrentitel einer »Lehrmeisterin der Theologen« *(theologorum magistra)* eingetragen hat? Es ist die Verbindung intensivsten religiösen Erlebens mit einem Maß an Reflexion, an Willen und Fähigkeit zu theoretischer Durchdringung des Erfahrenen, das man bei Frauen des Mittelalters nicht häufig findet. Die mitgeteilten Erlebnisse lassen sich durchaus mit dem Inhalt deutscher Schwesternbücher des 13. und 14. Jahrhunderts vergleichen; an theologischem Gehalt ist Angelas »Buch« diesen Werken jedoch weit überlegen.

Der heutige Leser hat Schwierigkeiten, sich Angela zu nähern. Die Freude, die sie beim Tode ihrer Angehörigen und bei der Ablösung von der »Welt« empfindet, kann ebenso abstoßen wie der Fanatismus, mit dem sie sich den Eingebungen und Erlebnissen hingibt, die unaufhörlich auf sie einstürmen. Ihre Erregungszustände machen oft geradezu einen krankhaften Eindruck und wurden von ihr selbst so empfunden. Das spektakuläre Ereignis in der Oberkirche von S. Francesco in Assisi, das schon die zeitgenössischen Zeugen unangenehm berührte, setzt eine bestimmte seelische Verfassung voraus. Angela war so leicht erregbar, daß sie zeitweise in ein Kreischen auszubrechen pflegte, wenn nur von Gott die Rede war[9]. Andererseits berichtet sie von Erlebnissen, die sie buchstäblich zu Boden warfen und ihrer Sprache beraubten[10]. Als sie das Leiden Christi in bildlicher Darstellung betrachtete, ergriff sie ein Fieber und schwächte sie so sehr, daß ihre Gefährtin alle Bilder der Passion Christi vor ihren Blicken verbergen mußte[11].

Derartige Vorgänge charakterisieren ihr Erleben bereits in hohem Maße als Mitleiden – eine Weise des Erlebens, die sie eng mit der franziskanischen Spiritualität verbindet. Schon früh begegnet sie auf ihrer Suche nach einer Befreiung von Sündenbewußtsein und Angst vor dem künftigen Strafgericht dem Gekreuzigten. Vor dem Kreuz erlebt sie die Wende in ihrem Leben, und das Kreuz spielt in ihrer Frömmigkeit wie in ihrem Denken die zentrale Rolle – so sehr, daß Pierre Poiret, der große französische reformierte Theologe und Mystiker, eine Übersetzung ihres Werks 1696 unter den Titel einer »Theologie des Kreuzes Jesu Christi« stellen konnte[12].

Angela bietet ein hervorragendes Beispiel jener hochmittelalterlichen Christusfrömmigkeit, die sich nicht auf den triumphierenden und richtenden Herrn der Welt bezieht, sondern auf den Menschen, der für uns gelitten hat, für uns gekreuzigt wurde und für uns gestorben ist. Diese Anschauung ist im 12. Jahrhundert vor allem durch den Zisterzienser Bernhard von Clairvaux begründet und im 13. Jahrhundert von Franziskus und seiner Gemeinschaft aufgenommen und vertieft worden. Angela findet den Zugang zu Christus und seinem Kreuz durch die Vermittlung und im Zeichen der franziskanischen Tradition. Das Verlangen nach Gott führt sie wie Franziskus über die restlose Entblößung von allem Irdischen, von ihren Beziehungen zu Menschen wie von ihrer gesamten Habe und schließlich sogar von ihrer eigenen Persönlichkeit auf den dornenreichen Weg vollkommener Hingabe an den, der sich selbst ganz für die Menschen hingegeben hat[13].

Der wahre Weg zu Gott führt über das Kreuz – auch über jenes, das jeder einzelne in seinem Leben trägt: über das Leiden, das die Jungfrauen und Enthaltsamen, die Armen, Geduldigen und Schwachen zu tragen haben[14]. Angela versucht, diesen Weg in der Hingabe ihres Besitzes an die Bedürftigen, im Dienst an den Aussätzigen und in äußerster Selbstverleugnung zu gehen, die ihr sogar das Ekelerregende angenehm werden läßt[15]. Nach dem Vorbild des Franziskus lernt sie die Liebe Gottes dort am tiefsten empfinden, wo sie sich am verlassensten fühlt[16]. Auf vielfältige Weise begegnet ihr dabei der Gekreuzigte. Immer wieder berichtet sie, wie sie im Zusammenhang mit Visionen und Auditionen das Kreuz Christi und die Liebe Gottes in sich spürt, den Eindruck des Kreuzes geradezu körperlich empfindet[17]. Als sie im Gebet dasteht, kann sich ihr Christus am Kreuz deutlich zeigen und sie auffordern, ihr Gesicht in seine Seitenwunde zu drücken. Nicht nur in einer geistigen Vorstellung dringt sie in die Seite des Gekreuzigten ein; sondern indem sie das Blut sieht und trinkt, das aus seiner Seite fließt, wird sie gereinigt – ein Erlebnis, das sie mit Freude erfüllt, obwohl die Betrachtung der Passion sie doch traurig stimmt[18]. Ein andermal blickt Angela bei der Vesper zum Kreuz auf und fühlt sich beim Schauen mit den körperlichen

Augen an Leib und Seele von Liebe und Freude durchwärmt. Sie sieht und empfindet, wie Christus ihre Seele liebend mit dem Arm umfaßt, mit dem er ans Kreuz geheftet war [19].

Am intensivsten wird Angelas Miterleben und Mitleiden mit dem Gekreuzigten verständlicherweise in der Karwoche. Das körperliche wie das seelische Leiden Christi erfüllt sie mit unaussprechlichem Schmerz. Ihr liebendes Nachempfinden läßt sie in dieser Lage bei der Passion mehr wahrnehmen als zu anderer Zeit. An einem Karsamstag (man kann das Ereignis auf das Jahr 1294 datieren) widerfährt ihr in der Ekstase etwas Einzigartiges: Sie findet sich mit Christus zusammen im Grab. Zunächst bedeckt sie seine Brust mit Küssen, dann den Mund, dem ein wunderbarer Geruch entströmt – der Wohlgeruch der Heiligkeit, von dem in vielen Legenden berichtet wird. Schließlich legt sie ihre Wange an die Wange Christi, und während dieser, den sie doch mit geschlossenen Augen und Lippen vor sich sieht, sie mit der Hand an sich drückt, offenbart er ihr, daß er sie schon vor seinem Begräbnis so umarmt gehalten habe [20].

Diese Erlebnisse bilden nur einen verschwindend kleinen Ausschnitt aus dem beinahe unerschöpflichen Schatz von Angelas Erfahrungen – einen Ausschnitt freilich, der ins Zentrum christlichen Erlebens führt und zugleich die ganze Problematik solch hochemotionalisierten, erotisierten Umgangs einer frommen Frau mit Christus erkennen läßt.

In den Mittelpunkt der christlichen Erlebniswelt führt die Konzentration auf die Person und zumal auf das Leiden Christi, das zwar in seinem Kreuzestod zum Höhepunkt und Abschluß kommt, aber weit darüber hinausgreifend das ganze Leben des Gottessohnes bestimmt. Aus einer Offenbarung des Leidens und Schmerzes Christi hat Angela in einer ihrer *Instructiones* geradezu die Umrisse einer Theologie des Schmerzes Christi entwickelt [21].

Im übrigen bleiben ihre Beziehungen nicht auf die Gestalt Christi beschränkt, sondern gehen daneben auch auf die Gottheit schlechthin wie in ihrer trinitarischen Gestalt als Vater, Sohn und Heiliger Geist. Die Trinität kann in Angelas Seele eindringen, oder Angela kann mitten in der Trinität sein. Gott zeigt sich in doppelter Weise: indem er in die Seele einkehrt oder indem er die ganze Seele in sich aufnimmt[22].

Staunenerregend und beängstigend zugleich ist die Fülle der Eindrücke, die unaufhaltsam auf Angela zuströmen, sie geradezu überfallen. Wie sie selbst berichtet, macht sie fast lauter neue Erfahrungen. Den Fluß ihres mystischen Erlebens unterbrechen weder Essen noch Reden noch andere Tätigkeiten, so daß ihre Gefährtin schließlich darauf achten muß, daß sie in ihrer andauernden seelischen Entrückung nicht verhungert[23]. Unerschöpflich sind auch die Formen, die Angelas Erleben annimmt – freilich nicht immer originell, wie ja schon ihre Abhängigkeit von der franziskanischen Umgebung und von älteren Traditionen zeigt.

Ihre Erfahrungen sprechen alle Sinne an; sie reichen von massiv körperlichem Empfinden (wenn sich etwa bei der Kommunion die Hostie in ihrem Munde ausdehnt[24]) über das äußere Sehen (wenn sie in der vom Priester erhobenen Hostie etwa zwei große Augen oder den zwölfjährigen Jesusknaben mit herrscherlicher Gebärde erblickt[25]) bis zu ganz unanschaulicher Wahrnehmung (wenn sie etwa Gott im Himmel, von Heiligen umgeben, als Fülle, Klarheit, Schönheit und als das Gute überhaupt »sieht«[26]). In solchen unanschaulichen Inhalten einer Vision drückt sich wohl nicht nur die sachliche Schwierigkeit aus, Gott mit den äußeren Sinnen zu erfassen, sondern auch Angelas ungewöhnlich starke Neigung zu Abstraktion und Reflexion, die all ihre Äußerungen durchzieht und nicht einfach auf das Konto des theologisch zweifellos gebildeteren Schreibers und Sammlers ihrer Mitteilungen gesetzt werden darf.

Am deutlichsten wird diese Neigung an dem Rahmen, den sie Arnaldo für die Aufzeichnung ihrer Erfahrungen vorgibt: dreißig Schritte, die von der Seele auf ihrem Weg der Buße zu Gott hin zurückgelegt werden[27]. In Wirklichkeit finden sich im Aufbau des *Memoriale* nur sechsundzwanzig Schritte, die zudem keineswegs eine klare Entwicklung zielstrebig voranschreitender Annäherung an Gott darstellen. Das spricht für ihre Wirklichkeitsnähe: Angela trägt kein starres Schema vor, sondern schildert einen Weg mit Abweichungen und Rückschlägen – offenbar jenen Weg, den sie selbst durchmessen hat und den sie nun mit Hilfe der ihr geläufigen Begriffe und Schemata zu beschreiben und zu deuten sucht. Es ist unangebracht, darin irgendein System zu suchen, aber die systematischen Elemente in Angelas Äußerungen sind ebenfalls unverkennbar. Sie haben ihr die Fähigkeit gegeben, auf der Grundlage ihrer persönlichen Erfahrungen ihre Schüler über alle möglichen Fragen zu belehren und ihren in der Ferne lebenden Verehrern Mitteilungen und Weisungen *(Instructiones)* zukommen zu lassen.

Auch die Nachwelt hat Angelas »Buch« hochgeschätzt. Das beweisen die über halb Europa verstreuten Handschriften wie die zahlreichen Editionen, Übersetzungen und Auswahlausgaben vom Ausgang des 15. Jahrhunderts bis in unsere Tage. Überraschen kann nur auf den ersten Blick, daß die umbrische Mystikerin keineswegs nur im neuzeitlichen Katholizismus geschätzt und gelesen wurde: von Franz von Sales und Alfons von Liguori, Bossuet und Fénélon. Auch im Protestantismus hat sie gewirkt: Der lutherische Pfarrer Johann Arndt hat ihr Werk in einem weitverbreiteten Erbauungsbuch benützt[28], und der reformierte Prediger Gerhard Tersteegen hat ihre Biographie in seine »Auserlesenen Lebensbeschreibungen heiliger Seelen« aufgenommen[29]. Sie haben an Angela weder das Abstoßende einer radikalen Askese noch das Befremdende ihrer exaltierten Zustände und Erlebnisse, sondern ihre eindrucksvolle Christus- und Kreuzesfrömmigkeit in den Mittelpunkt gerückt. Diese Seite von Angelas religiöser Existenz kann ihr auch heute unser Interesse gewinnen.

Anmerkungen

1 Epilog: Edizione critica, 742, 36–38.
2 Kap. 1, 67ff., 76ff.
3 Kap. 1, 86–93.
4 Schon Kap. 1, 13.
5 Kap. 3, 19–25.
6 Vor allem Kap. 2, 97–131; 3, 30–117.
7 Vgl. Instr. 2, 124; 3, 180, 386–391.
8 Arbor vitae crucifixae Jesu, Venedig 1485, f. 2^{r}.
9 Kap. 1, 256–258.
10 Z. B. Kap. 1, 275f.; 6, 263.
11 Kap. 1, 265–267.
12 La Théologie de la Croix de Jésus-Christ ou les Œuvres et la vie de la Bienheureuse Angele de Foligni, Köln 1696.
13 Kap. 1, 78–84, 59f., 62–64.
14 Kap. 5, 26.
15 Kap. 5, 122–141.
16 Kap. 6, 127–129.
17 Kap. 3, 123–126.
18 Kap. 1, 144–150; vgl. auch Kap. 6, 255–265. Instr. 4, 74–82.
19 Kap. 6, 232–238.
20 Kap. 7, 98–111.
21 Instr. 3, pars 1.
22 Z. B. Kap. 9, 289–302, 315–347.
23 Kap. 9, 133–139; vgl. auch Kap. 1, 248–255.
24 Kap. 7, 242f.
25 Kap. 3, 246–266.
26 Kap. 4, 124–132.
27 Kap. 1, 4–6.
28 Im 2. Buch der »Vier Bücher vom Wahren Christentum«, seit 1610 in vielen Auflagen.
29 Im 11. Stück des 2. Buchs, seit 1735 in mehreren Auflagen.

Literatur

L. Thier/A. Calufetti (Hrsg.), Il libro della Beata Angela da Foligno (Edizione critica), Grottaferrata 1985. Durch diese erste kritische Edition sind alle früheren Textausgaben und Übersetzungen überholt. In den nebenstehenden Anmerkungen zitiere ich das »Memoriale« nach Kapiteln und Zeilen, die »Instructiones« nach Nummern und Zeilen.

Arbeiten über Angela erscheinen vor allem in Italien. Neuere deutsche Literatur: *S. Clasen*, Art. Angela von Foligno, in: Theologische Realenzyklopädie 2 (1978) 708 – 710; *U. Köpf*, Angela von Foligno. Ein Beitrag zur franziskanischen Frauenbewegung um 1300, in: *P. Dinzelbacher/D. R. Bauer* (Hrsg.), Religiöse Frauenbewegung und mystische Frömmigkeit im Mittelalter, Köln-Wien 1988.

Margarita Colonna

GIULIA BARONE

Rom um die Mitte des 13. Jahrhunderts. Die ehemalige Kaiserstadt erfüllte den Besucher, sei er Pilger, Kaufmann oder Fürst, mit Erstaunen und Bewunderung. Die antiken Tempel und Paläste waren natürlich schon halb zerstört; dennoch übte Roms Schönheit und Größe einen Zauber aus, den die Dichter dieser Zeit kaum aussprechen konnten.

Die Mauer, welche die Kaiser des 3. und 4. Jahrhunderts gebaut hatten, um Rom gegen die Barbaren zu verteidigen, umschloß eine halbentvölkerte Stadt. Die Bewohner drängten sich innerhalb der Biegung des Tibers zusammen; um die Peterskirche hatten die Päpste eine kleine Stadt gebaut und befestigt, die *Civitas Leoniana*. Nur ein paar Brücken verbanden die Peterskirche und das Hafenviertel (Trastevere) auf dem rechten Tiberufer mit dem politischen und ökonomischen Zentrum der Stadt auf dem linken.

Im Hinterland der Stadt, das wir uns etwa wie ein Fresko von Ambrogio Lorenzetti oder Simoni Martini vorstellen müssen, hatten die mächtigsten Adelsfamilien ihre Festungen gebaut, um die Bauern auf dem Land und den Straßenverkehr zu kontrollieren; aber auch innerhalb der Stadt ragten ihre Türme in den Himmel als Symbole und als Stützpunkte ihrer politischen und militärischen Macht.

Aus einer dieser Familien, wahrscheinlich der mächtigsten zu dieser Zeit, stammte Margarita Colonna. Um dieses weibliche Portrait zu skizzieren, stehen uns zwei Quellen zur Verfügung: eine »Vita«, die höchst wahrscheinlich von ihrem älteren Bruder Johannes verfaßt wurde, und eine kürzere Biographie, die aus der Feder einer der Frauen stammt, die mit ihr in Buße und Armut lebten.

Um 1255 wurde Margarita als Tochter des Herrn von Palestrina, Oddo Colonna, und seiner Frau, die aus dem großen römischen Adelsgeschlecht der Orsinis stammte, geboren. Ihre Brüder, Jakob und Johannes, sind den Historikern wohlbekannt. Ersterer wurde zum Kardinal erhoben; Johannes, der ältere, war der Chef der Familie; er bekleidete als Senator das wichtigste politische Amt im mittelalterlichen Rom und spielte eine große Rolle im politischen Leben der Stadt. Die Existenz von drei anderen Brüdern (Matthäus, Landulf und Oddo) ist urkundlich belegt. Margarita hatte auch einige Schwestern (wahrscheinlich zwei), von denen wir so gut wie nichts wissen. Die Frauen gehörten nach ihrer Heirat zu den Familien ihrer Männer und waren deshalb für die Familiengeschichte uninteressant.

Margarita war noch ein Kind, als ihre Mutter, und, einige Jahre später, auch der Vater starben. Es war eine ganz normale Erfahrung, mit 10 bis 12 Jahren voll verwaist zu sein. Die Frauen starben jung wegen der vielen und gefährlichen Mutterschaften; die Männer waren im Krieg und auf der Jagd dauernd lebensgefährlichen Situationen ausgesetzt. Die jungen Mädchen standen unter der Obhut der älteren Brüder, deren wichtigste Aufgabe es war, die Schwestern standesgemäß zu verheiraten.

Margarita wurde zu einer schönen, sittsamen und liebenswürdigen jungen Frau, wie ihr Name sagt: eine Perle. Um ihre Hand hielten viele Bewerber an. Johannes wählte wahrscheinlich denjenigen unter ihnen, der den Interessen der Familie am besten entsprach. Liebe spielte zu dieser Zeit in Heiratsangelegenheiten keine Rolle; die Mädchen sollten allerdings ihren Konsens geben. Die Eheleute lernten sich erst *nach der Heirat* kennen. Manchmal – so hoffte man – entwickelte sich zwischen Mann und Frau ein Liebesgefühl, eine gegenseitige Zuneigung, aber das war nicht immer der Fall.

Außer dem älteren Bruder Johannes kümmerte sich auch Jakob um das Schicksal seiner Schwester. Er war schon in den Priesterstand eingetreten und studierte in Bologna. Er war ein sehr frommer Mann und bemühte sich deshalb, Margarita für Gott zu gewinnen.

Er beschrieb ihr ausführlich die peinlichsten Aspekte eines ehelichen Lebens (die Kirchenleute hatten lange das Problem der Heirat besprochen und hatten manchmal ein eher dunkles Bild von der Ehe gezeichnet; so fehlte es Jakob absolut nicht an Argumenten gegen die Ehe!). Er pries dagegen die Entscheidung, die Keuschheit aus Liebe zu Gott zu bewahren.

Das Mädchen konnte sich nicht leicht entscheiden. Jakobs Worte hatten sie tief bewegt; aber sie wollte den älteren Bruder, den sie innig liebte, nicht kränken. Eine Zeit verschwieg sie der ganzen Familie ihre Verwirrung. Schon hatten einige Verwandte Margarita nach ihren Wünschen gefragt, was sollte man für ihre Aussteuer vorbereiten? Sie lächelte und schwieg. Ihr Verhalten beunruhigte Johannes; er glaubte, Margarita hätte einen anderen Bewerber vorgezogen. Endlich mußte das Mädchen ihre Entscheidung offenbaren: Sie hätte gern ihren jungen, adligen Bräutigam geheiratet, hätte sie nicht den himmlischen Bräutigam gewählt. Eine Marienvision (die erste Vision Margaritas) bestätigte sie in ihrem Entschluß. Die Mutter Christi versicherte ihr, daß sie die richtige Entscheidung getroffen habe und daß Margarita sich auf sie verlassen könne. Das Mädchen war so bewegt, daß ihr die Tränen in Fülle aus den Augen kamen und ihr Kissen ganz naß wurde. Damit war die Krise vorbei, und für Margarita fing ein neues Leben an.

Jakob war mittlerweile nach Bologna zurückgekehrt. Einmal, als er nach dem Mittagessen in einem Garten spazierenging, erschien ihm Margarita zwischen zwei Engeln. Er hatte keine Ahnung, daß Margarita sich Christus geweiht und das Elternhaus verlassen hatte, und dachte deshalb, daß Gott ihm durch diese Vision den Tod Margaritas offenbare. Erst später kam ein Brief der Schwester, der ihm ihre Entscheidung mitteilte.

War Margarita völlig frei, als sie diese Entscheidung traf? Natürlich wurde sie durch die starke Persönlichkeit Jakobs erheblich beeinflußt, aber höchstwahrscheinlich hatten ihre Verwandten nie ein klösterliches Leben für sie geplant. Sonst hätten sie nicht darauf gewartet, daß sie das Heiratsalter erreichte, und sie schon als kleines Kind ins Kloster geschickt. In einem Zeitalter, in dem freie Entscheidungen so selten waren, bildet Margarita eine der wenigen Ausnahmen. Wir können annehmen, daß sie zu einem religiösen Leben berufen war.

In der »Vita« des Senators Johannes lesen wir, daß Margarita in das Klarissenkloster S. Damiano, wo die heilige Klara von Assisi in strenger Armut gelebt hatte, eintreten wollte. Sie habe auch die Genehmigung von Hieronymus von Ascoli, dem Kardinalprotektor des Franziskanerordens, erhalten. Aber in diesem Fall hat wahrscheinlich Johannes das Bild seiner Schwester etwas überarbeitet, um sie als Gründerin des zukünftigen Klarissenklosters S. Silvestro in Capite vorzustellen. Aber auf dieses Problem kommen wir am Ende dieser Biographie zurück.

Margaritas Familie und die Verwandten ihres Bräutigams haben sich bemüht, die junge Frau davon zu überzeugen, daß sie die falsche Entscheidung getroffen hätte. Ihre Schwiegermutter schickte zwei Dominikaner zu ihr, die sie zur Heirat überreden sollten. Es ist bemerkenswert, daß sie versucht haben, ihren adeligen Stolz zu provozieren. Ihrer Meinung nach fehlte Margarita die *magnificentia cordis* (der Stolz, der Ehrgeiz), die ihre Schwestern kennzeichnete. Diese hatten nämlich mächtige Barone geheiratet, während sie ein eheloses und deshalb entehrendes Leben führen wollte. Margaritas Antwort ist durch denselben Stolz geprägt: sie habe den mächtigsten aller Fürsten geheiratet, als sie sich Christus geweiht habe.

Die religiöse Atmosphäre des 13. Jahrhunderts ist durch die Lehre und das exemplarische Leben des Franz von Assisi stark beeinflußt. Armut war der erste, notwendige Schritt für jeden Menschen, der Christus und Franziskus nachahmen wollte. Aber Margarita war gleichzeitig sehr reich und sehr arm; ihr, die eine Frau war, standen nicht die Familiengüter zur Verfügung. Durch die Mitgift wurden die Frauen entschädigt für die Liegenschaften der Familie, die nur die Männer erben konnten. So verlangte sie von den Brüdern ihre Mitgift und verteilte alles unter die Armen und Kranken. Sie war persönlich arm, konnte sich aber immer auf ihre reiche Familie verlassen. Jakob hat lebenslang sie und die Frauengemeinschaft, die sich um Margarita gebildet hatte, unterhalten. Aber er mußte ihr versichern, daß er sie als *pauper Christi* (als Arme) und nicht als Schwester unterstützte. In diesem Fall bildet Margarita keine Ausnahme. Viele andere fromme Frauen, die aus adligen Familien stammten und deshalb ihren Unterhalt nicht durch Arbeit verdienen konnten, haben halb bewußt zu einer List dieser Art gegriffen, um ein armes Leben zu führen, ohne sich in eine zu gefährliche und peinliche Situation zu begeben. Franziskaner und Dominikaner konnten ihren Lebensunterhalt durch Almosen verdienen, aber Betteln war den Frauen von der Kirche streng verboten.

Als Margarita die Burg von Palestrina verließ, begab sie sich nach Castel S. Pietro, nicht weit entfernt von der Familienburg, und ließ sich in einigen Häusern, die den Colonnas gehörten, nieder. Klara und ihre Mitschwestern lebten in S. Damiano in strenger Klausur; Margarita zog zwar das Klarissenhabit an, aber offenbar fühlte sie sich nicht zum Klosterleben berufen. Sie war zu aktiv, zu stark war ihr Verlangen, den anderen nützen zu können.

Die Pflege der Kranken gehört zu den Werken der Barmherzigkeit. Alle Frauen im 13. Jahrhundert, die wie Margarita eine *Conversio* erlebten, widmeten sich der Pflege der Kranken. Oft begnügten sie sich damit, die kranken Menschen zu waschen, zu ernähren, an ihrem Bett zu wachen. Aber Margarita benahm sich wie eine Ärztin. In einem Kloster war die Äbtissin manchmal in der Lage, ihre Nonnen persönlich zu kurieren. Hildegard von Bingen besaß zum Beispiel sehr gute medizinische Kenntnisse. Das war natürlich nicht immer der Fall, und der Arzt war deshalb der einzige Mann, der die Klausur betreten durfte. Aber es gab auch Frauen, die adligen oder bürgerlichen Familien angehörten, welche die Arzneipflanzen kannten und sie als Heilmittel benutzten, die Wunden behandelten usw. Die Medizin wurde im 13. Jahrhundert nur in wenigen Universitäten unterrichtet (unter anderem in Salerno). Sie war immerhin noch nicht zu einem männlichen Beruf geworden, und die Frauen, die heilen konnten, waren deshalb sehr geschätzt. Erst am Ende des Mittelalters, als die Männer das Monopol der Schulmedizin besaßen, betrachtete man sie als Hexen.

Margarita besuchte die kranken Menschen in ihren Häusern; nachdem sie die Symptome untersucht hatte, bereitete sie persönlich die Heilmittel zu und schrieb eine angemessene Diät vor. Bis zur endgültigen Genesung erkundigte sie sich jeden

Tag nach dem Heilungszustand der Kranken. Krankenpflege war für sie keine asketische Übung, sie wollte wirklich helfen.

Die Tatsache, daß im 13. Jahrhundert die Zahl der armen Menschen zunahm, ist wohl bekannt. Die wirtschaftlichen Fortschritte Europas hatten die Kluft zwischen arm und reich vertieft. Wenn man zu dieser Zeit von armen Leuten sprach, konnte man an zwei verschiedene Gruppen denken. Zuerst gab es die »traditionellen« Armen, die schon Christus zu seiner Zeit genährt und geheilt hatte, die Witwen, die Waisen, die Behinderten. Aber zu Margaritas Zeiten mußte man auch die Arbeitslosen, die verarmten Adligen, die Bauern, die momentan zu arm waren, um ihren Acker zu bestellen, unterstützen.

Diesen ehemals wohlhabenden Menschen gegenüber zeigte sich Margarita sehr taktvoll. Anonym schickte sie ihnen große Summen Geld, nicht als Geschenk oder als Almosen, sondern als unverzinsliches Darlehen. Das Geld sollte nur zurückgegeben werden, wenn der anonyme Ausleiher es zurückgefordert hätte. In diesem Bereich benimmt sich Margarita vom kirchlichen Gesichtspunkt aus exemplarisch. Lang und vergeblich hat die katholische Kirche gegen das verzinsliche Darlehen gekämpft. Wucher wurde als Todsünde bezeichnet, und dennoch nahmen die Menschen, die auf Zinsen liehen, immer zu. Arme Leute, die sich schämten, öffentlich zu betteln, bekamen Margaritas Almosen ins Haus.

Mehrmals, und immer vergeblich, hat Margarita den Wunsch geäußert, ein Kloster für sich und die Frauen, die ihre religiöse Erfahrung teilten, zur Verfügung zu haben. Die Brüder, die zweifellos in der Lage waren, ihrem Wunsch entgegenzukommen, zogen es vor, von den Päpsten ein schon gegründetes und möglicherweise reich ausgestattetes Kloster zu erlangen. Ihre Bemühungen blieben zu Margaritas Lebzeiten ergebnislos. Deshalb entschloß sie sich, persönlich eine Lösung des Problems zu suchen.

Nicht weit entfernt von Palestrina stand und steht noch heute eine berühmte Marienkirche, die *Mentorella*. Mit der Erlaubnis ihrer Brüder (Jakob war mittlerweile ihr Beichtvater geworden) begab sie sich mit ihren Mitschwestern zur Mentorella, um sich dort niederzulassen. Aber die Kirche gehörte einem anderen mächtigen Adelsgeschlecht, den Contis (aus dieser Familie stammte Papst Innozenz III.), die das Patronat über die Kirche besaßen. Diese sahen in Margaritas Unternehmung eine potentielle Gefahr für ihre Feudalrechte. Sie ließen deshalb Margarita wissen, daß sie die Mentorella so bald wie möglich verlassen müsse.

Obwohl Margarita sich bereit erklärte, als einfache Oblatin bei der Kirche zu leben, bemühten sich die Contis, sie von ihrem Grundbesitz zu vertreiben. So verboten sie den Priestern, in der Kirche zu zelebrieren, und ließen die Glockenseile abnehmen. Margarita hielt an ihrer Entscheidung fest und konnte eine kurze Zeit bei der Mentorella leben, weil ihr die Bauern der Gegend Brot und alles, was sie brauchte, brachten. Diese Auseinandersetzung mit der Familie Conti beunruhigte Margaritas Brüder, die nicht in einen offenen Streit mit ihren mächtigen Nachbarn hineingezogen werden wollten. Deshalb begab sich Johannes zur Mentorella, um Margarita zum Zurückkehren zu überreden. Aber schon vorher hatte Maria der jungen Frau die Ankunft des Bruders angekündigt und befohlen, die Kirche zu verlassen. Auch in diesem Fall wird Margaritas Verhalten durch eine Vision bestimmt.

Margaritas Leben ist durch eine stetige Suche nach ihrem eigenen Weg zu Christus gekennzeichnet. Nachdem sie von den Brüdern die Erlaubnis erhalten hatte, nach Rom zu fahren, um dort das berühmte Schweißtuch der Veronika zu verehren, entschloß sie sich, bei einer frommen Frau, die Altrude hieß, zu bleiben. Margarita meinte, daß es für sie fruchtbarer wäre, unter der geistigen Führung Altrudes zu leben, als eine Frauengemeinschaft zu führen. Während die fromme Frau die Kirchen Roms besuchte, blieb Margarita zu Hause, putzte das Haus, wusch die Wäsche usw. Aber auch in diesem Fall wurde sie von den Brüdern heimgerufen.

Obwohl uns Margaritas Askese, wenn wir sie mit der vieler ihrer Zeitgenossinnen vergleichen, nicht unmäßig vorkommt, war die junge Frau in ihren letzten Lebensjahren schwer krank. Aus einer Wunde des Oberschenkels flossen pausenlos Blut und Eiter. Es handelte sich wahrscheinlich um Knochentuberkulose. Jedenfalls galt Margaritas Krankheit damals als unheilbar. Die Brüder, die diese Krankheit tief bewegt hatte, schlugen der Schwester vor, sich von einem berühmten jüdischen Arzt behandeln zu lassen. Aber Margarita verlangte, daß der Arzt sich bekehre, bevor er sie untersuche. Er lehnte diesen Vorschlag entschieden ab, und Margarita litt drei Jahre lang unter der unbekannten Krankheit. Margaritas Verhalten in dieser Angelegenheit ist ein Ausdruck der zunehmenden Abneigung gegen die Juden, die im 13. Jahrhundert auch im Zusammenhang mit dem IV. Laterankonzil sichtbar wurde.

In einer Vision wurde Margarita geoffenbart, daß sich ihr drei Wege boten und daß sie, wenn sie sich für den mittleren entscheide, ihn bis zum Ende durch Blut gehen müsse. Dennoch wählte Margarita diesen schwierigen Weg, weil Christus ihn schon durchlaufen hatte; die Krankheit wurde auf diese Weise Margaritas Leidensweg.

Wie kann man Margaritas Mystik bezeichnen? Es ist ziemlich schwierig, diese Frage zu beantworten. Sie hatte einerseits zahlreiche Marienvisionen, die sie oft mit einer unbeschreiblichen Süße erfüllten; dennoch fühlte sie sich in erster Linie als *vera sponsa Christi* (Braut Christi). Die Beziehung zu ihrem himmlischen Bräutigam war so stark, daß man nach einer Vision auf ihrem Ringfinger den Abdruck des Eherings Christi erkennen konnte. Die Passion stand im Mittelpunkt vieler Visionen, die sie tief bewegten. Einmal hatte sie den Eindruck, einen Kranken zu behandeln. Sie berührte die Füße des Mannes, als sie plötzlich die Nagellöcher erkannte und deshalb verstand, daß der Kranke Christus war. Nach dieser Vision litt sie einige Tage lang, so als hätte man sie mit einem Schwert durchbohrt.

Im Dezember 1280 verschlimmerte sich ihr Zustand. Sie wußte, wie alle heiligen Menschen wissen, daß der Tod sich näherte. Sie freute sich darauf. Nur eins beunruhigte sie, und zwar daß sie es nicht lassen konnte, sich manchmal über die Schmerzen zu beklagen, obwohl sie sonst ihr Leid sehr geduldig ertrug. Und das hielt sie für eine Schuld. Margarita starb am 30. Dezember 1280 im Kreis ihrer ganzen Familie. Kurz nach ihrem Tod erschien sie Jakob, den der Schmerz gebrochen hatte, in Begleitung der berühmtesten heiligen Jungfrauen, Cäcilie, Agnes und Katharina. Margarita erschien auch der Mitschwester, die später ihre Biographie verfaßte. Es handelt sich um eine typische spätmittelalterliche Vision, die durch die zeitgenössische Kunst beeinflußt ist. Man kann nicht umhin, an das Bild eines Stundenbuches zu denken, wenn man die Beschreibung der Nonne liest:

»Margarita erschien mir auf einer wunderschönen Wiese, die ganz mit Frühlingsblumen bedeckt war und durch die ein klarer Bach floß. Sie trug ein mit weißen und roten Rosen geschmücktes Kleid.... Ich war am Fuße der Treppe, die zu einem Palast führte, deren vergoldete Stufen fast unerträglich glänzten... Der Königspalast der Sonne der Gerechtigkeit (Gottes) war auf hohen smaragdenen und saphirenen Säulen gebaut, strahlte in glänzendem Gold und flammendroten Rubinen. Es ging von diesen vielfarbigen Edelsteinen ein Licht aus, das man mit dem der Sonne vergleichen kann.«

Die »Vita« des Senators Johannes und das kleine Werk Stephanies (so hieß die Nonne), welche die vielen Wunder erzählte, die Margarita nach ihrem Tod gewirkt hatte, wurden bald nach ihrem Ableben verfaßt. Zweifellos bemühten sich die Colonnas anhand dieser Darstellungen, die Heiligkeit Margaritas zu beweisen. Es trug nämlich zum Ruhm der Familie viel bei, wenn sie eine Heilige in ihren Reihen hatte. Außerdem hatten Margaritas Brüder nicht darauf verzichtet, vom Papst ein Kloster für die Gemeinschaft, die ihre Schwester gegründet hatte, zu fordern.

Papst Nikolaus IV., der ein alter Freund der Familie war, verlieh ihnen endlich das alte und reiche Kloster S. Silvestro in Capite, das im Zentrum der Stadt lag und ausgedehnte Güter im nördlichen Latium besaß. Daraufhin nahmen die Frauen, die unter Margaritas Führung ohne Regel gelebt hatten, die Klarissenregel an.

Auf diese Weise wurde die Frau, die arm sein und den Mitmenschen helfen wollte, zur Schutzpatronin des reichsten Klarissenklosters in Rom.

Literatur

Beide Biographien Margaritas wurden von *L. Oliger* herausgegeben, vgl. Beata Margherita Colonna. Le due vite scritte dal fratello Giovanni Colonna Senatore di Roma e da Stefania monaca di S. Silvestro in Capite, in »Lateranum«, N. F., 1/2 (1935). Siehe auch *G. Barone*, Margherita Colonna e le Clarisse di S. Silvestro in Capite, in Roma. Anno 1300, Rom 1983, 799 – 805. Vgl. auch die Lemmata Colonna (Familie); Colonna, Jakob; Colonna, Johannes; Colonna Margarita im Lexikon des Mittelalters.

Christine Ebner

Siegfried Ringler

Und sie dachte auch daran, daß Gott sie hieß, sie solle sich aller Dinge entblößen. Und das verstand sie auch in dem Sinn, er wolle, daß ihr ganzer Leib solle versehrt werden. Und so zog sie ihr Gewand ab und nahm ihre körperliche Bußübung vor, angefangen an der Kehle, und versehrte ihren ganzen Körper mit Schlägen, so fest sie nur schlagen konnte, so lange, bis sie die Hand nicht mehr zum Schlagen erheben konnte. Und so nahm sie dreimal 500 kräftige Schläge, die kleinen nicht mitgezählt.« »Und sie nahm ihre Brust und rieb sie an einer Igelhaut, bis die Haut blutend abging. Und als sie vor Schmerz verzagen wollte, dachte sie an die Marter unseres Herren, und danach tat sie es noch dreimal, der heiligen Dreifaltigkeit zu Ehren.« Und so geht es blutig weiter, über viele Seiten hin.

Eine ferne Zeit, diese erste Hälfte des 14. Jahrhunderts, in der Christine Ebner solches diktierte. Uns liegen psychologische Erklärungsmuster nahe: klösterliche Triebunterdrükkung, kompensiert durch religiös motivierte Ersatzhandlungen und sublimiert in halluzinatorischen Visionserlebnissen. In den zwanziger Jahren unseres Jahrhunderts mochte sich mancher daran in expressionistischer Manier berauschen: »Und der Herr schreitet mit unserer lieben Fraue vom Altar und führet seine Mutter zum Tanz. Da schwelen die flackernden Kerzen in stickichter Luft. Und die Nonnen tanzen zu zweien und in langen Reihen durch das Licht als in einem heißen Ofen, darauf der grüne Tau des Himmels rieselt.«[1] Schrieb ein späterer Leser an den Rand einer Seite: »Und aufsträubt sich dem Leser das Haar auf krampfgeschütteltem Haupte.« – Aussagen über die Texte Christine Ebners sind offensichtlich häufig eher Aussagen über uns selbst und über unsere Maßstäbe; die Ferne wird nicht überwindbar. Wie soll sie es uns Heutigen werden, die wir mißtrauisch sind gegenüber dem Streben nach dem Absoluten in einer pluralistisch gesehenen Welt, skeptisch gegenüber dem Streben nach einem einzigen Ziel, wo es doch viele Ziele gibt? Die Texte antworten auf unsere Fragen, aber es sind häufig *unsere* Fragen und somit auch *unsere* Antworten.

Christine Ebner, zehntes Kind einer Nürnberger Patrizierfamilie, wird 1277 geboren: an einem Karfreitag, unter solchen Schmerzen, daß man um das Leben der Mutter fürchten mußte. Die Vita motiviert: Schon die Mutter hatte in Andacht die Marter Christi in ihrem Herzen getragen, und auch ihre Leibesfrucht sollte Gott ein *widergelt* seiner Marter sein. Leiden ist ständige Realität im Leben Christines. Seit früher Jugend war sie mehr als sechzigmal krank, einige Male todkrank. Welche Krankheiten es waren, erfahren wir nicht; das Alltägliche (und Allnächtliche) braucht nicht näher dargelegt zu werden. Tiefer noch geht das seelische Leid, das ihr die Menschen zufügen: Sie stößt auf Unverständnis, böse Nachrede, muß fürchten, Ärgernis zu erregen. Mag manches davon auch herkömmliches Vitenmotiv sein, unzweifelhaft ist doch: Der Mensch, der nach Außerordentlichem strebt, wird für die Gemeinschaft zur Provokation und zu einer Last; er zahlt mit Einsamkeit und Isolation. Nicht zu reden schließlich von den Leiden, die ihren Weg hin zur Gottesbegegnung kennzeichnen: in Sündenfurcht und Reue, in Sehnsucht nach Gott und im Erleben der Gottferne, im Zustand der »Trockenheit«. Und letztlich wird all dieses Leiden entschieden bejaht: Könnte sie mit Gott tauschen, so wollte sie doch ihre Schwäche behalten und Gott seine Allmacht belassen: Gott bleibt Gott, dem Menschen zu eigen aber sind Schwäche und Leid.

Heiligenviten des 13. und 14. Jahrhunderts werden immer wieder den Heiligen, in der Nachfolge Christi, als Leidenden darstellen. Zweifellos sind die Aussagen der Schwesternviten aber mehr als nur ein solches theologisch gefordertes Motiv: Sie sind zugleich Hinweis auf eine reale Situation, die geprägt ist von körperlichen Gebrechen, Konflikten innerhalb einer eng zusammenlebenden Gemeinschaft und von der innerseelischen Spannung eines hochstrebenden Menschen. Eine zeittypische Erfahrung und doch zugleich eine spezifische Frauenerfahrung: Steht männlichen Heiligen und Mystikern zugleich der Weg zu aktivem Tun offen, so wird den Frauen das Leiden das einzige »Tun« auf dem Weg zur Vollkommenheit. Realität und Ideal kommen hier zur Deckung: indem die Realität zum Ideal überhöht wird und zugleich das Ideal alltägliche Realität ist.

Und Leiden wird nicht nur ertragen und bejaht, es wird auch gesucht. Schon das kleine Kind schlägt sich selbst, als es hört, dies sei gut. Und die Zwölfjährige entwickelt bereits eine solche Phantasie in der Erfindung physischer und psychischer Kasteiungen, daß wir erschrecken. Auch sie erschrickt, als sie (mit 30 Jahren) zur Igelhaut greift, »daß ihr das Herz im Leibe erbebte«. Und doch wird es ihr ein »freudenreiches Werk«, sie nennt es eine »Wollust«, und Trübsal bereitet ihr, wenn sie während ihrer Krankheiten darauf verzichten muß. Die weiteren Darstellungen wirken wie ein Blick in Folterkammern: Schläge bis aufs Blut, Nesseln, Dornen, Knotenstricke, Ketten, Halseisen, dazu Hunger und Durst, Hitze und Kälte, Entzug des Schlafs und unzählige »Venien«, in denen man sich zu Boden wirft. Und Gott will es, immer wieder. Wir zweifeln.

Wir zweifeln, aber wir können historische Erklärungen versuchen. Es ist eine Zeit, in der körperliche Züchtigungen ein selbstverständliches Mittel sind, den Menschen zu bessern: Kinder ebenso wie Schüler und Ehefrauen. Und zugleich eine Zeit, deren Lebensbedingungen selbst schon wie härteste Kasteiung erscheinen müssen: kalte Winter in ungeheizten Räumen, Krankheiten ohne Betäubungsmittel, ein Alltag voller körperlicher Belastungen. Körperliche Bedürfnisse und Schwächen zu reduzieren ist eine Überlebensfrage. Doch es geht auch damals nicht nur ums Überleben, sondern um Leben in vollem Sinn: als ein Ausschöpfen des Menschenmöglichen durch bedingungsloses Verfügen über den Körper. So kennen wir auch heute wieder »Folterkammern«, in denen Menschen sich freiwillig quälen. Was Nonnen taten mit dem Ziel, dem Göttlichen sich zu nähern, das tun heute Hochleistungssportler um des Gelderwerbs oder des Sozialprestiges willen. Oder als Selbstzweck: um eine Extremsituation zu erfahren. Die Lust an der Qual des Marathonlaufs. Finsteres Mittelalter?

Schon damals fanden sich ja auch die Kritiker: Christine wird gewarnt, sich zu »verderben«; wie könne sie dann noch Gott dienen? Drohungen und Schläge sollen sie von ihrem Tun abbringen. Und auch psychologische Kritik meldet sich bereits: Man spricht von Torheit und vermutet eine Überkompensation: Entweder habe sie besonders große Anfechtungen oder sei nicht gerne im Kloster – deshalb die gewaltsame Kasteiung!

Eine Auseinandersetzung, die nicht nur zwischen verschiedenen Personen, sondern auch in der Person des Asketen selbst ausgetragen wird. Man weiß einerseits, daß nur derjenige, der sich von körperlichen Zwängen frei macht, Erfahrungen der Transzendenz machen kann; andererseits weiß man genau um die Risiken. Es gab in der westlichen Kultur keine den asiatischen Kulturen vergleichbare Tradition der asketischen Praxis; Erfahrungen mußten erst gesammelt werden, »by trial and error«. Christine Ebner wurde dabei fast 80 Jahre alt; sie starb am 27. Dezember 1356, dem Tag ihres Lieblingsheiligen, des »unblutigen Märtyrers« Johannes Evangelist.

Als Christine Ebner starb, war sie mehr als nur eine fromme Nonne in einem Landkloster; sie war eine Person von öffentlicher Bedeutung und Wirkung. »Da kam der Römische König Karl zu ihr und ein Bischof und drei Herzöge und viele Grafen, die knieten vor ihr nieder und baten sie, daß sie ihnen zu trinken und den Segen gebe.« In Christines Aufzeichnungen ist dies nur eine Nebenbemerkung, ein einziger Satz, der die Abfolge der Gnadengespräche kaum unterbricht. Uns läßt dieser Satz aufmerken, und zwar nicht mehr nur, wie im 19. Jahrhundert, aus historischem Interesse. Die Spitzen von Staat und Kirche knien hier nieder – vor einer Frau!

Bereits als siebenjähriges Kind hatte Christine den Wunsch, ein geistliches Leben zu führen, und fürchtete sich davor, »man würde sie vermählen«. Motiviert wird dies mit der Liebe zur Armut. Fromme Frauen, die in ihrem Vaterhaus verkehrten, und ein Deutschordenspriester, der sie bereits als Zehnjährige zur Kommunion führt, bestärkten sie in diesem Streben. Ihre Tante Diemut Ebner, die auch schon früh ins Kloster eingetreten war und dort, unter zahlreichen Gnadenerlebnissen, 66 Jahre lebte, wird ihr als Vorbild gedient haben. Kein Wunder, wenn zuletzt der Wunsch übermächtig war, daß sie nicht in die

»Welt« käme und »daß sie ohne Mann blieb«. Ein zeittypischer Fall frühkindlicher Indoktrination, ein Beispiel kirchlicher Ehefeindlichkeit?

Geht diese unsere Sehweise aber nicht aus von einem Verständnis von Liebe und Ehe, wie es sich erst seit Goethezeit und Romantik entwickelt hat und erst durch heutige Methoden der Geburtenregelung allgemeingültig werden konnte? Ein Mädchen als zehntes Kind – da dürfte auch in einer reichen Patrizierfamilie nachgerechnet worden sein, ob ein Klostereintritt das Familienvermögen weniger belasten würde als die Mitgift bei einer Heirat. Und die Frauen in der Familie wußten, was Ehe meist hieß: verheiratet werden, ohne gefragt zu sein, den Haushalt und den Mann versorgen, ohne eigene Interessen entwickeln zu können, Jahr für Jahr Kinder gebären, ohne auf die Gesundheit zu achten – noch um 1950 wußten Frauen sehr wohl, warum Sexualität zum *officium coniugale* wurde, zur »ehelichen Pflicht«, deren Erfüllung vom Mann eingefordert werden durfte und von der Frau zu leisten war. Erfüllte die Frau ihre Pflicht, brauchte sie auch nicht *ultra modum maritale*, über das in der Ehe übliche Maß hinaus, geschlagen zu werden und konnte hoffen, wie manche Prediger forderten, daß ihre Züchtigung nicht öffentlich geschehe[2].

Solches Erleben von Ehe – wie wir es etwa aus der Vita der Dorothea von Montau kennen – war gewiß nicht nur auf die niederen Stände beschränkt; da mußte dann das Kloster als »Freiheit von der Fron der Ehe«[3] erscheinen. Dies mag überzeichnet sein, denn gewiß gab es auch das Gegenbild, wo Frauen in Ehe und Familie ein erfülltes Leben führen konnten. Auch ohne klösterliche Erziehung hätte Christine Ebner wahrscheinlich lesen und schreiben gelernt und vielleicht sogar, bei entsprechender Heirat, an der Geschäftsführung einer Handelsfirma teilgehabt[4]. Eines jedoch ist sicher: Nie hätte sie in der »Welt« ein Leben führen können, das von ihren eigenen Neigungen und Strebungen geprägt war. Wir können heute nicht mehr sagen, ob das siebenjährige Kind schon seine Bestimmung in sich spüren konnte und ob diese Bestimmung tatsächlich ursprünglich religiöser Art war, oder ob geschlechtsspezifische Erfahrungen, vermittelt von den Frauen des eigenen

Lebenskreises, mitspielten – die »geistliche« Lebensform jedenfalls konnte, trotz aller Zwänge eines regulierten Gemeinschaftslebens, wie keine andere die Möglichkeit bieten, ein eigenes Leben zu führen, über den familiären Umkreis hinaus tätig zu werden, Einfluß zu nehmen. Es ist nicht die Frau aus dem Patriziergeschlecht, sondern die Nonne, vor welcher der König und die anderen Großen niederknien.

Der Königsbesuch wird in einem einzigen Satz notiert – vielleicht einer der überzeugendsten Hinweise auf die Realität ihrer Gnadenerlebnisse: Wer dem Göttlichen begegnet, wird von weltlicher Größe nicht mehr beeindruckt. Ein ungeheures Selbstbewußtsein erwächst aus der Erfahrung der Begnadung und Auserwähltheit. Grundgelegt ist es in einer Demut, die sich bis zuletzt der eigenen Schwäche und Sündhaftigkeit bewußt ist, ja dieses Bewußtsein um so mehr vertieft, je mehr die Größe und Allmacht Gottes erfahren werden. Je größer jedoch die eigene Schwäche, desto größer auch die Begnadung durch Gott. Die Frage mittelalterlicher Theologen, ob die Frau von Anfang an eine Seele habe, ist hier keine Frage: Gott hat die Seele in seiner Gottheit geformt und »spielte« schon mit ihr, »ehe sie je zu Menschen geboren wurde«. Die begnadete Seele ist einzigartig: Gott nimmt sich ihrer an, als habe er niemand als sie. Ihn, »vor dessen Antlitz erschrecken Cherubim und Seraphim«, drängt es hin zu ihr, als ob sie sein *eben gnos* sei, sein ihm ebenbürtiger »Genosse«.

Und all das, was Gott an ihr begangen hat und täglich neu vollbringt, ist wahr, selbst wenn alle Meister der Welt dem widersprechen würden! Eine Überkompensation vor dem Hintergrund »unbefriedigten Frauentums«? Nein, ein konkreter Anspruch! *Mulier taceat in ecclesia?* Die Frau schweigt nicht mehr in der Kirche – sie urteilt und gibt Rat, sie ist Prophetin und Seelsorgerin. Ihre Furcht, es komme ihr nicht zu, ein Übel als übel und Gutes als gut zu bezeichnen, wird ihr genommen: Was den Heiligen und Papst Gregor recht war, das soll ihr billig sein. Gilt ihr Urteil zuerst dem Verhalten ihrer Mitschwestern und auch der Priorin, so greift es bald darüber hinaus: Sie übt Kritik auch an Priestern, an Kaiser und Papst, äußert sich über die Seelenzustände Lebender wie Verstorbener. Prophetisch ergreift sie das

Wort zu den bewegenden Geschehnissen der Zeit: Pest, Judenverfolgung, Erdbeben, Kirchenbann, Königswahl, nicht zu vergessen auch Nürnberger Modetorheiten. Ihr Wort ist gefragt. Geißler suchen sie auf, sie predigt ihnen; dem Burggrafen redet sie ins Gewissen. Schon der Siebzehnjährigen hatte ein Engel versichert: »Du bist eine Predigerin.« Und eine Seelsorgerin. Die Sorge um die Seelen wird formelhaft greifbar in einem »Topos der Gnadenfrucht«[5]: Immer wieder werden auf ihre Bitten hin »Seelen aus dem Fegfeuer erlöst, Sünder bekehrt und gute Menschen in ihrem Tun bestärkt«.

Daß die Seelsorge einer Nonne nicht nur im Gebet erfolgte, sondern reales Tun einschloß, zeigt sich an vielen Stellen: etwa als Christine einen Ordensmann von Selbstmordgedanken befreien will. Immer wieder versucht sie, Einfluß zu nehmen: auf ihre Familie, auf ihre Stadt Nürnberg, auf den Orden, auf die Frommen im Lande, ja auf alle Menschen. Sie kennt Heinrich von Nördlingen, hat Kontakt zu Tauler, liest Mechthild von Magdeburg. Über vieles ist sie erstaunlich gut informiert, sie hat vieles gehört, hat zu anderen gesprochen und ihnen geschrieben. Und auch an ihr körperliches Heil gedacht: Ein Heilwasser kann manchem Kranken helfen. Hatte sie mit dem Klostereintritt der »Welt« entsagt, so kommt nun die »Welt« zu ihr, zu einer Frau, die »Heil« bringt, körperliches wie seelisches. Hierarchische Verhältnisse kehren sich um: Einem Priester schreibt sie Ermahnungen »wie eine Mutter ihrem Kind«; ihr den Zugang zu Gott zu verwehren, wird »allen Priestern die Gewalt über dich genommen«!

Christine Ebner ist zu einer Autorität geworden, innerhalb und außerhalb des Klosters. Eine Autorität, die erkämpft werden mußte. »Zuerst hatte sie geschwiegen zu dem, was man in der Kapitelversammlung ihr und anderen gegenüber tat. Weder zu Schuld noch zu Unschuld äußerte sie sich.« Als Gott ihr dies streng verwiesen hatte, »da sprach sie künftig im Sinn der Gerechtigkeit. Das legte man ihr übel aus, sprach harte Worte und hegte Groll gegen sie. Sie aber wurde um so kühner, und sie empfand manchmal, eine Mauer stünde vor ihrem Herzen, daß ihr die harten Worte nicht zu Herzen gingen.«

Christine erregte Anstoß. Nicht nur durch die Eigenwilligkeit und zugleich Konsequenz ihrer Kasteiung. Die Härte sich selbst gegenüber wird sehr bald zum Anspruch anderen gegenüber: zuerst unausgesprochen, als provozierendes Beispiel, dann auch ausdrücklich, indem sie immer wieder strenge Einhaltung der Ordensregeln fordert. Ein Traumgesicht zeigt, wie Priorin und Subpriorin den göttlichen Zorn erfahren müssen, weil sie Verstöße gegen die Ordensregel »hingehen ließen und nicht richteten«. Es ist sicher nicht nur der Topos von der »Verkennung durch die Welt«, wenn es heißt, daß sich die Menschen vielfach an ihr »ärgern« und sie »hassen«: Da werden offene Konflikte mit Mitschwestern und klösterlicher Obrigkeit deutlich. Immer wieder geht es ihr um »Gerechtigkeit«, eine Sachgerechtigkeit ebenso wie eine klare Unterscheidung von richtig und falsch, gut und böse. Wir wissen nicht, wie Christine anderen Menschen »privat« begegnet ist – die Quellen schweigen darüber –, in ihren Aufzeichnungen jedenfalls ist nichts von »weiblicher« Güte, Nachsicht und Sanftmut. Da zeigen sich vielmehr Strenge, Konsequenz und eine »fast männliche Willenskraft«[6]. Weiblich, männlich? In einer vielschichtigen Gruppierung von Frauen entwickeln sich offensichtlich all diejenigen Eigenschaften, die sonst im gesellschaftlichen Rollenspiel nur Männern zugesprochen, ihnen eingeräumt, aber auch von ihnen gefordert werden. Unsere Klassifizierungen taugen nicht.

Und so sollte dann auch Christines starke Emotionalität nicht als eben »typisch weiblich« gelten, sondern als Teil eines vielseitig ausgeprägten Charakters. Feuer- und Wasser-Metaphern prägen ihren Stil. Mag jede einzelne dieser Metaphern in der Tradition nachweisbar sein – alle zusammen, oft wiederholt und variiert, scheinen mir doch ganz Persönliches zu vermitteln: eine Empfindungs- und Denkart, die in ständiger Bewegung und Dynamik alles Statische hinter sich läßt. Das »brennende Herz« ist ihr Lieblingsbild. Männlich oder weiblich?

Ein Lieblingsspiel der Interpretatoren auch, in den Bildern der Visionen weibliches Empfinden dingfest zu machen, sei es in Form versteckter Muttergefühle oder unterdrückter Sexualität. Das Kind in der Hostie: eine traditionelle Metapher für die personale Gegenwart des Göttlichen; das Saugen der Brüste: ein Bild des Gnadenflusses – all dies begegnet auch bei männlichen

Visionären; bei Christine Ebner fällt höchstens die Seltenheit solcher Bilder auf. Auseinandersetzung mit der Sexualität ist gewiß in manchen Formen ihrer Askese nachweisbar, doch nicht mehr als die Versuche, auch von den anderen triebhaften Strebungen – Nahrungs- und Besitztrieb, Geltungs- und Machttrieb – unabhängig zu werden. Verklemmungen und Triebverdrängung aber – dann müßten wohl teuflische Versuchungen ihre Visionen prägen. Der Teufel, soweit er überhaupt vorkommt, ist ihr vor allem der Geist, der Verwirrung stiftet in der Unterscheidung von wahr und falsch, gut und böse. Man wird sich schwer tun, das Weibliche bei Christine Ebner herauszustellen, und ebenso, es zu negieren.

Und doch ist das Weibliche bei Christine Ebner durchgehend – in einem überindividuellen, kulturhistorischen Sinn: als ein Denken, Empfinden, Sprechen und Handeln, das zwar durchaus auch von Männern vollzogen werden kann, das aber spezifisch zu sein scheint für eine von Frauen getragene alternative Kultur um 1300.

Es geht hier um eine neue Form der Gotteserfahrung und damit verbunden auch der Selbsterfahrung. Und zugleich um deren theologische Reflexion. »Weiblich« ist die Äußerung in Form von Visionen und Offenbarungen – gezwungenermaßen. Zwar haben auch Männer Visionen und Offenbarungen; für die Frauen jedoch sind sie die einzig mögliche Form, sich zu theologischen und politischen Fragen zu äußern – Lehrstühle standen ihnen nicht offen. Aus dem Zwang wird eine Stärke: Bilder und persönliche Gespräche sollen die Wahrheit erfahrbar machen. Kein Lehrsatz: »Gott liebt alle Menschen«, sondern: »Meine Wohnung ist in deiner Seele, und ich habe Kurzweil mit dir. Es besaß nie ein Geiziger so begehrlich einen Schatz, noch kam nie ein Kind so willig zu seinem Vater, wie ich begierig zu dir gekommen bin.«

Die Welt, der Gott sich zuwendet, ist »krank«. Dekadenzgefühle sind in den Jahren um 1300 nichts Seltenes angesichts des Zerfalls kirchlicher und staatlicher Autorität. Bußprediger und Moralisten finden ihr Publikum. Anders jedoch die Nonne: Schwäche wird zur Stärke! Gerade jetzt wirkt Gott »neue Minnezeichen«. In den Anfängen der Christenheit vermochten nur starke Naturen die Gnade zu gewinnen; jetzt aber, in die »kranken« Menschen der Gegenwart, ergießt sich Gott »unverdient« im Ausbruch seiner Barmherzigkeit. Die »verlorene Zeit« ist »erfüllt«. Zwar sind diese Gedanken – Christine sagt es ausdrücklich – dominikanischen Predigten entnommen; diese Predigten aber sind nicht denkbar ohne ihre Hörerinnen: Die Nonnen sind es, deren Herzen davon »kühn« werden. Geradezu leitmotivisch erwähnt Christine es immer wieder: In einem *kranken vas*, einem schwachen Gefäß, werden die Taten Gottes um so erstaunlicher. Dem Leistungschristentum wird, mit Berufung auf die Arbeiter im Weinberg, eine Haltung gegenübergestellt, die in ihrer Schwäche auf das »süße Wort Gottes« und auf seine Gnade vertraut.

Zwei Gottesbilder stehen sich gegenüber[7]. Gott, »ein Herr und ein Herrscher«, ein »zorniger Richter«, dessen Antlitz sie in einer Vision *gerechteclich* gestaltet sieht, als er viele Seelen zum ewigen Tod verurteilt. Ein Gottesbild, das ihr bis zuletzt immer wieder vor Augen steht – ein übernommenes Bild! Denn Gott, wie sie ihn persönlich erfährt, ist ein anderer: Der *derschrekenliche* Gott und Herrscher aller Kreatur neigt sich tief zu ihr. Er kommt »nicht als ein Richter, sondern als ein Heiler, nicht als Verdammender, sondern als ein *behalter*«, der seine Gerechtigkeit »schleifen« läßt! Denn wie einer, »der von Minne trunken ist und seiner selbst unwissend«, kann er seine »tobende ungestillte Minne« nicht »verhehlen« und wählt sich einen Menschen, um an ihm die großen Werke seiner Barmherzigkeit zu üben. »Es kam nie ein Gemahl so williglich zu seinem Gemahl, ich bin williglicher zu dir gekommen.« »Meine Begierde ist höher als aller Menschen Begierde.« »Eine jede minnende Seele ist mein anderer Himmel.« Ein Gott der Liebe und der Barmherzigkeit, real präsent im Geschehen der Eucharistie. Das andere Gottesbild, es wird zwar nicht negiert, aber immer deutlicher in die Distanz gerückt – in die persönliche Distanz: »Bin ich nun für meine Feinde ein strenger Richter, so bin ich für meine Freunde ein minniglicher Minner«, und schließlich in die historische Distanz: »Im Alten Bund war ich ein Herrscher, aber nun, im Neuen Bund, bin ich der Welt ein Minner.«

Dieser liebende Gott ist auch ein mütterlicher Gott. Soweit nicht Gottvater als Person der Dreifaltigkeit gemeint ist, erscheint Gott nur selten wie ein Vater, an zehn Stellen jedoch »wie eine Mutter«, die »ihr einziges Kind« minnt, mit Süßigkeit säugt, zärtlich zu ihm ist, es ziert, ihm treu ist, den »Fluß des wallenden Herzens« zu ihm lenkt und es *fleissiclichen bedeht*: für es sorgt, es beschenkt und all ihre Gedanken auf es hinrichtet.

Dieser Gott ist ein Gott des Gesprächs. Die durchgehend dialogische Struktur der »Offenbarungen« ist nicht nur formales Mittel, sondern wesentliche Aussage. Berichte anderer Mystiker zeigen außerordentliche Erfahrungen auf, Ekstasen, Entrückungen, Erlebnisse der *unio*, und suchen in Bildern das Geschaute anzudeuten. Christine Ebner hat offensichtlich solche Erfahrungen gemacht und konnte von Zuständen sagen, »daß kein Blutstropfen in ihr war, er sei nicht Gottes voll«. Diese Erfahrungen deutet sie jedoch höchstens an, schildert sie nicht. Sie nämlich zeigt den Gott, der die liebende Begegnung mit dem Menschen im Gespräch sucht. »Im Alten Bund sprach ich mit den Propheten, aber im Neuen Bund *lustet* es mich, mit einem Menschen süß zu reden.« Die »süße Rede Gottes« ist geradezu das, was den Neuen vom Alten Bund unterscheidet; sie ist das »unmögliche« Wunder Gottes.

Dieser Gott sucht nicht nur das Gespräch mit dem Menschen – er selbst *ist* Gespräch. Als dreifaltiger Gott. Wenn Christine die Dreifaltigkeit *minnet uber allü ding* und ihr Geheimnis betrachtet, so kennt sie die üblichen Bilder. Für den innertrinitarischen Austausch aber stehen nicht nur die traditionellen Metaphern des Fließens; er ist vor allem Gespräch: In wechselseitiger Frage und Antwort – »Da sprach der ewige Vater zu seinem geliebten Sohn: Was sagt der Heilige Geist dazu?« – wird das Werk der Erlösung begonnen, und wo »alle Zungen müssen verstummen« angesichts der Größe der göttlichen Gnade, da bringt Gott im Gespräch sich selbst den Dank dar.

All dies ist gemeint, wenn der Redaktor von Christines Aufzeichnungen als zehnten, abschließenden und krönenden Teil des Buchs nennt: Gottes »süße Rede«. In einer großangelegten Rede Gottes, die alle Erfahrungen nochmals umfaßt, endet denn auch das Buch:

»Gedenke, wie ich dir meine Minne erzeigt habe. Aus Minne lasse ich mich von dir umfangen, so umfange auch ich dich, geminnte Kreatur. Ich lasse mich von dir stehlen in der Minne, freiwillig lasse ich mich von dir brauchen. Du bist eine Offenbarung meiner Barmherzigkeit. Ich will meinen himmlischen Vater für dich bitten, alles Gute an dir zu vollbringen. Mein Regen regnet dir, daß du fruchtbar wirst. Ich will dich frei machen mit meiner göttlichen Freiheit. Du bist in meiner Minne und sollst nie mehr daraus kommen. Ich, ein großer Minner, übe meine große Treue an dir. Keine Mutter minnte ihr einzig Kind so sehr, wie ich dich geminnt habe. Wo war je eine so große Gabe so minniglich gegeben?«[8]

Die Theologie von einem Gott, der sich wie eine Mutter dem Menschen zuwendet und als ein Liebender mit ihm spricht – diese Theologie blieb immer auf einen engen Kreis beschränkt. Welcher Theologe kennt schon Christine Ebner, Irmgard von Kirchberg und die vielen anderen Dominikanerinnen, deren Berichte höchstens zufällig überliefert geblieben sind? Selbst die Verehrung dieser heiligmäßigen Schwestern unterblieb, wurde nur manchmal noch eine Zeitlang im eigenen Kloster gepflegt. Nürnberg, wirtschaftlich erfolgreich genug, brauchte keine neue Stadtheilige. Und auch in der Kirche brauchte man diese Nonnen nicht – gefragt waren Dogmatiker und Kirchenrechtler. Bis heute.

Und auch wir heutigen Leser tun uns schwer mit dieser Gesprächstheologie, ähnlich wie mit der in Bildern erzählenden Theologie in Christines »Büchlein von der Gnaden Überlast«, das keineswegs nur eine anmutige Schilderung verklärten Nonnenlebens ist. Wir vermissen Systematik, Logik, und wir ermüden, wenn in der Bilder- und Gesprächsflut scheinbar immer nur die gleichen Grundgedanken variiert werden. An Unfähigkeit der Autorin oder des Redaktors kann dies nicht liegen: Der Redaktor folgt im wesentlichen den Intentionen Christine Ebners, und diese selbst, sprachlich hochbegabt, wußte stilsicher eine literarische Form zu gestalten. Da heißt es von der göttlichen Rede: »Früher da redete ich in fremder Rede mit den Propheten, jetzt aber rede ich mit dir in verständlicher Rede.« Es ist kein Sprechen, das »von oben her« aus der Position des Wissenden einen Unwissenden belehren soll, sondern ein Sprechen, das – vielleicht »wie eine Mutter« – zum Verstehen hinführen will, indem es teilhaben läßt. Es nimmt sich Zeit, erfordert Geduld; im Hörenden soll ein Bewußtseins- und Gemütszustand entstehen, der das Mitgeteilte erfahrbar macht. Ein Sprechen, das nicht auf Informationsvermittlung zielt, sondern Verständnis will und dabei Einverständnis voraussetzt. »Nun sei mir geduldig in diesen Dingen.« Kein Wahlspruch männlich geprägter Leistungsgesellschaften. Jede Zeit hat die Theologie, die sie verdient.

Anmerkungen

1 *A. Graf*, Von der Minne Überlast. Die himmlische und irdische Liebe der Nonne Christina Ebnerin von Engelthal, Nürnberg 1922, 70.
2 Vgl. *E. Ennen*, Frauen im Mittelalter, München 1984, 138.
3 Siehe *Matthäus Bernards*, nach *E. Ennen*, 115.
4 Vgl. *E. Ennen*, 193 und 185f.
5 Siehe *S. Ringler*, Viten- und Offenbarungsliteratur, 195–198.
6 *A. Volpert*, Christina Ebner 1277–1356, in: Fränkische Klassiker. Eine Literaturgeschichte in Einzeldarstellungen, hrsg. von *W. Buhl*, Nürnberg 1971, 149–159, hier 151.
7 Vgl. *S. Ringler*, Viten- und Offenbarungsliteratur, 268.
8 Auszüge aus dem Schlußkapitel der Stuttgarter Handschrift, f. 153v–154v.

Literatur

Ediert ist bisher lediglich Christine Ebners Engelthaler Schwesternbuch: Der Nonne von Engelthal Büchlein von der genaden uberlast, hrsg. von *K. Schröder*, Tübingen 1871 (in neuhochdeutscher Übertragung bei: *M. Weinhandl*, Deutsches Nonnenleben, München 1921; *W. Oehl*, Das Büchlein von der Gnaden Überlast, Paderborn 1924). Eine Edition des Hauptwerks (bisher nicht ganz zutreffend betitelt »Leben und Offenbarungen«)

wird zur Zeit von *U. Peters* vorbereitet. Grundlegend hierfür ist ein Buch in der Art eines »Gnadenlebens«, das Aufzeichnungen über die gesamte Lebenszeit enthält, niedergeschrieben ab 1317. Ein weiteres Buch aus den Jahren 1344–51/52 ist in der Art von Visionsniederschriften gehalten, mit zahlreichen realgeschichtlichen Bezügen. Am besten zugänglich sind die Texte bisher in der späten, aber zuverlässigen Handschrift der Landesbibliothek Stuttgart, cod. theol. et phil. 2^0 282 (18. Jh.); aus ihr stammen auch die von mir zitierten Stellen.

Bisherige Darstellungen beschränken sich weitgehend auf biographische Aussagen und sind im wesentlichen ohne nähere Kenntnis der Handschriften entstanden. Einige Ansätze für eine intensivere Beschäftigung mit Leben und Werk Christine Ebners bieten meine bisherigen Arbeiten: *S. Ringler*, Viten- und Offenbarungsliteratur in Frauenklöstern des Mittelalters, München 1980; Christine Ebner, in: Die deutsche Literatur des Mittelalters – Verfasserlexikon, hrsg. von *K. Ruh*, Berlin/New York, Bd. 2, ^{2}1980, 297–302 (bes. zur Handschriftenüberlieferung und Gattungstypologie); Die Rezeption mittelalterlicher Frauenmystik als wissenschaftliches Problem, dargestellt am Werk der Ebner Christine, in: Frauenmystik im Mittelalter, hrsg. von *P. Dinzelbacher* und *D. R. Bauer*, Ostfildern bei Stuttgart 1985, 178–200.

Die bisher detaillierteste Darstellung der Textstruktur gibt: *U. Peters*, Das »Leben« der Christine Ebner: Textanalyse und kulturhistorischer Kommentar, in: Abendländische Mystik im Mittelalter – Symposion Kloster Engelberg 1984, hrsg. von *K. Ruh*, Stuttgart 1986, 402–422.

Margareta Ebner

MANFRED WEITLAUFF

Margareta Ebner kommt in der Geschichte der spätmittelalterlichen Nonnenmystik aus zweierlei Gründen besondere Bedeutung zu: Zum einen haben sich von ihr (wie nur von sehr wenigen anderen zeitgenössischen Mystikerinnen) ganz persönliche, das heißt nicht von einem Beichtvater oder Seelenführer gefilterte bzw. »klosterpädagogisch« zurechtgerückte, Aufzeichnungen über ihren »mystischen Weg« erhalten; zum anderen erschließt sich in einem Bündel an sie gerichteter, ebenfalls ganz persönlicher Briefe auch der Priester, der auf sie nach ihrem eigenen Zeugnis den tiefsten Einfluß ausgeübt hat, nämlich Heinrich von Nördlingen. Wohl handelt es sich bei Margaretas Aufzeichnungen, ihren sogenannten »Offenbarungen«, nicht um eine völlig selbständige Niederschrift. Als Margareta auf Drängen Heinrichs im Advent 1344 mit der Niederschrift ihrer »Offenbarungen« begann (offensichtlich gestützt auf tagebuchartige Notizen und frühere briefliche Mitteilungen an Heinrich), stand ihr eine vertraute Mitschwester (Elsbeth Schepach, seit 1345 Priorin) bei, und es ist auch mit stilistischen Glättungen von der Hand Heinrichs zu rechnen. Zudem sind die »Offenbarungen« nicht im Original, sondern lediglich in Abschrift überliefert, deren älteste allerdings bereits 1353, zwei Jahre nach Margaretas Tod, gefertigt wurde. Im ganzen aber erwecken die »Offenbarungen« – als eine Art innerer Autobiographie – den Eindruck der Authentizität. Sie gewähren Einblick in die Leidensgeschichte, das mystische Erleben und die spirituellen Erfahrungen einer empfindsamen, lauter gesinnten, schlichten Nonne, deren Wesensgrundzug unerschütterliches Gottvertrauen war. Und was die (nur in einer Handschrift des 16. Jahrhunderts überlieferten) Briefe Heinrichs von Nördlingen betrifft, so stellen sie in der Tat früheste Dokumente einer erbaulichen Korrespondenz intim-persönlichen Charakters in deutscher Sprache dar.

Margareta entstammte dem seit 1239 urkundlich nachweisbaren Donauwörther Patriziergeschlecht der Ebner. Um 1291 geboren, wurde sie schon in jungen Jahren dem Dominikanerinnenkloster Medingen bei Dillingen an der Donau übergeben, das vor allem Töchtern aus den gehobenen Ständen Aufnahme bot. Eine Tante Margaretas gehörte dem Konvent bereits an, und weitere Verwandte scheinen ihr gefolgt zu sein, wie überhaupt das Kloster allem Anschein nach engere Verbindungen zum Donauwörther Stadtpatriziat pflegte. Der Konvent selber, ebenfalls 1239 erstmals urkundlich erwähnt, war aus der religiösen Frauenbewegung jener Zeit hervorgegangen und hatte seiner Lebensordnung wohl von Anfang an die Augustinus-Regel, also dominikanischen Brauch, zugrunde gelegt. Im Jahr 1246 war er von Papst Innozenz IV. (1243–1254) der geistlichen Leitung der Predigerbrüder überantwortet worden, wie zahlreiche andere Frauenkonvente im schwäbisch-alemannischen Raum auch, und Graf Hartmann IV. von Dillingen († 1258) hatte im selben Jahr dem Kloster durch großzügige Schenkungen die wirtschaftliche Sicherung gegeben, die unerläßliche Voraussetzung dafür war, um den Konvent in strenger Observanz halten zu können. Beide Maßnahmen hatten im Zusammenhang mit den damaligen kirchlichen Bemühungen gestanden, die ebenso mächtig wie (aus kirchlicher Sicht) gefährlich aufgebrochene religiöse Frauenbewegung mit ihren teils enthusiastisch-schwärmerischen, teils auch exzessiven Erscheinungen unter Kontrolle zu bringen durch Überführung der sozusagen spontan sich herausbildenden vielen frommen Frauenzirkel und -gemeinschaften in traditionell erprobte (klösterliche) Lebensformen. Mit ihrer Hilfe hoffte man unter kluger geistlicher Direktion das religiöse Streben dieser Frauen disziplinieren zu können.

Für diese drängende und zugleich höchst delikate Aufgabe schienen die Predigerbrüder, denen man nicht ohne Grund ausgezeichnete Bildung nachrühmte, mit am vorzüglichsten gerüstet zu sein, weshalb man ihnen – anfänglich sehr gegen ihren Willen – nach und nach die Hauptlast der *cura monialium* aufbürdete, neben den Zisterziensern und den Franziskanern. Die päpstliche Weisung kam dem Wunsch nicht weniger Frauengemeinschaften, die längst aus eigenem Antrieb bei den Dominikanern (aber auch bei den genannten anderen Orden) Anschluß suchten, durchaus entgegen. Das Kloster Medingen gehörte jedenfalls zu den über 65 zahlenmäßig meist starken Frauenkonventen, die am Beginn des 14. Jahrhunderts in Oberdeutschland der Seelsorge der Predigerbrüder überantwortet waren.

Freilich kannten die Dominikaner der oberdeutschen Provinz (Teutonia) weder das Institut des im Schwesternkloster als Spiritual ständig residierenden Predigerbruders, noch verfügten sie, wie es scheint, über die erforderliche große Zahl an geeigneten Brüdern, um alle ihnen unterstellten Frauenkonvente gleichmäßig betreuen zu können. Man mußte deshalb wohl zuweilen auch auf die Hilfe von Weltgeistlichen und Angehörigen anderer Orden zurückgreifen. Seit 1313 hatte in der Provinz Teutonia für ein Jahrzehnt Meister Eckhårt als Generalvikar des Ordensleiters die Oberaufsicht über die dominikanischen Frauenklöster inne. Unter anderem entstanden in jener Zeit seine unvergleichlichen späten deutschen Predigten, in welchen er dem asketisch-mystischen Vollkommenheitsstreben der Nonnen unentwegt korrigierend seine Position des Freiwerdens von allem Eigenen entgegensetzte. Aber ob der Ruf des berühmten Predigers, dessen hohe Rede eifrig mit- und nachgeschrieben, jedoch nur selten wirklich verstanden wurde, auch bis zu den Schwestern von Medingen drang? Ob Meister Eckhart als Generalvikar mit dem Medinger Konvent je in Berührung kam? Ob in diesem Konvent damals und später überhaupt Predigerbrüder seelsorgerlich tätig waren? Wir wissen es nicht, und auch Margaretas »Offenbarungen« geben uns darüber keinen Aufschluß. Dabei war der Konvent bereits 1260 auf einen Mitgliederstand von über 70 Nonnen angewachsen, so daß man sich wegen Überfüllung zur Gründung einer Filiation im nahen Obermedlingen entschlossen hatte.

Wie die übrigen Klöster der Dominikanerinnen setzte sich auch der Medinger Konvent zusammen aus den Chorfrauen, deren Hauptaufgabe der Chordienst (das *opus dei*) war, und aus den sogenannten Laien- oder Konversschwestern, denen die Verrichtung der häuslichen Arbeiten und die Abwicklung der notwendigsten Geschäfte mit der Außenwelt oblagen. Lebensziel der Nonnen war die restlose Hingabe an Gott. Völliger Verzicht auf persönliche Habe, strikter Gehorsam gegenüber der vom Konvent gewählten und vom Provinzialoberen bestätigten Priorin sowie rigorose Abtötung des Leibes und Brechung des Eigenwillens durch härteste Askese sollten sie für dieses Ziel bereiten, getreuliche Verrichtung des kirchlichen (lateinischen) Stundengebets bei Tag und Nacht sowie privates Beten und Betrachten ihm näherbringen. Die Verpflichtung zur strengen Klausur diente dem Zweck, die Nonnen weltlichen Einflüssen zu entziehen und auf ungestörte Beschaulichkeit zu konzentrieren. Eine hohe Mauer umfriedete deshalb das Kloster. Der Verkehr mit Weltleuten und Geistlichen unterlag scharfer Beschränkung und erfolgte durch Sprechgitter und »Winde«. Die Klausur zu betreten war ausschließlich dem Beichtiger und dem Visitator gestattet.

Einblick in das innere Leben des Medinger Konvents gewähren lediglich Margaretas »Offenbarungen«, und auch diese äußern sich nur andeutungsweise. Doch lassen die »Offenbarungen« immerhin darauf schließen, daß Frömmigkeit und mystisches Vollkommenheitsstreben im Medinger Konvent sich von der in den zahlreich überlieferten »Schwesternbüchern« anderer Klöster sich spiegelnden religiösen Vorstellungs- und Erlebniswelt der frühen Dominikanerinnen kaum unterschieden. Was freilich Margareta betraf, so deutete nach ihrer (rückblickenden) Schilderung zunächst nichts darauf hin, daß sie – im Sinne jener Vorstellungs- und Erlebniswelt – besonderer Begnadung gewürdigt würde, obwohl sie natürlich bereits in ihren frühen Klosterjahren strengste Askese übte, schon durch die Ordensregel dazu verpflichtet war. Da wurde Margareta im Jahr 1312, am Tag der Heiligen Vedastus und Amandus – wie sie ausdrücklich festhielt –, am 12. Februar also, unversehens von einer schweren, rätselhaften Krankheit niedergeworfen, nachdem sie im Jahr zuvor schon eine »inner manung von got, daz ich mich in sinen willen rihte an allem minem leben«, umgetrieben hatte. War es die Folge übermäßiger Kasteiung, der sich die möglicherweise zarte Konstitution der damals wohl Zwanzigjährigen auf Dauer nicht gewachsen zeigte? Waren die

Ursachen psychischer Art? Jedenfalls erlitt Margareta einen totalen Zusammenbruch, der ihren Körper lähmte. Drei Jahre lag sie ihrer selbst nicht mächtig da, »und wen ez mir in daz haupt gieng, so lachet ich oder wainet vier tag oder mer emsclichen«. Erst als Margareta, vom Konvent, dem sie eine Last zu werden begann, verlassen, den Rat einer um sie treu besorgten Mitschwester beherzigte und lernte, sich in ihre Krankheit als Fügung Gottes, der »allain diu war triwe wer«, zu ergeben, fand sie allmählich Linderung und innere Ruhe, obwohl die Krankheit noch weitere dreizehn Jahre andauerte, sie über die Hälfte der Zeit an das Bett fesselte und wiederholt in Todesnöte stürzte.

Durch die Krankheitserfahrung in ihrem Wesen offensichtlich verändert und aufs äußerste sensibilisiert, verschloß sich Margareta mitsamt der sie betreuenden Schwester »etwe vil jar« in ihrer (teilweise durchaus selbstbereiteten) Einsamkeit und verbrachte die Zeit, indem sie in schier endloser Folge Vigilien, Psalter und ihre Paternoster betete, wohl eine Mischung von Vaterunsern, Betrachtungen des Lebens Jesu nach Schrift und Legende und frei formulierten Gebeten. Aus ihnen schöpfte sie Trost und »überwant vil kranchait da mit«. Tröstlich empfand sie überdies den Andrang armer Seelen, der sie (wohl wenn sie des Nachts schlaflos lag) – wie viele mystisch begabte, leiderfahrene Menschen vor und nach ihr – überkam: Diese »ofenten mir diu ding diu ich gern west von mir selber und auch von den selen«, deren sie betend gedachte. Arme Seelen bestätigten ihr, daß sie »vil selen geholfen het« und daß Gott an ihrem Leben Gefallen habe, »und sunderlich waz im aller liepst an mir wer, und daz was min groz diemüetikait«. So begriff sie ihre Krankheit und deren bedrückende Folgen mehr und mehr als ihren Weg der Reinigung und Läuterung, und im Licht dieser Einsicht wurde ihr klar, daß es gelte, »crefteclich... von allen liplichen dingen« Abschied zu nehmen, mit einem Wort: sich selber zu »lâzen«, wie es Meister Eckhart auszudrücken pflegte. Doch der innere Umbruch, der sich bei ihr vollzog, ging – wie sie selbst bekannte – nicht ohne äußere Reibungen ab, im Konvent und während eines durch Kriegsgefahr erzwungenen Aufenthalts bei ihrer Mutter und ihren Geschwistern (vermutlich um 1324/25, als Ludwig der Bayer gegen Burgau anrückte).

Dem Entschluß, jegliche Bindung an Vergängliches zu lösen, folgten, gleich als ob er erprobt werden sollte, neue harte Prüfungen. Im Abstand zweier Jahre (1332 und 1334) wurden Margareta zwei Mitschwestern, die ihr nacheinander als Pflegerinnen gedient hatten und in schweren Stunden Stütze gewesen waren, durch den Tod entrissen. Beider Verlust erschütterte sie so sehr, daß sie ihrer lange Zeit nur laut weinend und klagend gedenken konnte und solche Traurigkeit sie übermannte, »daz ich niemans geahten moht, und die mir vor liep waren, die maht ich nit gesehen«. Der Tod der ersten Schwester, der ihr schier das Herz zerbrach (obwohl sie von ihr sichere Kunde empfangen haben wollte, »daz siu ze himel wär«), wurde ihr Anlaß zum Vorsatz, künftig in noch größerer Verlassenheit zu leben, und sie machte es sich fortan zur Gewohnheit, jeweils von Donnerstag abends bis Sonntag sowie im Advent und in der Fastenzeit strenges Stillschweigen zu halten. Die Erfahrung eigener Unzulänglichkeit, »daz ich got minen willen niht gab, und im niht lepte an gedanken, an worten, an werken und an aller abgeschaidenhait«, im sie aufwühlenden Schmerz über den Tod der genannten Schwester ihr erneut bitterlich zu Bewußtsein dringend, gab ihr diesen – dann konsequent durchgehaltenen – Vorsatz ein. Mit dem Ertragen der Krankheit – so erkannte sie – war es nicht genug, auch persönlicher, freundschaftlicher Beziehungen mußte sie ledig werden. Diese Erfahrung bewirkte in ihr aber auch nachsichtiges Verständnis mit den Gebrechen und Fehlern ihrer Mitmenschen, zunächst ihrer Mitschwestern, und Mitleid mit deren Nöten.

Dennoch, Margaretas aufkeimendes Verständnis für menschliche Begrenztheit seit dem Tod ihrer beiden Pflegerinnen und ihre vermehrte Anteilnahme am Leben ihres Konvents mündeten in der Folge wohl kaum in jene selbstvergessene tätige Hinkehr zu ihren Mitmenschen, wie etwa Meister Eckhart sie empfahl, um einer allzu weit getriebenen Innerlichkeit vorzubeugen. Zwar besuchte sie im Siechenhaus zuweilen die eine oder andere kranke oder sterbende Schwester und suchte mit geistlichem Zuspruch zu trösten; aber mehr denn je richtete sie ihr ganzes Sinnen auf Gottversunkenheit. Wenn sie einer Mitschwester ein Zeichen der Liebe gab, so liebte sie auch darin in Wirklichkeit nur Gott, wie nicht wenige Mystikerinnen, die, wo sie liebten, Gott fühlten. Und mit dem regelmäßigen Stillschweigen, das sie übte, schuf sie sich ganz bewußt den Raum, der sie von allem, was ihr als Weltverhaftung erschien, abschirmte. Stundenlang verweilte sie vor dem Tabernakel, betend und betrachtend vertiefte sie sich in die Passion des Herrn. Indem sie Christi Leiden und Tod auf ihr empfindsames Gemüt wirken ließ, jede Einzelheit der biblischen Berichte und wohl auch ausmalender Legende (ganz entsprechend spätmittelalterlichem Frömmigkeitsempfinden) mit Inbrunst sich vergegenwärtigend, entschwand ihr das eigene Leid fast zur Bedeutungslosigkeit. Ja, im Licht der Passion des Herrn nahm sie nunmehr Krankheit, seelisches Leid hin »für ain getriu gab gotes, daz mich der im selber wolt beraiten«, glücklich, wenigstens in geringem Maße an seinem Leiden teilhaben und mittragen zu dürfen. Ihren ganzen Körper wünschte sie sich von den »zaichen... des hailigen criuczes« versehrt zu sehen, »und daz mir ieglichs mit allem sinem liden und smertzn geben würd«. Das Kreuz wurde zum Mittelpunkt ihrer Verehrung, der Gekreuzigte zum Inbegriff ihrer mystischen »minne«, »lust« und »begird«.

Die in dieser Entwicklung sich abzeichnende eigentlich »mystische Phase« in Margaretas Leben, zunächst ganz auf die Passion konzentriert, scheint unter dem Eindruck des Todes ihrer ersten Pflegerin eingesetzt zu haben, hatte sich allerdings – wenn auch als etwas noch durchaus Unbestimmtes – seit längerem schon angekündigt: in Träumen, die Ausfluß gewisser seelischer Erregungen und Gestimmtheiten waren, im Vernehmen einer inneren Stimme, wohl auch schon in einem Hinübergleiten vom mündlichen Gebet zum innerlichen Beten, das der Worte nicht mehr bedurfte – bis Margareta eines Freitags nachts auf dem Weg vom Klosterfriedhof zum Chor der Klosterkirche plötzlich süßer Wohlgeruch umfing und ihr »der nam Jhesus Cristus wart... da so kreftlich geben«. Dabei ist es für Margaretas erwartungsvoll gespannte Selbstbeobachtung, die solche Phänomene offensichtlich vermehren und verdichten half, und zugleich für ihre Selbstunsicherheit bezeichnend, wie sie darum rang, diesen Erlebnissen den Charakter göttlicher Gnadenerweise zuzusprechen, und im Grunde doch im dunkeln tastete.

Da trat »umb sant Narcissen tag« (29. Oktober) desselben Jahres (1332), in welchem sie ihre erstverstorbene Pflegerin verloren hatte, Heinrich von Nördlingen in ihr Leben: ein aus Nördlingen im schwäbischen Ries stammender Weltgeistlicher, dem wohl damals schon der Ruf eines Frauen- und Nonnenseelsorgers von außerordentlicher Spiritualität und Einfühlsamkeit vorauseilte. Er besuchte das Kloster Medingen zum erstenmal, vielleicht von den Schwestern herbeigerufen, um Margareta, die »zuo niemen gieng noch wandel het«, über ihre Trauer hinwegzuhelfen. Durch Bitten konnte man sie endlich dazu bewegen, den »warhaften friund« Gottes wenigstens anzuhören, und Heinrich wußte offenbar sogleich den rechten Ton anzuschlagen. In ihren Aufzeichnungen kommentierte Margareta jene erste Begegnung mit Heinrich mit den knappen Worten: »do ich aber dar kom, da hort ich sin warhaft ler gar gern.« Tatsächlich kommt darin schon zum Ausdruck, welche Bedeutung sie dieser Begegnung beimaß. In Heinrich hatte sie den geistlichen Gesprächspartner gefunden, von dem sie sich in der Tiefe verstanden fühlte, »von des worten und leben ich alle zit creftigen trost enphieng«, wie sie später schrieb. Aus der Begegnung erwuchs sozusagen im Augenblick eine lebenslange Seelenfreundschaft, die in Margareta gewiß nicht den »ker« oder »durchbruch« – um in Johannes Taulers Terminologie zu reden – bewirkte, ihr aber das Selbstvertrauen einflößte, um diesen »ker« durchzustehen. Margareta war, als sie Heinrich kennenlernte, gut vierzig Jahre alt.

Indes war es nicht so, daß Heinrich Margareta fortan zu regelmäßiger geistlicher Aussprache (durch das klösterliche Sprechgitter) zur Verfügung gestanden hätte. Seine Besuche im Kloster Medingen waren selten. Seinen Grund hatte dies nicht zuletzt in den politischen Wirren der Zeit, bedingt durch das schwere Zerwürfnis zwischen Kaiser Ludwig dem Bayern und den Päpsten in Avignon. Heinrich, ganz im Gegensatz zu Margareta ein unerschütterlicher Anhänger der avignonesischen Päpste, mußte (nachdem er sich bereits 1335/36 wegen eines Rechtsstreits in Avignon aufgehalten hatte) 1338 fliehen, weil er dem kaiserlichen Gebot, das über das Reich verhängte päpstliche Interdikt zu mißachten, nicht Folge leisten wollte. Für runde zehn Jahre verschlug es ihn ins Exil nach Basel, wo er als Prediger und Beichtvater wirkte, einen Kreis mystisch gestimmter Seelen, meist Frauen, um sich scharte und vielfältige Verbindungen knüpfte, immer auch in der Absicht, Margareta (seine mystische »Entdeckung«) unter den »Gottesfreunden« bekannt zu machen. In Basel lernte er Heinrich Seuse und den von Straßburg ebenfalls dorthin geflüchteten Johannes Tauler kennen; von Basel aus besuchte er die Nonnenklöster Unterlinden und Klingenthal, die Königinwitwe Agnes in Königsfelden, um nur einige Namen zu nennen. Hier entstand unter seiner Mitarbeit (um 1345) eine Umschrift des »gar in fremdem tützsch« gefaßten »Fließenden Lichts der Gottheit« Mechthilds von Magdeburg in alemannische Sprachform. Von hier aus versorgte er den Medinger Konvent gelegentlich mit frommer Lektüre, insbesondere mit dem »Fließenden Licht der Gottheit«, von dem er eine Abschrift mit Ehrfurcht heischenden Ermahnungen Margareta zuleitete. Doch zu persönlichem Zusammentreffen mit Margareta in Medingen ergab sich in diesen langen Jahren des Exils für Heinrich, wie es scheint, nur viermal Gelegenheit. Und als er Ende der vierziger Jahre das Basler Exil verließ und nach langem Umherirren als Wanderprediger Anfang 1350 endlich wieder heimatlichen Boden betrat, wütete im ganzen Land die Pest. Daß er Margareta nochmals wiedersah, daran ist nicht zu zweifeln. Aber schon im darauffolgenden Jahr – am 20. Juni 1351 – starb sie, etwa sechzigjährig. Im November desselben Jahres hielt sich Heinrich für drei Wochen im Kloster Engelthal (bei Christina Ebner) auf; danach verliert sich seine Spur.

So blieb als Mittel des Gedankenaustauschs zwischen Margareta und Heinrich auf weite Strecken nur die schriftliche Korrespondenz, von der sich jedoch – mit Ausnahme eines einzigen Briefes Margaretas – lediglich Heinrichs Anteil (und dieser vermutlich auch nur unvollständig) erhalten hat, als Frucht dieser Korrespondenz allerdings die Niederschrift von Margaretas

»Offenbarungen«. Man hat diese geistliche Korrespondenz, die nicht nur ein ziemlich konturenreiches Bild von Heinrichs Persönlichkeit und spirituellem Denken vermittelt, sondern auch Licht wirft auf die Zirkel spätmittelalterlicher Laienmystik, als »die älteste uns erhaltene Briefsammlung in deutscher Sprache« bezeichnet, »das Wort Briefe im modernen Sinne genommen, in denen der Schreibende über seine äußeren und inneren Erlebnisse berichtet« (Philipp Strauch). Andererseits ist man mit Heinrich von Nördlingen wegen seiner »verblasenen Geschwätzigkeit« herb ins Gericht gegangen und hat ihn als »Verkörperung der literatenhaften Dekadenz« apostrophiert, die »einen vollen Begriff von den Niederungen« gebe, »in denen die deutsche Mystik versandete« (Walter Muschg). Doch dieses harte Urteil bedürfte, um in solcher Pointiertheit Geltung beanspruchen zu können, zumindest der Abstützung durch Vergleich mit ähnlichen Briefsammlungen aus derselben Zeit, die aber nicht verfügbar sind. Gewiß, Heinrichs Briefe sind überladen mit Metaphern, ausschmückenden Epitheta, farbigen Bildern und Vergleichen, die für ein modernes religiöses Empfinden nicht selten die Grenzen des Erträglichen überschreiten. Was seine »Lehre« betrifft, so sucht man in ihr vergeblich tiefschürfende theologische Gedanken. Die Probleme, mit denen sich die theologischen Vertreter der Mystik abmühten, berührten ihn nicht, traten gar nicht in seinen Gesichtskreis. Was er suchte und auf seine Art predigte (aber in seiner Ruhelosigkeit selber nie zu »ergreifen« vermochte), war schlicht Innerlichkeit: Der Ruf des Herrn müsse in der Seele Widerhall finden, das innere Auge müsse für Gott aufgeschlossen sein; dann offenbare sich Gott in der Seele und weise sie »in seinem liecht... in sich selben, in das abgrund seiner ewiger klarheit« – das war (jedenfalls aus seinen Briefen zu schließen) die Quintessenz seiner »Lehre«, die er in immer neue, immer phantasievollere Bilder zu kleiden wußte. Und damit fand er in den Kreisen der »Gottesfreunde« offensichtlich begeisterten Anklang, bei Margareta und auch bei der (ihr geistig überlegenen) Engelthaler Mystikerin Christine Ebner dankbares Gehör. Aber man kann nicht sagen, daß Heinrichs (wohl vom affektiven Stil Heinrich Seuses beeinflußte) Sprache und »Bilderwelt« sich nicht in der literarischen Tradition des Mittelalters bewegt hätte. Und man darf bei der Beurteilung seiner Briefe nicht außer acht lassen, daß es sich bei ihnen zu einem beträchtlichen Teil um Briefe aus dem Exil handelt: Selbstvorwürfe und Klagen, Stimmungsschwankungen, Trost- und Anlehnungsbedürfnis, mit einem Wort: die ganze Unrast eines Herzens, die aus ihnen spricht – all dies ist wohl nicht zuletzt aus der Situation des in die Fremde Verbannten, unter seiner Heimatlosigkeit Leidenden zu verstehen, ebenso zum guten Teil seine mitunter einigermaßen exaltiert anmutende Verehrung, die er Margareta aus der Ferne zollt, sowie seine Sehnsucht, von ihr – die ihm sozusagen Inbegriff der Heimat war – eine (himmlische) Botschaft zu empfangen. Seine sichtlich auf affektive Wirkung angelegten Bitten, Selbstverdemütigungen, Belehrungen, Huldigungen (»kostliche gime gotz«, »hoch geborne tochter des himelschen chunigs«, »aller getruisti nothelferin meiner sel uf erdrich«, »geträwe sundentragerin der welt«) indes verfolgten das Ziel, Margaretas Phantasie und Erlebnisfähigkeit immerfort zu erregen, in ihr immer noch tiefere mystische Schau zu erzeugen. Indem er ihre Erlebnisse vorbehaltlos als mystische Erfahrungen deutete, ihre Träume in Gesichte umdeutete und einen als gottgewirkt zu verstehenden Zusammenhang zwischen ihren Erlebnissen und den Erscheinungen ihrer Krankheit (auch ihrer körperlichen Zustände) aufzeigte, festigte er in ihr die Überzeugung, daß ihre Widerfahrnisse aus Gott seien. Und entschlossen beschritt Margareta ihren »mystischen Weg«.

Margaretas Passionsmystik, von ihr als Brautmystik erlebt und in deren Sprache beschrieben, stellt sich als Variation dessen dar, was nach Ausweis der Überlieferung damals und bis in die Barockzeit (in zum Teil kräftigen »Nachklängen« bis in das 19. und 20. Jahrhundert) herein in Nonnenkreisen vielfältig erlebt wurde. Dabei pflegte sie einen Kreuzeskult, dem man einen exzentrischen Zug kaum absprechen kann – bis ihr in der Fastenzeit des Jahres 1335 »geschach ain grif von ainer indern götlichen kraft gottes, daz mir min menschlich hertz benommen wart«. Die *unio mystica*, die mystische Einung mit ihrem leidenden und gekreuzigten Herrn, hatte sich für sie wunderbar erfüllt.

Noch spielten sich solche Vorgänge im geheimen ab. Einblick

in sie hatte nur Heinrich, »ain warhafter friund gottes«. Doch auf Dauer konnten (und durften) »die gnaud und werk, diu got mit mir tät«, nicht verborgen bleiben, zumal Margaretas Gebetsleben mit dem eben geschilderten Begebnis, »do mir der minnegrif in daz hertz geschach«, ekstatische Formen annahm, die nun mitsamt ihren Folgeerscheinungen als »Kennzeichen« echter Mystik nach außen gleichsam dokumentiert werden mußten. Immerhin ist es bemerkenswert, daß sie im Augenblick, als sie spürte, »daz ez an mir niht verborgen moht sin«, nach Heinrich rief. Aber ehe er in Medingen eintraf, brach während einer Mette die »red« (»daz got Jhesus Cristus min ainigs liep wer«) aus ihr heraus. Man mußte sie aus dem Chor führen und zu Bett bringen, »und diu red brach an mir als creftlich uz tag und naht, daz man mich hört vor der stuben in dem criuczgang«. Von jetzt an geriet Margareta immer wieder unvermutet in ekstatische Zustände, die von ohnmachtähnlichen Anfällen bis zu deutlicher Entrückung reichten und von »grozzem rüeffen und schrien« begleitet waren. Zutiefst erschütterten sie die Liturgie der Karwoche und die Verlesung der Passion, bei der sie, ihrer selbst nicht mehr mächtig, »mit clegelicher wainender stimme und mit den worten ›owe owe! min herre Jhesus Cristus, owe owe! min herzecliches liep Jhesus Cristus‹« in lautes, manchmal stundenlanges Wehklagen ausbrach. Oder es überkam sie – wieder in der Fastenzeit – »diu aller gröst fröd«, der sie mit lautem Lachen und Jauchzen Ausdruck gab, so daß sie den Chor verlassen oder man sie hinausführen oder -tragen mußte. Danach legte sich »diu gebunden swige« (wie sie es nannte) auf sie, zeitweise abgelöst von Anrufungen (wohl einem Stammeln oder Lallen) des Namens Jesu »mit süezzem herzenlust« – »und des het ich auch kainen gewalt ab ze brechent biz daz ez der wille gotez was«. Gewöhnlich schlugen diese Zustände alsbald in schwere Krankheit oder in Erstarrung des Körpers um, so daß man um ihr Leben bangen mußte. Aber wenn sie dann im Ostervigilamt (in der Frühe des Karsamstags) das Gloria anstimmen hörte, konnten im Augenblick alle Körperkrämpfe weichen, und Margareta war in der Lage, sich vom Krankenlager zu erheben und in den Chor zu gehen.

Margaretas ekstatische Zustände äußerten sich vornehmlich in der Spannung von »red« und »swige«; doch kam es – zum Beispiel in Erwartung des Kommunionempfangs – auch zu einigen Visionen und sonstigen Widerfahrnissen, bei denen es aber offenbleiben muß, ob es sich dabei nicht lediglich um Träume handelte.

In den Kartagen des Jahres 1347, zwölf Jahre nach dem ersten Erleben der *unio mystica*, erreichte Margareta endlich die Höhe Golgothas, nach einem die ganze Fastenzeit währenden Aufstieg in stetig anschwellendem Leiden, unter dem sich ihr Körper krümmte, im Hineingestoßenwerden »in ain ungesprochenlich ellende gelazzenhet«. Das Nach-Leiden wurde zum Mit-Leiden, zur Identifikation mit dem Leiden Jesu aus Gnade. In der Nacht vom Gründonnerstag auf Karfreitag wurde sie durch »daz minneklich liden mins herren mit ainem geswinden schucz (sagitta acuta) siner minnstral in min herze mit ainem grozzen smerzen« aus dem Schlaf geschreckt. Es war – so verstand sie – die Stunde, »do sich mins aller liebsten herren liden an fieng uf dem berg in dem gebet, do er swiczet den bluotigen swaizze«. Während der Liturgie des Karfreitags meinte sie den Schmerzensmann leibhaftig zu schauen. Sie schrie auf, und ein innerer Schmerz durchschnitt ihre Glieder, gleich einem Zerzerren und Durchbrechen ihrer Hände und einem Durchstechen ihres Kopfes. Todesnot ergriff sie, und sie verlangte, mit dem Gekreuzigten zu sterben. Freilich, auch in diesem als Höhepunkt erfahrenen Erlebnis, das nur noch der Besiegelung im größeren des Todes harren konnte, blieb Margareta die Erfüllung ihrer innigsten Sehnsucht, die »hailigen fünf minnzaichen« zu empfangen (als »Beweis« ihrer letztgültigen Einung mit dem Gekreuzigten), versagt.

Um die Mitte ihres sechsten Lebensjahrzehnts verband sich mit Margaretas Passionsmystik eine ausgeprägte Verehrung der Geburt und Kindheit Jesu, möglicherweise ausgelöst durch ein ihr aus Wien übersandtes Christkind in der Wiege, »dem dienten vier guldin engel«. Und im Umgang mit dem Christkind wuchs Margareta in die Rolle einer Nachfolgerin Marias, einer »geistigen Gottesmutter«, hinein, durchaus mit der Tendenz, diese »Gottesmutterschaft« auch leiblich zu erfahren. Sie hielt mit ihrem Christkind nicht nur innige Zwiesprache, sondern alsbald fühlte sie sich von ihm auch aufgefordert, es »an min blozzes herze« zu nehmen und zu stillen »mit grossem lust und süessiket«. Während sie es zu stillen vermeinte, wurde ihr »geantwurt mit den warhaften worten des engeles Gabrieles ›Spiritus sanctus supervenit in te‹«.

»Spiritus sanctus supervenit in te« – die Verheißung, die Margareta im biblischen Wort vernommen zu haben glaubte, drängte ungestüm zur Erfüllung, zum »physischen« Nachvollzug der Gottesgeburt, wie er sich in den – im wahrsten Sinne des Wortes – spektakulären Vorgängen des 14. März 1347 für sie ereignete (im selben Jahr also, da sie auf die Höhe Golgothas gelangte). Man hat neuestens mit Blick auf diesen grellen Vorfall, bei welchem drei Frauen die »mit luter stime ›owe‹ und ›owe‹« schreiende und unter heftigen Konvulsionen sich windende Margareta »als ain frawe diu groz mit ainem kinde gaut« kaum zu halten vermochten, unter Verweis auf Christine Ebner und Bernhard von Clairvaux zu argumentieren versucht, hier habe trotz des unzweifelhaften Primats des Geistigen und Geistlichen das so tief Erlebte endlich auch psychosomatische Auswirkung gezeitigt, »entsprechend der weiblichen Mentalität«, zumal immerhin zugegeben werden müsse, »daß Verleiblichung, Inkarnation, ja überhaupt das Weihnachtsgeheimnis in die ureigenste Domäne der Frau gehören, was früheren Zeiten so ganz selbstverständlich war« (Roswitha Schneider). Aber ist an diesem Beispiel (das in der Geschichte der christlichen Frauenmystik keineswegs einzig dasteht) nicht eher abzulesen, welche Wirkung die von Mystikern, Predigern, Nonnenseelsorgern und »Gottesfreunden« allenthalben gebrauchte metaphorische Rede vom *conubium spirituale* und von der »Gottesgeburt in der Seele« – mit ihrer gewiß weit zurückreichenden Tradition – bei einfacheren frommen Gemütern hervorrufen konnte, denen die Gabe der Unterscheidung nur in beschränktem Maße zu eigen war? Bei den schwärmerischen Ketzerinnen im schwäbischen Ries, die Ähnliches erlebt haben wollten, erkannte man ohne Umschweife auf Aftermystik, und Albertus Magnus († 1280), mit ihrer Untersuchung beauftragt, bemerkte zur Aussage einer dieser Ketzerinnen, sie habe das Jesuskind gesäugt, nüchtern, es handle sich hier nicht um eine Ketzerei, die man widerlegen, sondern um eine Albernheit, die man mit Prügeln bestrafen müsse.

Margaretas »Offenbarungen« endeten mit dem Jahr 1348. Damals wurde sie des herannahenden Todes inne, und Sehnsucht nach ihm erfüllte sie. Äußerlich gesehen war ihr Leben ein einziger Leidensweg; dennoch ist der prägende Gesamteindruck – zumindest seit Margareta dank der genau zum »rechten« Zeitpunkt erfolgten Begegnung mit Heinrich von Nördlingen ihre Lebensrichtung gefunden zu haben glaubte – innere Freude, innerer Friede. Deshalb auch erblickte Margareta – aus der Rückschau – in Heinrich den ihr von Gott gesandten »warhaften friund« und »lieben engel in dem lieht der warhait«. Es war letztlich Ausdruck ihres tiefempfundenen Dankes, daß sie sich auf seine Bitten hin mit »forht und schrekken« dazu verstand, für ihn ihre »Offenbarungen« niederzuschreiben. Bemerkenswert und geradezu atypisch für ihre Zeit ist, daß Margareta trotz des Bewußtseins ihrer Unvollkommenheit weder unter Sündenangst litt noch von Versuchungen des Teufels, von den Schrecken des Fegfeuers oder von der Strafgerechtigkeit Gottes (die im spätmittelalterlichen Frömmigkeitsleben eine so bedrückende und folgenschwere Rolle spielte) spricht. Stets ist nur die Rede von Gottes Liebe, Güte, Barmherzigkeit, von der sie sich und alle, die ihr lieb waren oder für deren Seelenheil sie betete und opferte, umschlossen und getragen wußte. Nicht weniger bemerkenswert ist die geistige Freiheit, zu der diese schlichte Nonne nach Ausweis ihrer Aufzeichnungen fand und in der sie sich durch nichts und niemanden beirren ließ. So vermochte auch der über Kaiser Ludwig den Bayern verhängte päpstliche Bann sie in ihrer Treue zu ihm (als einem Wohltäter ihres Klosters) nie wankend zu machen. In diesem einen Punkt verwies sie selbst Heinrich von Nördlingen jede Einrede. Und als sie vom plötzlichen Tod ihres Kaisers (am 11. Oktober 1347) hörte, betete sie für ihn mit der ganzen Hingabe ihres Herzens, bis sie seiner »Erlösung« sicher war.

Nichtsdestoweniger bleibt die Frage nach dem Wesen einer Mystik, wie sie Margareta lebte und erlebte und im Maße ihres Vermögens »baz ze worten« brachte. Letztlich mündet diese

Frage in die eine entscheidende Frage nach dem Wesen christlicher Mystik überhaupt – und inwieweit ihre »Wahrheit« gemessen werden muß an Forderung und Verheißung des Evangeliums, an dem Wort des Herrn: »Gott ist Geist, und die ihn anbeten, müssen ihn im Geist und in der Wahrheit anbeten« (Johannes 4,24).

Quellen und Literatur

Ph. Strauch, Margaretha Ebner und Heinrich von Nördlingen. Ein Beitrag zur Geschichte der deutschen Mystik, Freiburg i. Br. 1882, unveränd. Nachdruck Amsterdam 1966 (mustergültige Edition der »Offenbarungen« und der Briefe mit vorzüglicher Einleitung und ebenso vorzüglich erläuternden Anmerkungen).

L. Zoepf, Die Mystikerin Margaretha Ebner (c. 1291–1351), Leipzig-Berlin 1914.

A. Walz, Gottesfreunde um Margarete Ebner, in: Historisches Jahrbuch 72 (1953) 253–265.

F. Zoepfl, Margareta Ebnerin, in: *G. Freiherr von Pölnitz* (Hrsg.), Lebensbilder aus dem Bayerischen Schwaben II, München 1953, 60–70.

H. Grundmann, Religiöse Bewegungen im Mittelalter, Darmstadt 1970, (unveränd. Nachdruck Berlin 1935).

M. Weitlauff, Margareta Ebner, in: *G. Schwaiger* (Hrsg.), Bavaria Sancta. Zeugen christlichen Glaubens in Bayern III, Regensburg 1973, 231–267.

M. Weitlauff, Ebner, Margareta (ca. 1291–1351), in: Theologische Realenzyklopädie IX, Berlin–New York 1982, 245–247.

M. Weitlauff, »dein got redender munt machet mich redenlosz...« Margareta Ebner und Heinrich von Nördlingen, in: *P. Dinzelbacher/D. R. Bauer* (Hrsg.), Religiöse Frauenbewegung und mystische Frömmigkeit im Mittelalter, Köln 1988.

P. Dinzelbacher/D. R. Bauer (Hrsg.), Frauenmystik im Mittelalter, Ostfildern bei Stuttgart 1985.

M. Schmidt, Das Ries als eines der Mystik-Zentren im Mittelalter, in: Rieser Kulturtage. Eine Landschaft stellt sich vor. Dokumentation VI/1, Nördlingen 1986, 473–493.

Katherina von Unterlinden

Karen Glente

Dieses Buch – wenn es denn würdig ist, ein solches genannt zu werden, das ich mit großer Sorgfalt und Mühe über die ersten herrlichen Schwestern unseres heiligen Klosters und über ihren in jeglicher Hinsicht vollendeten, glücklichen und heiligen Stand und ihre nie nachlassende Wachsamkeit im Erfüllen der Klosterregeln geschrieben habe, ist ganz gewiß in einem schlichten und ungeschulten Stil verfaßt, aber es enthält die unverbrüchliche Wahrheit, und ich widme es in inniger Liebe allen von Gott geliebten Schwestern dieses Klosters, in der Hoffnung – so weit meine geringen Fähigkeiten reichen –, das leuchtende und strahlende Leben der herausragenden Schwestern, die nun mit den himmlischen Erhöhten in den höchsten Wohnstätten vereint sind, in überzeugender Weise beschrieben zu haben und den Menschen späterer Zeiten einen Eindruck vom Adel der früheren Generation gegeben zu haben...

Auch habe ich über die Offenbarungen und den mannigfaltigen Trost, mit dem Gott die Schwestern erfüllte und der nicht gering geachtet werden darf, geschrieben; Offenbarungen, die glaubwürdig sind, denen man Vertrauen schenken darf und durch die ihre großen Verdienste bewiesen werden. Ich Unwürdige habe davon Kenntnis bekommen durch glaubwürdige Personen, deren Zeugnis Vertrauen verdient und die von sich selbst sagen, dies alles mit eigenen Ohren von den heiligen und gottgefälligen Schwestern, denen diese Offenbarungen zuteilgeworden sind, gehört zu haben. Aus all diesem habe ich den Stoff für dies Büchlein genommen, das eine kurzgefaßte, aber treue Wiedergabe ist. Seine Autorität liegt in der Wahrheit der Begebenheiten, ohne die es keine Autorität hätte. Wenn die Leser im übrigen wissen, daß dies ein zusammenfassender Bericht ist, der nur das am stärksten ins Auge Springende aufnimmt, als hätte ich gleichsam einige Blumen aus Freude gepflückt, so gebe ich ihnen die Gelegenheit, dieses Rohmaterial mit einem größeren Können, das die Zeit bringen wird, zu bearbeiten und es zu einem herrlichen Werk zu vollenden.

Dies ist, leicht paraphrasiert, der Prolog eines Buches über die Nonnen des Dominikanerklosters Unterlinden in Colmar, dem einzigen der überlieferten »Schwesternbücher«, das auf Latein verfaßt ist. Sein Epilog ist kurz: »Hiermit schließt das Buch. Ich, Schwester Katherina, von Kind auf in diesem Kloster aufgewachsen, verfaßte das Werk. Ehre sei dem höchsten König.«

Mehr wissen wir nicht von Katherina. Es scheint, daß sie selbst einige der von ihr beschriebenen Schwestern kannte, so daß sie vor 1280 dem Kloster beigetreten sein muß, woraus wahrscheinlich wird, daß das Buch um 1320 geschrieben wurde.

Indirekt aber präsentiert sie sich doch durch ihr Werk. Bereits aus dem Prolog kann man einiges über sie als Verfasserin sagen. Sie kennt ausgezeichnet die literarischen Konventionen, die demonstrative Bescheidenheit in Hinsicht auf die stilistische Ausformung gebieten, und weiß, daß die Betonung des einfachen Stils, der im Grunde gar nicht so simpel ist, sondern reich an Adjektiven und komplizierten Bildern, für die Glaubwürdigkeit des Inhalts bürgt. Hier soll die einfache, unverfälschte Wahrheit wiedergegeben werden, deren weitere Ausschmückung anderen überlassen werden kann.

Im ersten und dritten Abschnitt des Prologs befindet sich der Rahmen des Buches und seiner Lebensbeschreibungen und damit für Katherinas Weltbild, dem wir in ihrer Darstellung begegnen: das heilige Leben, das sich zuallererst im Erfüllen der Klosterregeln zeigt, und sein Lohn – die himmlische Seeligkeit. Dazwischen liegen die göttlichen Offenbarungen. Ihre wesentlichste Funktion ist es, im voraus Gewißheit über den zu erwartenden Lohn zu geben, wodurch sie auch zum konkreten Ausdruck für erbrachte Verdienste werden. Aus genau diesem Grunde erwachsen aber Probleme, sie wiederzugeben, da sie teilweise der Vorstellung von Bescheidenheit widersprechen. Sie gebietet ja, über solcherlei Dinge Schweigen zu wahren, damit Bewunderung und Lobpreis durch die unmittelbare Umgebung den eigentlichen Lohn nicht zunichte macht. Zum Teil handeln sie von dem, wie Katherina es selbst formuliert, »Unaussagbaren«, dessen Wonne nur der, der sie gab, und die, der sie widerfuhr, kennen.

Für die Verfasserin Katherina tritt die Frage nach Bescheidenheit dann zurück, wenn sie von anderen erzählt, die längst tot sind und ihren Lohn nicht mehr einbüßen können. Dagegen ist es in höchstem Grade notwendig, sorgfältig Rechenschaft darüber abzulegen, wie eine auserwählte Schwester in Geheimnisse eingeweiht wurde und diese weitergegeben hat. In bezug auf das »Unaussprechliche« sagt Katherina so viel, wie es ihr innerhalb ihrer Verstehensgrenzen möglich ist. Sie selbst hat nie Offenbarungen empfangen und räumt gern ein, daß vieles, was sie wiedergibt, von solch großer Tiefe und Reichweite sei, daß es über ihren Verstand gehe und sie auch in Büchern nichts Vergleichbares gelesen habe – womit sie nur größeren Glanz auf ihren Stoff wirft.

Katherina schreibt, damit die Erinnerung an die »herrlichen Schwestern« nicht verlorengehe, sondern die stumpfere Gegenwart aufwache und mit dem Alten wetteifere. Sie schreibt aber auch für ihre eigene, noch in der Zukunft liegende Erlösung, um mit diesem Werk Gottes Barmherzigkeit zu gewinnen, in der Hoffnung, daß ihr Einsatz den Leistungen jener gleichgerechnet wird, deren Erinnerung sie festhält, und sie damit Gnade vor den Augen des Richters findet.

Dieses Vertrauen in das Verdienst der Schwestern bildet die Grundlage für Katherinas Darstellung. Jede der ungefähr vierzig Lebensbeschreibungen ist so aufgebaut, daß das Zusammenspiel zwischen Einsatz und Lohn sichtbar wird. Auch das ganze Buch wird mit einer Übersicht über die generellen Verdienste eingeleitet, die sich auf das Erfüllen der Klosterregeln konzentriert, wobei jeder ein eigenes Kapitel gewidmet ist: Schweigen, Enthaltsamkeit und selbst auferlegte Züchtigung, Hingabe im Gebet, gegenseitige Liebe, strenge Schulung der Novizinnen respective ihrer selbst gewählten Prüfungen, das vorbildliche Beispiel der Priorin, kombiniert mit strengster Bestrafung der Vergehen, und schließlich die Liebe der Schwestern zur heiligen Jungfrau.

Katherinas Sprache ist in diesen Kapiteln sehr blumig: Das Kloster war ein Garten duftender Lilien, gepflanzt und gepflegt vom himmlischen Gärtner, beständig seinen Duft und seine frischen Knospen ausbreitend. Die Bilder konnten bei dem Versuch, das heilige Leben der Schwestern mit der Seligkeit, die nun ihr Lohn ist, zusammenzusprechen, gut gelingen, wie zum

Beispiel: »Klar leuchteten sie hier vor dem Herrn, und nun ist die Freude der Heiligenschar durch ihre Gesellschaft vermehrt.«

Aber die Bilder konnten auch auseinanderfallen:

> »Die Anzahl der Töchter Gottes wuchs, wie eine Pflanze, die neue Triebe treibt, und füllte des Klosters heiligen Bezirk mit einer großen Zahl herausragender Frauen; sie wuchsen zu einer sehr schönen und reichen Ernte heran, die nun von den Ernteengeln in die himmlischen Scheunen eingebracht worden ist, wo sie in Ewigkeit und einem herrlichen Frieden des Herrn unsagbare Güte genießen, die ihnen als Lohn für die Anstrengungen, mit denen sie treu im Weinberg des Herrn gearbeitet hatten, zuteil geworden ist.«

Dieses Bild ist gebrochen, da es von einer Erntevorstellung auf dem Hintergrund von Markus 4,26–29, wo das Reich Gottes mit einem Mann verglichen wird, der Saat auf sein Land wirft, »die Erde von selbst Frucht bringt« und das Reifen in der Saat begründet liegt, in eine Vorstellung vom Arbeiter, der seinen Lohn verdienen muß, übergeht; dies ist jedoch auf keiner zufälligen Verbindung biblischer Bilder entstanden. Im ganzen Buch herrscht solch Stolz und Selbstbewußtsein über den von den Nonnen erbrachten Einsatz und ihre Opferbereitschaft und eine solche Sicherheit hinsichtlich der Belohnung als Lohn, daß das Bild vom passiven Wachstum allein so nicht stehen bleiben kann. Ganz gewiß bilden die Nonnen eine reichhaltige und schöne Ernte, aber sie ist gerade nicht aus sich selbst hervorgegangen, sondern erscheint als Resultat ganz außergewöhnlicher Arbeit in allen Bereichen des Klosterlebens.

Das Feuer, als ein aktiveres Prinzip, ist besser als die Blumenmetaphorik geeignet, um Katherinas Auffassung von dem, was in und mit den Schwestern geschieht, auszudrücken. Es ist das Feuer, das von den leuchtenden Werken der Schwestern ausgeht und viele dazu bringt, ihnen nachzueifern; ganz besonders aber das Feuer der göttlichen Liebe, das schmelzen und stärken kann, das die Liebe in ihnen entzündet und das sie aufnehmen: »Gott sandte Feuer in ihren Leib, und die Herzen entflammten im Loder der Liebe.« Wenn erst eine von ihnen entbrannt ist, kann der Funke auch auf andere überspringen. Es ist Gottes verzehrendes Feuer, das meist als reinigend und damit erlösend gesehen wird, das alles Unreine und Sündige verzehrt und die Seele unbefleckt und in strahlender Reinheit zurückläßt.

Katherinas Darstellung ist im ganzen von Bibelsprache geprägt, obwohl direkte Zitate verhältnismäßig selten sind. Genauso, wie die Erklärungen, »wie« und »wem« die mystischen Erlebnisse erzählt werden, deren Echtheit garantieren, so garantieren Bibelzitate deren Bedeutung, woraus die Logik in Katherinas Optimismus nachvollziehbar wird. Das kann man jedoch nur erkennen, wenn man die Verse aus dem Text löst und ordnet, da sie eher zufällig eingefügt sind, oder treffender: Sie hätten an jeder beliebigen Stelle zitiert werden können, doch vermeidet Katherina bewußt Wiederholungen und bringt jedes Zitat nur einmal dort, wo es ihr am besten zu passen scheint, bis sie aufgebraucht sind, das heißt innerhalb des ersten Buchviertels. Eine Ausnahme bildet jedoch das Wort »Wen Gott liebt, züchtigt er«, das sich dreimal in drei verschiedenen Variationen findet, wie es auch in der Bibel, sowohl in den Sprüchen als auch in Hebräerbrief und in der Apokalypse, erscheint. Bei Katherina wird es gebraucht, wenn Zweifel, Krankheit und Elend selbst die Verdienstvollsten treffen.

Greift man nun die Bibelstellen aus dem Text heraus, zeigen sie eine positive Reihe von Versprechen und Aufforderungen auf dem Hintergrund von Matthäus 19,29: »Wer um meines Namens willen Häuser oder Brüder, Schwestern, Vater, Mutter, Kinder oder Äcker verläßt, der wird das Hundertfache empfangen und das ewige Leben erben.« Diesen Vers zitiert Katherina nicht wortgetreu, sondern demonstriert ihn als ein Faktum durch eine Andeutung in der Erzählung über Agnes von Herenkeim: »...so erfüllte der Herr in ihr sein Versprechen des Evangeliums, in dem er hundertfältige Vergeltung dem verheißen hatte, der um seinetwillen verlassen hat.« In den folgenden Zitaten gelten die kursiven Passagen den Worten, die sich in Katherinas Text finden, um ihr Interesse an deren Anwendung aufzuzeigen.

Kolosser 3,14: »Über alles aber ziehet an die *Liebe, die da ist das Band* der Vollkommenheit.«

1 Petrus 5,7: »All eure Sorgen werfet auf ihn, *denn er sorget für euch.*«

Römer 8,28: »Wir wissen aber, daß *denen, die Gott lieben, alle Dinge zum Besten dienen*, denen, die nach dem Vorsatz berufen sind.«

Aus dem Alten Testament: Psalm 83,13: *»Denen, die da rechtschaffen sind, läßt er nichts Gutes mangeln.«*

Und – gegen Unglück, Zweifel und Leiden gewandt – Psalm 94,19: *»Ich hatte viel Kummer in meinem Herzen, aber deine Tröstungen erquickten meine Seele«* (hier fügt Katherina »hundertfach« hinzu), und Sprüche 3,12: »*Wen der Herr liebt, den weist er zurück*, er straft seinen Sohn, den er lieb hatte.

Als Warnung gegen die Gefahren des heiligen Lebens bzw. Klosterlebens zitiert sie Jeremia 48,10: *»verflucht sei, wer des Herren Werk lässig tut*, verbannt der, der seinem Schwert das Blut vorenthält.« Hier wird unter »des Herren Werk« Gottesdienst und Stundengebet verstanden, und wir haben uns damit weit von der alttestamentlichen Gedankenwelt entfernt. Aber am größten ist die Gefahr, daß das, was allein für Gott getan wurde, zu Eitelkeit gerechnet wird, denn ein solcher Lohn schließt den jenseitigen Lohn aus. Matthäus 6,16: »Wenn ihr fastet, sollt ihr nicht sauer sehen wie die Heuchler, denn sie verstellen ihr Angesicht, auf daß sie vor den Leuten etwas scheinen mit ihrem Fasten. *Wahrlich, ich sage euch: sie haben ihren Lohn bereits erhalten.*« Zu dem hier gewählten Thema, nämlich den mystischen Erlebnissen, bei denen Schwestern Gott treffen, zitiert Katherina 1. Korinther 2,9, wo von Gottes Weisheit die Rede ist: »Was kein Herrscher der Welt erkannt hat, denn wenn sie es erkannt hätten, so hätten sie nicht den Herrn der Herrlichkeit gekreuzigt; sondern es ist gekommen, wie da geschrieben steht: ›*was kein Auge gesehen, kein Ohr gehört hat und was in keines Menschen Herz gekommen ist*, was Gott bereitet denen, die ihn lieben.‹« Das ganze Thema wird am deutlichsten und treffendsten von Genesis 32,30 erfaßt: »Jakob nannte den Ort Peniel, da er sprach: *Ich habe Gott von Angesicht zu Angesicht gesehen, und mein Leben wurde gerettet.*« Hier wird zur Gewißheit: Wer Gott von Angesicht zu Angesicht gesehen hat, kann sich erlöst wissen.

Es sind unterdessen aber nur wenige der Schwestern, von denen Katherina berichtet, die Gott von »Angesicht zu Angesicht« gesehen haben; doch sie weitet den Gedanken aus und läßt jedes persönliche Treffen mit dem Göttlichen gelten, indem sie darunter jegliches Erlebnis versteht, das sich als Gottes direkte Verkündigung an die einzelne deuten ließ. Genauso wie man Gott im Klosterleben je nach der eigenen Fähigkeit und auf viele verschiedene Weisen dienen kann, so geht auch Gott viele Wege, um der einzelnen Schwester seine Anerkennung zu zeigen. Dementsprechend gibt es auch keine Hierarchie unter den Erlebnisqualitäten in Katherinas Darstellung. Je mehr und je besser, desto glücklicher für die Empfängerin; doch könnte man auch sagen, daß, genau wie die Erlösung nicht stärker oder schwächer sein kann, auch die Gewißheit gleich hochwertig ist, wie auch immer sie zustande gekommen ist. Katherina legt ein breites Spektrum von solchen göttlichen Kundgebungen vor, die vom süßen Duft, der von einer sterbenden Schwester ausgeht, reichen bis zu persönlichen, sogar wiederholten Treffen mit Gott, die klar die zu erwartende Aufnahme in den Himmel aufzeigen.

Jeanne Ancelet-Hustache, die 1931 das Nonnenbuch von Unterlinden herausgab, beklagte seine vielen naiven Details und unglaubwürdigen Episoden. Ferner erwähnt sie, daß die Nonnen es nicht wie Elsbeth Stagel, die ein Buch über die Nonnen in Töß schrieb, fertigbringen, die intellektuellen Visionen denen überzuordnen, die in Vorstellungsbildern und sinnlicher Wahrnehmung gefangen sind, und daß sie auf dem Faktum insistieren, daß das eine oder andere mit dem äußeren Ohr gehörte Wort, die eine oder andere mit dem äußeren Auge gesehene Szene das Vertrauen der Leser stärken sollte. Jeanne Ancelet-Hustache entschuldigt dieses Unvermögen damit, daß die Nonnen, trotz der Qualität ihrer Lektüre und Berater, keine hinreichende Ausbildung erfahren haben. Im übrigen weist sie auf die Zeitgebundenheit ihrer eigenen Wahrnehmung hin und nimmt an, daß eine spätere Zeit vielleicht mehr Sinn für die Qualitäten des Buches haben wird.

Heute kann man sich wohl leichter von dem Gedanken lösen, »was die Nonnen eigentlich hätten gedacht haben müssen«, und das Interesse darauf konzentrieren, die Gedanken, die faktisch im Text ausgedrückt sind, herauszufinden. Namentlich wird man aber nicht unmittelbar das Buch mit den zugrundeliegenden Geschehnissen gleichsetzen und damit davon absehen können, daß es einen Autor gibt. Biographien – auch im Mittelalter – pendeln zwischen Fakten und Fiktion und sind an bestimmte Traditionen gebunden, die für Beschreibungen von Menschen festlegen, was wesentlich genannt werden muß. Katherina ist keine naive Nachzählerin von irgendwelchen Ammenmärchen. Wie schon beschrieben, verfolgt sie eine bestimmte Absicht mit ihrem Werk und hat ihr persönliches Weltverständnis.

Wie das Buch zeigt, beweist Katherina großes Einfühlungsvermögen und inniges Vertrauen zu dem, was sie beschreibt. Dies trägt zu der unverkennbaren Prägung erlebter Wirklichkeit bei, die im Leser bewirkt, daß er glaubt, die Nonnen selbst in ihren intimsten Erlebnissen getroffen zu haben. Abgesehen davon hat sie aber auch die verfasserische Umsicht für ein Publikum, das sich nicht langweilen darf. Katherina verfügte über eine Fülle von Stoff, aus dem sie schöpfen konnte, mußte aber zeitweilig auch mit den traditionell hagiographischen Themen auffüllen. Sie hat jedoch an erster Stelle zu variieren versucht und danach gestrebt, so viele verschiedene Beispiele für Leistungen und Erlebnisse wie möglich zu finden. Daraus ergibt sich unter anderem, daß man sich zurückhalten soll, auf dieser Grundlage Statistiken über den Hintergrund und die Erlebnisse der Nonnen aufstellen zu wollen, aber auch, daß nicht vergessen werden darf, daß sie einer Sammlung entnommen sind, die sich bereits aus Einzelbeispielen zusammensetzt:

> »Als sie (Benedicta von Egenchen) so geübt war, hingegeben und entbrannt für alle Regeln und Ordnungen des heiligen Ordens, gefiel es dem Herrn Jesus Christus, sie mit wunderbaren göttlichen Besuchen zu beehren.
> Eines Tages, als sie wie gewöhnlich fromm und voller Ehrfurcht am Altar das Sakrament des Leibes unseres Herrn Jesus Christus empfing, hörte sie aus dem Innersten ihrer Seele den Herrn Jesus Christus zu sich sprechen: ›Empfang mich, meine Geliebte, denn ich bin in Wahrheit dein Gott. Sei hiernach mir in Liebe ergeben und demütige dich vor jeglichem Geschöpf.‹ Diese so süßen und freudigen Worte, die der Herr

in ihrem Herzen sprach, waren so deutlich und hörbar, daß sie auch ihren Ohren erklangen. Als sie unmittelbar hiernach von ihrer Zofe zurück ins Bett gebracht wurde – sie war zu diesem Zeitpunkt sehr krank und schwach –, machte sie sich mit brennender Hingabe daran, Gottes Worte in ihrem Herzen zu bedenken, die so voll himmlischen Trosts und süß wie Honig für ihre Seele waren. Sie verwunderte sich sehr über des Herren kostbares Wort, das ihr so sorgsam anvertraut worden war: ›Demütige dich vor jeglichem Geschöpf‹, und lange fragte sie sich selbst ängstlich nach der Bedeutung, bis sie die Antwort von einer geistbegabten Schwester erhielt; nämlich, daß mit ›jeglichem Geschöpf‹ der Mensch gemeint sei, weil der Mensch etwas mit jedem Geschöpf gemeinsam habe.

Der wunderbare und erhabene Gott, vor dem alles klar und offenbar ist, bis zur Distinktion zwischen Seele und Geist, tröstete ein weiteres Mal wundervoll diese selige Schwester. Eines Tages, als sie gemäß der Gewohnheit des Ordens den Leib unseres Herrn Jesus Christus empfangen hatte, überkam es sie unermeßlich süß, den unsagbaren Wert und die Gnade dieses Sakraments zu bedenken, und indem sie so völlig in Liebe zu dem Geliebten hingeschmolzen war, merkte sie plötzlich auf sonderbare und empfindvolle Weise, daß das Blut unseres Herrn Jesus Christus, das sie empfangen hatte, mit größter Kraft wie eine Flut durch alle Glieder ihres Körpers strömte und ins Innerste ihrer Seele gelangte, sie von der Last aller Sünden reinigte und sie zu einem reinen Gefäß des Heiligen machte. So wurde des Propheten Wort Wahrheit, beziehungsweise das Wort Gottes, das hierdurch spricht: »Ich will das reine Wasser über euch ausgießen und euch von all eurer Unreinheit befreien« (Ezechiel 36,25).

Zuletzt war es dieser Dienerin Gottes vergönnt, eine noch größere Gnade vom Herrn, unserem Erlöser, zu empfangen. Eines Tages, während des Gebets, öffnete sich plötzlich ihr inneres Auge, und sie wurde aus sich entführt und mit dem Herrn als Führer in den Frieden geleitet, der allen Verstand übersteigt und der allen Heiligen eigen ist als eine ewige Belohnung und unablässige und unveränderliche Freude. In diesem Zustand war es ihr vergönnt, mit erleuchteter Einsicht die überirdische Dreieinigkeit der herrlichen Gottheit zu sehen und zu verstehen, die zu kennen, zu begreifen und zu verstehen ohne Zweifel das ewige Leben bedeutet. Sie war in Wahrheit glücklich, weil ihr durch den wunderbaren Gunstbeweis der göttlichen Gnade erlaubt wurde, durch seine unsagbare Güte, die Augen nicht sehen und Ohren nicht hören und die in keines Menschen Herz von selbst aufkommt, so viel zu schmecken und zu genießen, wie es für einen sterblichen Menschen, der noch vom Fleisch umgeben ist, möglich ist. Aber wer ist würdig auszudrücken, wie sie, als all die Gefühle ihrer Seele gestärkt und wiederge-

boren waren, da in Liebe entbrannt war für den, den sie gesehen hatte? Allein der, der sie gab, und der, der sie empfing, kann die göttliche Wonne kennen, die sie genoß. Deshalb konnte sie mit Recht mit dem Patriarchen Jakob ausrufen: ›Ich habe Gott von Angesicht zu Angesicht gesehen, und meine Seele ist erlöst.‹
Vierzehn Jahre lang wollte sie mit niemandem über diese herrliche Vision sprechen. Schließlich offenbarte sie dies einer sehr heiligen Schwester, die damals Priorin war, und betonte, daß das, was sie in ihrem Gesicht gesehen und gehört hatte, so verwunderlich und unsagbar sei, daß es unrecht wäre, es einem anderen Menschen zu erzählen.
Sie empfing von Gott die gleiche Erhebung der Seele und genoß das entsprechende Gesicht dreimal in ihrem Leben, wenn auch mit großen Zwischenräumen.«

Der zitierte Text umgreift die wichtigsten Themen in Katherinas Beschreibungen von den geistigen Erlebnissen der Schwestern: Ausgangssituation, Gefühl von Gottes Anwesenheit und seinem Wort, die physischen Folgeerscheinungen des Erlebnisses, Wiederholung mit einer gewissen Steigerung zu höchster Intensität (hier ausgedrückt in dem Verständnis der Dreieinigkeit), dem Unsagbaren, das doch ausgesprochen werden muß, und endlich, als ein beständiges Nebenthema, Reinheit und Reinigung. Die Ausgangssituation ist oft Sorge und Niedergeschlagenheit:

»Als sie (Hedwig von Lagelnheim) eines Tages allein in ihrer Zelle saß und über ihr Unglück und Elend nachdachte, erhob sich plötzlich ein Sturm von Klagen in ihrer Brust, gefolgt von einer gewaltigen Tränenflut, weil sie davon ausgeschlossen war, das heilige Amt in der Kirche und all das, wozu sonst noch Ordination notwendig ist, auszuüben, wonach sie doch von Kind auf mit brennendem Herzen verlangt hatte. Im gleichen Moment erstrahlte in ihrer Zelle ein göttliches Licht, heller als die Sonne, und schien auf sie mit unsagbarer Klarheit, indem es sie mit großer Stärke traf. So fühlte sie gleichsam eine himmlische Kraft ganz greifbar in sich eingehen und süß das Innerste ihres Herzens salben. Da sie nun von dieser wunderbaren Süße gestärkt und gleichsam wiedergeschaffen war, war der gute Herr Jesus Christus plötzlich bei ihr und sagte ganz deutlich in ihre Ohren: ›Sei standhaft, ich will mit dir sein und dich nicht verlassen, wenn du aber das Leben verlassen haben wirst, werde ich dich mit mir nehmen. In meiner ewigen Liebe habe ich dich zeitweilig geplagt, weil ich die züchtige, die ich liebe, aber in Zukunft werde ich dich nicht mehr plagen.‹«

Auch Hedwig von Lagelnheim war es vergönnt, die Dreieinigkeit zu begreifen, wogegen sie keine Antwort auf ihre konkrete Sorge, den Kummer, nicht Priesterin werden zu können, bekam. Statt dessen erhält sie die Sicherheit der Erlösung, die das Hauptthema des Buches ist. Das Wort des Herrn als Botschaft betrachtet, ist weniger wichtig; es ist genug, den Klang der Stimme zu hören.

Tuda von Colmar bekam eine Rüge: »Du trägst dein Kreuz nicht so geduldig und froh, wie mein geliebter Jünger Andreas es tat, du trägst eher widerwillig das Unglück, dem du im Leben begegnest!« Tuda nimmt die Worte demütig auf, aber die Freude über den Besuch überwiegt, und schon am nächsten Tag empfängt sie ein neues Gesicht und bekommt Einsicht in die Heilige Schrift, obwohl sie nie Buchstaben gelernt hatte. Dies ist ein weitverbreitetes Thema in der Hagiographie, wogegen einzigartig und glaubwürdig in der Beschreibung Tudas ist, daß sie diese Gnadengabe infolge einer hochmütigen Äußerung wieder verlor, nachdem sie sie zwei Jahre lang gehabt hatte. Als nämlich die Schwestern einmal über den göttlichen Trost und besonders über eine außergewöhnliche Gnade, die der Herr vor kurzem einer bestimmten Schwester geschenkt hatte, sprachen, sagte Tuda: »Eine solche Gnade widerfährt sehr oft Menschen, die nicht gerade besonders gut sind.« Im gleichen Augenblick fühlte sie, daß ihr die eigene Gnadengabe genommen wurde, wenn auch – und das ist wichtig in Katherinas beständigem Optimismus – das göttliche Licht, von dem sie erleuchtet war, niemals aus ihrem Herzen verschwand. Was der Herr einmal zuerkannt hat, nimmt er zwar nicht zurück, kann wohl aber die ständige Zugangsmöglichkeit, ihn zu treffen und zu genießen, aberkennen:

> »Dieser seeligen Schwester (Anna von Wineck) brachte die wunderbare Treue des Schöpfers eine große und herrliche Gabe. Als sie einmal im Gebet stand, goß der Gott aller Gnaden plötzlich eine himmlische Gnade über ihr aus – so groß, wie sie es nie zuvor erlebt hatte –, und er salbte das Innerste ihrer Seele mit dem süßesten Öl, so daß sie selbst nichts anderes als süßes Salböl wurde. Und solches geschah ihr nicht nur dies eine Mal, sondern in den folgenden zweieinhalb Jahren war es ihr vergönnt, aus demselben süßen Nektar der Gnade gestärkt und wiedergeboren zu werden. Ihre ganze Sehnsucht war auf diese Besuche aus der Höhe gerichtet, und sie war im Geist so davon gefangen, daß ihr alle

> Sorge und Pflege des Leibes zum Ekel wurde. Sie verlor plötzlich diese himmlische Gnade wieder, weil sie, ohne es zu bedürfen, einen Schluck neuen Weins genoß, dazu von einer der Schwestern angespornt, aber auch, wie sie selbst später einräumte, zum Teil zustimmend, verlockt von der Süßigkeit des Getränks.«

Daß die Gnadengabe verloren werden kann, ist nur die logische Schlußfolgerung aus der Vorstellung vom Verdienst und von der Notwendigkeit, entweder auf geistige oder körperliche Genüsse zu setzen. Läßt man sich vom süßen Geschmack des Traubenweins verlocken, kann man nicht auch den göttlichen Nektar genießen.

Das Verhältnis von irdischem Kampf zu himmlischem Frieden kann auch ganz greifbar ethisch ausgedrückt werden. Schwester Anna von Wineck betreute kranke Schwestern mit großer Geduld und Liebe. Mit einer Schwester jedoch, die an Wassersucht litt, war so ungewöhnlich schwer umzugehen, daß Schwester Anna die Priorin bat, von ihrer Betreuung befreit zu werden. Sie bekam die Erlaubnis, verlor aber augenblicklich den Trost und die Freude durch Gott, die sie zuvor so reichlich besessen hatte. Da sie sich keiner Sünde bewußt war, erkannte sie erst nach langem Forschen in der eigenen Seele, daß der Grund darin lag, daß sie ihre Aufgabe verlassen hatte, und sie meldete sich umgehend zurück. Danach fühlte sie wieder Licht in ihrer Seele.

Die Beschreibungen von den physischen Folgeerscheinungen der Erlebnisse haben, wie gesagt, einige Leser gestört; vielleicht, weil es so deutlich orgasmische Zustände sind, von denen die Rede ist. Die Menschen im Mittelalter fühlten sich hingegen weder gestört noch kamen ihnen diese Beschreibungen etwa aus irgendeinem Grunde unpassend vor, sondern sie wurden im Gegenteil zum stärksten Beweis für die Echtheit des Erlebnisses. Dies wird ebenfalls aus den vielen Beschreibungen von ekstatischen Zuständen und Absenz von Frauen deutlich, die von Pfarrern und Mönchen der damaligen Zeit verfaßt wurden. Katherinas Auffassung vom Verhältnis zwischen Leib und Seele ist teils eine Frage von Entweder-Oder: Entweder dient der Mensch dem Fleisch und damit sich selbst, oder dem Geist und damit auch Gott. Daß aber körperliche Leiden zu geistigem

Genuß führen, schließt nicht aus, daß geistige Genüsse körperliche Genüsse nach sich ziehen können, ja es sogar sollten. Hier spricht Katherina von den »beiden Menschen« und meint damit die physische und geistige Seite, wechselseitig im faktisch existierenden Menschen verbunden:

> »Als sie (Herburg von Herenkeim) dort (allein im Garten) sich ganz der brennenden Betrachtung hingab, entstand plötzlich in ihr eine wunderbare Seelenruhe, eine nichtgekannte himmlische Süße, eine innere Freude des Herzens, wie eine lebende Quelle, die ins Innerste ihres Körpers sprudelte, in die Seele überfloß und ihre beiden Menschen mit wundervoller Süße durchströmte. Danach fühlte sie auf wundersame und spürbare Weise, wie die Seele in ihrem Körper in jubelnde Bewegung ausbrach, ganz greifbar wie ein Adler, der seine großen Schwingen von neuem und mit aller Kraft ausbreitet.«

Katherinas Stärke liegt in ihrer Fähigkeit, seelische Erlebnisse und Lust beschreiben zu können (und in einer Reihe lebendiger Situationsschilderungen, die hier nicht näher besprochen werden konnten). Die stark gefühls- und erlebnisgeprägten Gottesbeziehungen bedeuten jedoch nicht, daß hier nicht auch ernsthaft reflektiert wurde, keine Fragen über die Dogmen gestellt oder der Mangel an theologischer Einsicht nicht als Problem betrachtet wurden. In Katherinas Darstellung begnügen sich die Schwestern überall mit intuitivem Verständnis, wodurch der Glaube die Zweifel überwindet und woraus letztlich ihr Frieden resultiert.

Katherina erzählt von Agnes von Ochsenstein, daß, obwohl sie ständig in allen Tugenden wuchs, Gott doch zuließ, daß sie eine Zeitlang über Leib und Blut des Herrn im Abendmahl unsicher wurde, worauf ihre Seele weniger intensiv fühlte und von der Wahrheit dieses Sakraments erleuchtet wurde. Da sie am Glauben der Kirche festhalten wollte, ging sie sorgfältig jedem Gespräch über das Sakrament der Eucharistie aus dem Weg, aus Furcht, noch weiter in Zweifel zu fallen. Nach einer Zeit erbarmte sich Gott ihrer auf folgende Weise: Als sie eines Tages ihre Augen auf den Altar richtete, sah sie plötzlich die Eucharistie in den Händen des Priesters mit strahlendem Licht vom Himmel umgeben. Von da an war sie befreit von der Umnebelung ihrer Seele und konnte erneut die Süße dieses himmlischen Mannas genießen und hatte Freude daran, darüber zu sprechen.

Das Problem des Abendmahlsverständnisses ist durchgängig, auch seine Lösung, selbst wenn sie mehr abstrakt ist als die hagiographisch oft gebrauchte, wo die Zweiflerin ein kleines Kind in den Händcn des Priesters sieht oder entdeckt, daß sie einen Finger im Mund hat. Das Besondere hier ist Agnes' Umgang mit dem Zweifel: Es ist gefährlich, darüber zu sprechen, als ob er damit wachse.

Gott sandte Agnes eine zweite, ähnliche Prüfung, da sie eine Zeitlang im ernsthaften Zweifel war, inwieweit die Worte der Propheten vom Heiligen Geist inspiriert waren, oder ob sie nicht eher Menschenwerk seien, da sie ihr so unverständlich und unvernünftig vorkamen. Wiederum erbarmte sich Gott ihrer: In ihrem Gebet wurde sie zur Schau der ewigen Wahrheit erhoben und verstand, daß die Propheten in jedem Wort durch den Heiligen Geist inspiriert sprechen und sowohl ihre Aussagen über Gottes unfaßbares Wesen wie über die Inkarnation volle Gültigkeit haben.

Agnes von Ochsenstein erfuhr noch andere Offenbarungen, unter anderem die Verlobung mit Jesus. Auch sie sprach nur mit einer besonders ausgewählten Schwester über ihre Visionen und nur unter der Bedingung, daß sie nicht vor ihrem Tod erwähnt würden. Auch sie behauptete, daß all diese himmlischen Gesichte viel klarer offenbart wurden, als Worte es je ausdrücken könnten. Katherina fordert dazu auf, ihr Glauben zu schenken; man möge Agnes und den anderen ruhig das gesteigerte theologische und literarische Wissen und damit die Freude, diese starken Gefühle zu verstehen und zu formulieren, gönnen. Es sind aber zuallererst Klosterschwestern, die unmittelbar mit den Erlebnissen umgehen müssen. Sie erhalten sie in reichem Maß und vergessen doch nicht das Wichtigste: Wenn die Glocke zum Stundengebet ruft, reißt sich eine richtige Klosterschwester von ihrem herrlichen Traum los und eilt, ihre Pflicht zu erfüllen und den Platz einzunehmen, an dem sie stehen soll.

Übersetzt von Carolin Reichart

Literatur

J. Ancelet-Hustache, Les »Vitae Sororum« d'Unterlinden, édition critique du Manuscrit 508 de la bibliothèque de Colmar. Archives d'histoire doctrinale et littéraire du Moyen Age, Année 1930, Paris 1931, 317–513.

Marguerite Porète

FRANZ-JOSEF SCHWEITZER

Untrennbar sind die wenigen persönlichen Züge der Marguerita Porète mit ihrem Buch, dem *Miroir des simples âmes* (»Spiegel der einfachen Seelen«), verbunden, von dem wir darum auszugehen haben:

Am 16. Juni 1946 erschien im *Osservatore Romano* ein Artikel der italienischen Forscherin Romana Guarnieri mit dem Titel »Der Spiegel der einfachen Seelen und Margherita Porette«. Darin schrieb sie ein bisher für anonym gehaltenes mittelalterliches Buch in altfranzösischer Sprache, das, zumal mit dem Titel »Spiegel«, einem harmlosen spätmittelalterlichen Erbauungsbuch täuschend ähnlich sah, einer gar nicht harmlosen Verfasserin zu. Denn Marguerite Porète (Porrette, Poirette) war eine Begine aus dem Hennegau gewesen, die zu Beginn des 14. Jahrhunderts – zur Zeit der berüchtigten Templerprozesse – in Paris von der Inquisition angeklagt und schließlich, nach hartnäckiger Weigerung, ihre Lehren zu widerrufen, »dem weltlichen Arm übergeben« wurde: Sie wurde am 1. Juni 1310 in Paris auf dem Place de Grève als »rückfällige Ketzerin« verbrannt. Grund für ihren Prozeß war ein von ihr verfaßtes mystisches Buch gewesen, das sie trotz eines früheren Verbotes weiter bei sich aufbewahrt und auch anderen, vor allem Beginen und Begarden, bekannt gemacht hatte. Aus diesem Buch, das mit seiner Verfasserin verbrannt wurde und seitdem als verschollen galt, sind nur wenige Sätze aus zweiter Hand überliefert. So soll nach der zeitgenössischen Chronik des Wilhelm von Nangis Marguerite behauptet haben,

> »Daß die in der Liebe zu ihrem Schöpfer vernichtete Seele ihrer (sinnlichen) Natur ohne Skrupel und Gewissensbisse alles erlauben darf und muß, was diese wünscht und verlangt.«

Aus Sätzen wie diesem und einer sehr eingehenden Lektüre des vermeintlichen Erbauungsbuches schloß Romana Guarnieri auf die Identität beider Schriften. Sie hatte das als verschollen geltende häretische Buch der Marguerite Porète, das Buch, das diese auf den Scheiterhaufen gebracht hatte, wiederentdeckt!

Trotz dieser sensationellen Entdeckung und der Edition des »Miroir des simples âmes« durch Guarnieri im Archivio Italiano von 1965, von der man doch den Zugang zu einer ganzen »verschollenen« Welt von Symbolen und Gedanken erwarten durfte, bleibt der »Miroir«, wie sich auch in den wenigen thematisch sehr breit gestreuten Untersuchungen zeigt, ein schwer zugängliches, fast esoterisches Werk. Es ist kein Zufall, wenn Verdeyen, wie um die Verständnisbasis zu erweitern, eine Guarnieri ergänzende Textausgabe (1986) zur Verfügung stellt. Und erst spät wurde, wie wenn man sicheren Boden suchte, eine neufranzösische Übersetzung unternommen (Huot de Longchamp 1984). Der Übersetzer bezeichnet sie fast entschuldigend als ein im Vergleich zum »Funkeln« der altfranzösischen Fassung »anonymes Produkt« mit einer »industriell glänzenden Oberfläche«. Aber nur weitere Übersetzungen können meiner Meinung nach das Verständnis auf breiter Basis voranbringen, so wie die jüngst erschienene Übersetzung von Louise Gnädinger.

Der Hauch des Esoterischen, in letzter Zeit durch das Verschwinden handschriftlicher Textzeugen und durch Gerüchte über die Existenz weiterer Handschriften in beschaulichen Zirkeln genährt (selbst von einer mittelhochdeutschen Fassung ist die Rede!), haftet dem »Miroir« nicht ganz zu Unrecht an. Er ist schon in seinem Titel (»Spiegel der einfachen, zunichtegewordenen Seelen, die ganz und gar im Wollen und Wünschen der Liebe verweilen«) für einen kleinen Kreis Vollkommener bestimmt, in deren Zirkeln er, möglicherweise mit verteilten Sprecherrollen (für die allegorischen Figuren von *Amour, Raison* usw.), vorgelesen wurde. Dieser Gruppe gegenüber werden Unverständige oft als *gros* (»grob«), als *vilains* (»Bauern«) oder gar *asnes* (»Esel«) bezeichnet. Dennoch sind gerade Uneingeweihte zur Lektüre aufgerufen, wenn sie bereit sind, sich auf die Autorin einzulassen, bei ihr zu »betteln«. Sie seien sogar die eigentliche Veranlassung zu diesem Buch gewesen, habe sie doch selbst einmal zu diesen »bettelnden Kreaturen« gehört, wenn auch in einem etwas anderen Sinn:

> »Was hat jene, die dieses Buch schrieb, veranlaßt (es zu schreiben), wollte sie doch, daß man in ihr Gott finde, damit man das leben möge, was sie von Gott sagte? Es scheint, sie wollte sich rächen. Das ist so zu verstehen, daß sie wollte, daß die Geschöpfe bei anderen Geschöpfen bettelten, so wie sie selbst es einmal tat« (Kap. 97).

Marguerite, die sonst hinter ihrem Buch zurücktritt wie ein Baumeister hinter den Symbolen seiner gotischen Kathedrale, verweist hier auf ihr früheres Leben als Bettlerin. Daß dies real zu verstehen ist (und uns damit noch genug interessieren soll), ist wahrscheinlich, weil sie von diesem eigenen Betteln ein spirituelles Betteln absetzt. Es geschieht im mühsamen Nachvollzug ihres Buches, zu dem sie die Gott suchenden Menschen zwingt und sich damit für ihren eigenen Weg »rächt«, zugleich aber auch ihren Anhängern den Weg erleichtert und verkürzt. Wie aber soll dieses »Betteln« vor sich gehen? Marguerite sagt es unmittelbar vorher:

> »Legt diese Worte hier aus, wenn ihr sie verstehen wollt, und wenn ihr sie schlecht versteht. Denn sie erscheinen dem, der nicht den Kern der Auslegung versteht, widersprüchlich. Aber Scheinen ist nicht Wahrheit, und dies hier ist Wahrheit und nichts anderes« (Kap. 97).

Das »Betteln« ist Interpretation, wie sie noch heute auf wissenschaftlicher Ebene für den »Miroir« gefordert ist. Es ist aber als Nachvollzug des realen Bettelns auch ein innerer Prozeß, der über die bloße, wenn auch noch so intensive Lektüre hinausgeht und als inneres Reifen und Läuterung verstanden werden kann: Wie die realen Spiegel jener Zeit glänzende Metallplatten mit vielen Schatten und Verzerrungen waren, so ist auch der »Miroir« für den *vilain* – wie auch heute noch für uns – mit vielen Schatten durchsetzt. Marguerite versteht sie nicht als Unklarheiten ihrer Darstellung, sondern – sehr selbstbewußt – als Unverständnis des Lesers, der dort Widersprüche sieht, wo keine sind. Wie im »Spiegel« sollen die Leser in ihrem Buch das allmähliche Verschwinden der eigenen inneren Schatten wahrnehmen, bis jene, für die er in erster Linie geschrieben ist, durch seine Symbole hindurch sich selbst, ihr eigenes Gesicht, in vollkommener Klarheit erkennen.

Wer war die Frau, die mit einem solchen Anspruch auf spirituelle Unterscheidung der Geister auftrat? Konnte sie denn für sich selbst ein solches Maß an innerer Reife und Lauterkeit beanspruchen, wie sie es von anderen verlangte?

Möglicherweise war Marguerite Porète nicht viel älter als Hadewijch und Mechthild von Magdeburg, die schon in jungen Jahren einen großen Teil ihrer Schriften verfaßten. Marguerite stammte aus dem französisch-flämischen Grenzgebiet des Hennegaus (Hainault), vielleicht aus dem heute französischen Valenciennes. Denn dort wird sie zum erstenmal mit der Kirche konfrontiert, und noch der berühmte Theologe Gerson spricht hundert Jahre später von einer gewissen »Marie de Valenciennes«, die ein Buch von »fast unglaublicher Subtilität« verfaßt habe. Vielleicht sind »Marie« und »Marguerite« identisch, wie Guarnieri meint, obwohl die minnemystische Tradition nach Marguerite von einer Reihe vergleichbarer Frauen weitergetragen wurde. Marguerites Sprache, das Französische, wurde vielleicht – flämische Einschläge im »Miroir« deuten es an – durch niederländische Kenntnisse ergänzt. Vor allem aber verrät der »Miroir« eine erstaunliche Bildung auf theologisch-spirituellem Gebiet, den selbstverständlichen, fast »technologischen« Umgang mit seelischen Vorgängen, auf die in souveräner Weise ritterliche Vorstellungen und Begriffe der Troubadourlyrik (*Fine Amour*) übertragen werden. Am ehesten, wenn auch nicht ganz befriedigend, könnte dies aus einer adeligen Herkunft erklärt werden.

Marguerite war Begine, gehörte also zu jener religiösen Lebensform zwischen Welt und Kloster, die schon gegen Ende des 12. Jahrhunderts im wallonisch-brabantischen Grenzgebiet (Lüttich) entstanden war und Tausende junger Frauen mitgerissen hatte. Die Beginen (die männlichen Vertreter dieser Lebensform hießen Begarden) waren an kein lebenslängliches Gelübde gebunden, obwohl sie wie die Ordensfrauen um Armut, Keuschheit und Gehorsam bemüht waren. In den Niederlanden, Belgien, Nordfrankreich und auch am Niederrhein lebten sie in großen Höfen, wie sie heute noch in Löwen, Gent, Brügge usw. existieren. In Deutschland, wo im 13. und 14. Jahrhundert längs des Rheins die Hauptachse dieser religiösen Bewegung verlief, bildeten sie in Häusern kleinere, bis zu 15 Personen umfassende Gemeinschaften. Spinnen und Weben, Krankenpflege und Wache bei den Toten, für deren Bestattung sie sorgten, trugen zu ihrem meist spärlichen Unterhalt bei.

Ein Teil der Beginen und Begarden lebte aber auch, daneben oder ausschließlich, vom Betteln. Viele zogen von Stadt zu Stadt, wo sie in den Straßen »Brod durch got!« (»Brot um Gottes willen!«) riefen, über subtile theologische Themen wie die Trinität öffentlich diskutierten und den Argwohn des Klerus erregten. Wie die ersten Franziskaner fühlten sie sich in ihrer »willigen armuot« als die wahren Nachfolger Christi, dessen Demut sie ernsthaft nacheiferten. So erhält etwa ein Adept dieser Lebensform die Anweisung: »Wenn dich morgen jemand, während du durch die Stadt gehst, einen Ketzer nennt, dich anstößt, schlägt oder sonstwie belästigt, sollst du nicht antworten und alles geduldig ertragen. Mit deinem Bruder ... sollst du weiter um Brot betteln, nicht die Augen heben, sondern sie unter der Kapuze zu Boden richten.«

Nun wurde aber von vielen diese äußere Armut als Form einer inneren Läuterung betrachtet, deren Intensität schließlich sozusagen ihre »Schale« durchbrach und auch äußerlich, in besonderen Vorrechten und Freizügigkeit, bekundet wurde. Obwohl dies immer noch bezweifelt wird – die gängige Vorstellung von christlicher Spiritualität läßt diese Idee offenbar nicht zu –, manifestierte sich die beanspruchte Freiheit vor allem auf sexuellem Gebiet. Man glaubte nämlich, schon in diesem Leben, hier und jetzt, über die »Form« des Vorbildes Christi, über sein Leiden und seinen Tod als Endpunkte diesseitiger christlicher Entwicklungsmöglichkeit, hinausgelangen zu können. So glaubte man an die »Freiheit des Geistes«, an eine hier mögliche zweite paradiesische Unschuld, die den Menschen der Sünde enthebt. Es wird dem besagten Adepten, nachdem er über ein Jahrzehnt in extremer »williger armuot« gelebt hat, bescheinigt, er habe nun sein Leben »nach der Form von Christi Leben« »ausgegeben«. Sein »Geist« sei darin »frei geworden«, und er dürfe nun, da er weiterhin »mit Geist und (sinnlicher) Natur Mensch« sei, dieser seiner »Natur« »Genüge tun«.

Wir sehen, eine ganz ähnliche Aussage, wie sie oben auch

Marguerite bzw. ihrem Buch zugeschrieben wurde! Aber auch hier liegt nur eine Aussage aus zweiter Hand vor – aus dem Inquisitionsprotokoll des Johann von Brünn (Köln 1335).

Sicherlich reicht die obige Andeutung Marguerites, sie sei einmal eine jener »bettelnden Kreaturen« gewesen, bei weitem nicht aus, sie dem eben beschriebenen freigeistigen Teil der Beginen und Begarden zuzurechnen. Aber vieles wäre leichter zu erklären, wenn wir Marguerite zumindest eine gewisse Erfahrung mit dem Leben der umherziehenden Beginen zubilligten: Die fast bestürzende spirituelle Reife einer möglicherweise noch jungen Frau ließe sich aus den elementaren Erfahrungen eines solchen Lebens und seiner bewußten Betrachtung als spirituelle Läuterung leichter verstehen. Unter den umherwandernden Beginen und Begarden könnten ihr auch Grundideen des »Miroir« bekannt geworden sein, und in diesem Milieu ließe sich auch die Lektüre und Verbreitung des Buches vorstellen. Die Ereignisse, mit denen Marguerite zum erstenmal ins Licht der Kirchengeschichte tritt, hängen jedenfalls sehr eng mit dieser Lektüre und Rezeption ihres Buches zusammen.

Während der Amtszeit Guis II. de Colmiew, des Bischofs von Cambrai (1296–1306), zu dessen Bistum Valenciennes gehörte, wird Marguerite zum erstenmal verurteilt. Ihr Buch wird auf dem öffentlichen Platz von Valenciennes verbrannt und jeder, der es verbreitet, mit der kirchlichen Acht bedroht. Dennoch behält Marguerite ein Exemplar oder mehrere Abschriften des »Miroir« bei sich und verbreitet ihn auch entgegen der kirchlichen Drohung. Sie ist fest von jener »Wahrheit« ihrer Ideen überzeugt, von der wir oben schon hörten. In ihrer Überzeugung bestärkt wurde sie durch drei namhafte Theologen, die sie um ein Gutachten über den »Miroir« bat. Es sind der frühere Rektor der Theologischen Fakultät von Paris, Godefroid de Fontaines, ein Zisterzienser aus Brabant und ein Minorit. Ihr Gutachten fiel positiv aus, war doch zumindest der Zisterzienser wahrscheinlich mit der mystischen Tradition des »Miroir«, mit der frühen brabantisch-flämischen Frauenmystik und mit Wilhelm von St. Thierry bekannt. So wurde der »Miroir« weitergelesen und -verbreitet. Dies geschah möglicherweise in ähnlichen »Konventikeln«, wie sie schon 1270 im

Nördlinger Ries den Argwohn Alberts des Großen erregt hatten. Innerhalb der kleinen Beginen- und Begardengemeinschaften einzelner Häuser, die auch in den Niederlanden und in Nordfrankreich neben den großen, straff organisierten Höfen bestanden, könnten sich am ehesten solche Zirkel gebildet haben. Weniger gegen Verfolgung als gegen das Mißverständnis Außenstehender suchte man sich abzuschirmen, und Marguerite glaubte sich sicherlich im Schutze der »Wahrheit« ihres Buches. Doch ihre Rechnung ging nicht auf.

Bei dem neuen Bischof von Cambrai, Philippe de Marigny, denunziert, wurde ein zweiter Prozeß gegen sie eröffnet. Ende 1307 beschäftigte sich schon die Inquisition von Oberlothringen mit ihrer Person und ihrem Buch, und schließlich nahm der Generalinquisitor von Frankreich, der Dominikaner Wilhelm von Paris (Guillaume Humbert de Paris) die Angelegenheit in die Hand. Wie auch der neue Bischof von Cambrai war Wilhelm von Paris, der Beichtvater König Philipps des Schönen, maßgeblich an den Prozessen gegen die Templer beteiligt. Wilhelm kann sogar als Hauptakteur dieser Prozesse gelten, und Philippe de Marigny sollte sich noch damit hervortun, daß er 1310 in einem einzigen Autodafé 54 Templer auf den Scheiterhaufen brachte und verbrennen ließ. Marguerite, die seit 1307 in Paris eingekerkert war, erwies nun, als sie vollends in das Räderwerk der Inquisition geraten war, angesichts dieser Henker ihre ganze Charakterstärke.

Zunächst hört man eineinhalb Jahre nichts von ihr. Möglich, daß man sie hinhalten, zermürben wollte, weil sie von Anfang an ein Schuldbekenntnis verweigerte. Sie muß während dieser Zeit angekettet im Kerker gesessen haben. Die Kommunion wurde ihr verweigert. Während dieser Phase des Inquisitionsverfahrens wurden nach Walter Nigg gewöhnlich Zeugenaussagen gesammelt, wobei sich der Angeklagte, der – auch bei geringer Bildung – ohne jede Verteidigung war, nur bei Nachweis von Todfeindschaft der Zeugen ihm gegenüber wehren konnte. Zu Anfang des Jahres 1309 scheint dann Wilhelm von Paris mit der Befragung Marguerites begonnen zu haben. Angeklagter und Inquisitor, der Ankläger und Richter in einer Person war, führten in dieser Phase einen – ungleichen – Zweikampf mit den subtilsten Mitteln. Der Richter, der zugleich auch Beichtvater war, versuchte mit Drohungen ebenso wie mit Einfühlungsvermögen und Schmeichelei, mit Zorn, Schweigen und Blicken den verstockten Angeklagten zu einem Schuldbekenntnis zu bringen. Half dies alles nichts, so wurden ihm die Folterwerkzeuge gezeigt, und schließlich wandte man die Folter selbst an, wobei die meisten aufgaben.

Von Marguerite aber heißt es noch in der Akte, die am Tag vor ihrer Hinrichtung durch Wilhelm von Paris ausgestellt wurde, sie habe nicht nur abgelehnt zu widerrufen, sondern auf die Fragen des Inquisitors auch nur zu *antworten*. Dabei versuchte Wilhelm offenbar, das Vertrauen der Angeklagten zu gewinnen, ihr sozusagen »goldene Brücken« zu bauen.

Um für sein Vorgehen eine Grundlage, den Anschein von Legitimität und Korrektheit, zu haben, ließ er von 21 Theologen der Universität von Paris, darunter Nikolaus von Lyra (1270–1349), ein Gutachten über den »Miroir« anfertigen. Am 11. April 1310 lag dieses akademische Gutachten vor und erkannte – einstimmig! – auf Häresie. Es wurden 15 Sätze des »Miroir« zusammengestellt, von denen der erste und letzte über 600 Jahre (neben dem oben aus der Chronik zitierten Satz) alles waren, was man über den Inhalt des Buches wußte. Der eine (Artikel 1) bezieht sich auf die »Tugenden«, die von der »zunichtegewordenen Seele« in Freiheit entlassen werden und denen sie »nicht weiter verpflichtet ist«. Der andere (Artikel 15) betrachtet selbst die »Tröstungen« und Geschenke Gottes« als Ablenkungen von der spirituellen Beschäftigung mit ihm. Es scheint, daß der »Miroir« besonders nach Gesichtspunkten des moralischen Handelns und auf mögliche »quietistische« Konsequenzen hin begutachtet wurde. Jedenfalls besiegelte dieses akademische Gutachten, das in der Kirche St. Mathurin feierlich verkündet wurde, Marguerites Schicksal. Sie wurde am 30. Mai 1310 aufgrund des Gutachtens als in ihrem Irrtum »rückfällig« erkannt. Am nächsten Tag, dem Sonntag nach Himmelfahrt, wurde sie von Wilhelm dem »weltlichen Arm« mit der Bitte übergeben, ihr Leben zu schonen und sie nicht zu verstümmeln. Aber diese Bitte gehörte nur zum Ritual. Marguerite wurde auf dem Place de Grève von Paris öffentlich als Ketzerin zur Schau gestellt. Am Montag, dem 1. Juni 1310, bestieg sie dort in Anwesenheit einer riesigen Volksmenge, der weltlichen Behörden und der kirchlichen Würdenträger den Scheiterhaufen. Mit unverhohlener Sympathie vermerkt ein Chronist, daß sie »viele hochherzige und demütige Zeichen der Buße« gegeben habe. Viele seien darüber von Mitleid ergriffen worden und hätten geweint.

Sicherlich aber galten diese Zeichen nicht demjenigen, der sie, wie es üblich war, noch auf dem Scheiterhaufen ein letztes Mal aufforderte zu widerrufen. Sie tat es auch jetzt nicht!

Einer ihrer Anhänger, der Priester Guion de Cressonaert, hatte versucht, sie am Tage ihrer Hinrichtung zu befreien. Vielleicht suchte er Marguerites günstige Stimmungen, die ja auch in der Chronik erwähnt werden, auszunutzen. Aber der Versuch scheiterte. Er wurde in Ketten gelegt, ins Gefängnis geworfen und zu lebenslänglicher Haft verurteilt.

Nachzutragen ist noch, daß die Marguerite vorgeworfenen Lehren zum Teil als die »Irrtümer der Begarden« auf dem Konzil von Vienne (1312) wiederauftauchten, als man begann, im großen Stil gegen den »freien Geist« vorzugehen. In der Zeit der Vorbereitung auf dieses Konzil weilte Meister Eckhart in Paris (1311–1313). Er könnte also durchaus von Marguerites Schicksal und ihrem Buch gehört haben – war er doch als Inhaber des Lehrstuhls der nichtfranzösischen Dominikaner, worauf Kurt Ruh verweist, Hausnachbar Wilhelms von Paris.

Die letzte Phase des Lebens Marguerite Porètes spricht eigentlich für sich. Es bedarf keiner Stilisierung dieser aufrichtigen und mutigen Frau. Ihr Leben löst die »Wahrheit« ihres Buches ohne Worte ein. Man muß sich nur immer vor Augen halten, daß jene, die ihr Verstocktheit und geistlichen Hochmut vorwarfen, ihr Urteil über Leben und Tod mit »Gott« legitimierten, der als »erster Inquisitor« das Urteil über Adam und Eva gesprochen habe (W. Nigg). Aber wir wissen über das, was in dieser Frau, die die Wahrheit ihrer Theorie nicht von der ihres Lebens zu trennen vermochte, eigentlich vorging, immer noch zu wenig. Wir sind darum wiederum auf ihr Buch verwiesen, das an jenem Montag auf dem Grève-Platz mit verbrannt wurde.

In den Versen am Ende des Hauptteiles ist hellsichtig vom

Irrtum die Rede, den die »Beginen« (der Höfe), die »Priester, Geistlichen, die Predigerbrüder und Augustiner, die Karmeliter und Minderbrüder« der Verfasserin zum Vorwurf machen werden (Kap. 122). Es ist zugleich der Vorwurf der *Raison* gegen die *Amour*, der Vernunft gegen die Liebe, deren allegorischer Dialog den Verlauf des Buches bestimmt. Die Methode der *Raison*, ihre Art zu fragen, zu denken und immer wieder Erklärungen zu verlangen, könnte die Methode der scholastischen Theologie widerspiegeln. So sagt die *Ame* zur *Raison* im 53. Kapitel: »Eure Fragen haben dieses Buch im Wert gemindert und verdorben. Viele hätten es aus wenigen Worten verstanden. Eure Fragen haben es so lang gemacht, und die Antworten, die Ihr nötig habt – Ihr und Euresgleichen, die den Weg der *Schnecke* gehen (eigene Hervorhebung).« Die Methode der *Ame*, die der *Raison* diesen Vorwurf macht – obwohl sie sich auf ihre Umständlichkeit ja grundsätzlich einläßt –, beruht auf Intuition. Es ist eine Intuition, über die wiederum *Amour* die Seele belehren muß – eine Intuition, die sehr wohl mit »Kunst« im Sinne einer seelischen Fertigkeit zu tun hat:

> *Seele:* »Worin besteht die Kunst eines Geschöpfes?«...
> *Amour:* »Sie ist ein feines Organ zum Verstehen. Es läßt die Seele von dem, was jemand sagt, mehr verstehen, als jener davon versteht, der es spricht... Denn der Zuhörer ist in Ruhe, und der Sprechende strengt sich an... Diese Kunst ist flink. Sie geht darum von Natur auf das Verständnis des Ganzen aus, auf das sie sich bezieht« (Kap. 110).

Nur diesem feinen Verstehen, das an die *Amour* gebunden ist und viel mit Zuhören zu tun hat, erschließt sich die Weisheit des »Miroir« aus wenigen Worten. Nur so sind Sätze aufzunehmen wie jener des 37. Kapitels: »Und wessen Wollen immer von vollkommener Liebe durchdrungen wäre, demjenigen wären Bisse und Vorwürfe des Gewissens fremd. Denn Gewissensbisse und -vorwürfe in der Seele sind ein Zeichen mangelnder Liebe.«

Oder, wie die Seele im 6. Kapitel »singt«:

> »Tugenden, ich nehme mir frei von Euch auf immer, / Davon wird mein Herz freier und fröhlicher sein; / Euch zu dienen erfordert zuviel Beharrlichkeit, ich weiß es gut. / Denn auch ich legte einmal mein Herz in Euch, ohne für mich noch etwas zu behalten; / Ihr wißt, daß ich mich Euch ganz ergeben hatte; / Ich war Eure Sklavin. Davon bin ich nun erlöst.«

Die Gefahr, aufgrund von Stellen wie diesen so verstanden zu werden, als hätte sie Gewissenlosigkeit und Untugend gepredigt (vgl. die Chronik S. 1 und Artikel 1 des Gutachtens), lag auf der Hand und war Marguerite bewußt. Sie hing mit dem Versuch zusammen, die »einfachen, zunichtegewordenen Seelen« zugleich positiv als »frei gewordene Seelen«, als *âmes franches*, zu bestimmen. Schon in der zweiten Hälfte des Titels, der allein schon bei bedächtigem Lesen viel verrät, heißt es, daß diese Seelen »ganz allein im Wollen und Wünschen der Liebe verweilen«. Sie sind, wie Meister Eckhart in einer Predigt sagt, an die »Angel der Liebe« gebunden, worin auch immer ihr Wollen und Wünschen bestehen mag.

Aber auf diese Feinheiten konnte oder wollte sich die Kirche nicht einlassen. Sie befürchtete praktische Konsequenzen, wie sie zu Marguerites Zeit in ihrer extremsten Form von den sogenannten »Apostelbrüdern« des Fra Dolcino gezogen wurden, die in Mittelitalien gegen Kirche und Staat eine Art von – sehr handgreiflichem – Liebeskommunismus zu verwirklichen suchten, gestützt auf 1400 Bewaffnete (die grausame Hinrichtung Dolcinos wird übrigens in Umberto Ecos Roman »Der Name der Rose« beschrieben). So mußte die Kirche auch bei Marguerite »durchgreifen«! – *Mußte* sie wirklich? Hätte sie nicht der doch kaum ganz unwesentliche Gesichtspunkt abhalten sollen, auf den sie sich immerhin gründete: die *Liebe*?

Der »Miroir« sprengte zu seiner Zeit mit seinem Begriff von spiritueller Freiheit die kirchliche Struktur. Er war bei weitem nicht das einzige Buch, das verbrannt wurde. Auch Mechthild von Magdeburg fürchtete, ein »Brand« könne ihr »Fließendes Licht der Gottheit« auslöschen. Es sollte zu denken geben, daß die Werke Hadewijchs, Mechthilds und Marguerites untereinander nur wenige Berührungen aufweisen. Wieviel mag von ähnlichen Texten der Beginen verlorengegangen sein, wenn van Mierlo zu Beginn des 13. Jahrhunderts schon mit dem Verschwinden einer ganzen Literatur rechnet?

Auch wenn diese Frage müßig klingt, bleibt sie gestellt. Davon abgesehen kann der »Miroir« mit seinem Versprechen eines »Friedens jenseits aller Angst« (H. de Longchamp), das aus jeder Seite spricht, auch heute noch einen Weg zur Selbsterkenntnis weisen. Sein hoher »Flug« kann beängstigen und ermüden, aber er hat, wie Marguerites Leben, ein Ziel:

> »Denn diese Seele läßt sich mit dem Adler vergleichen, weil diese Seele hoch und immer noch höher fliegt, höher als alle anderen Vögel. Denn sie hat die Flügel der Edlen Liebe (*Fine Amour*). Sie sieht die Schönheit der Sonne klarer, den Strahl der Sonne und den Widerschein der Sonne und des Strahles, und dieser Widerschein erlaubt ihr den Genuß des Markes der hohen Zeder« (Kap. 22).

»Genuß des Markes der hohen Zeder« im »Widerschein« der Sonne – eines der vielen rätselhaften Bilder des »Miroir«. Führt hier die Verbindung zu den Traktaten vom »Palmbaum« weiter? Und wovon spricht die schlesische Begine Margaretha Pictrix (»die Malerin«) aus Schweidnitz, wenn sie 1332 der Inquisition berichtet, die Begarden hätten ihr von einem Baum erzählt, auf dem die vollkommene Seele ruhe?

Wir können nur mutmaßen, und der »Weg ins Land der Freiheit«, den der »Miroir« den schon Fortgeschrittenen am Ende weist (Kap. 122ff.), ist für uns viel mühsamer als für diese. Aber lohnt es sich darum nicht um so mehr, wenn auch nicht mit dem Gedankenflug des »Adlers«, so doch wie die »Schnecke« auf dem Boden solider Übersetzungen, nach der »Zeder« zu suchen?

Textgrundlage

Romana Guarnieri (Hrsg.), Il movimento del Libero Spirito. Testi e documenti. Archivio Italiano per la Storie della Pietà VI, 1965, 501 – 708.

Parallelabdruck mit lateinischem Text:

Paul Verdeyen (Hrsg.), Margareta Porete, Speculum simplicium animarum, Turnhault 1986.

Deutsche Übersetzung:

Margareta Porete, Der Spiegel der einfachen Seelen. Aus dem Altfranzösischen übertragen von Louise Gnädinger, Zürich/München 1987.

Agnes Blannbekin

PETER DINZELBACHER

Österreich hat im Unterschied zu den benachbarten Ländern Süddeutschland oder Italien nur eine einzige Mystikerin hervorgebracht, die noch dazu auch der Fachwelt praktisch eine Unbekannte geblieben ist, die Wiener Begine Agnes Blannbekin. Bisweilen wird zusammen mit ihr zwar noch ihre Zeitgenossin, die Einsiedlerin Wilbirg von St. Florian, als mystisch begabte Religiose erwähnt, doch scheint sie ihren Ruf als Charismatikerin vor allem ihrem Biographen zu verdanken, der in jedem nur möglichen Ereignis ihres Lebens gleich Wunder und Begnadungen erblickte.

Agnes muß dagegen nach dem Ausweis des von ihr diktierten Offenbarungsbuches unbedingt ihren berühmteren Zeitgenossinnen, einer Mechthild von Magdeburg, Mechthild von Hackeborn, Gertrud von Helfta, Margherita von Cortona, Clara vom Kreuz, Angela von Foligno, Ida von Löwen, Christine von Stommeln, Béatrix von Ornacieux, Marguierite d'Oingt, Marguerite Porète und anderen zur Seite gestellt werden. Freilich ist sie schon im Mittelalter nicht weiter bekannt geworden, wurden die Aufzeichnungen über ihr Gnadenleben kaum gelesen (wiewohl es eine mittelhochdeutsche Übersetzung gegeben zu haben scheint), und als sie dann in der ersten Hälfte des 18. Jahrhunderts der gelehrte Handschriftenforscher und Historiker des Benediktinerstiftes Melk, Bernardus Pez, »wiederentdeckte«, hatte sie das Unglück, daß ihre Offenbarungen Angehörigen der Gesellschaft Jesu mißfielen, die beim Kaiser bewirkten, daß der Druck dieses Werkes eingezogen und vernichtet wurde. Da außer dieser nun natürlich äußerst selten gewordenen Publikation nur noch eine unvollständige und bislang ungedruckte Handschrift ihrer Offenbarungen bekannt ist, sind die Angaben, die sich auch in den neuesten einschlägigen Nachschlagewerken und Literaturgeschichten über sie finden, in der Regel lückenhaft und enthalten auch nicht selten irrige Informationen.

Alles, was wir über Agnes wissen, können wir nur einer einzigen Quelle entnehmen, nämlich der von ihrem Beichtvater geschriebenen »Vita et Revelationes«, das heißt ihrer in einem Werk zusammengestellten Biographie und ihren Offenbarungen. Nach einer Notiz am Ende dieses Textes war Agnes die Tochter eines Bauern wohl aus dem niederösterreichischen Umland Wiens. Sie scheint über ein gewisses Vermögen verfügt zu haben, denn sie konnte in die Stadt ziehen und dort in einer eigenen Wohnung oder einem eigenen Haus als Begine leben, ohne einer Arbeit nachzugehen. Diese »alternative Lebensform« hatte sich im ausgehenden 12. Jahrhundert im Gebiet des heutigen Belgien und der Niederlande entwickelt und sich besonders dem Rhein entlang verbreitet, hatte aber auch in anderen Ländern Anhängerinnen gefunden. Die Beginen strebten eine betont religiöse Existenz an, doch ohne sich der Regel eines anerkannten Ordens und damit dem lebenslänglichen Dasein hinter Klostermauern zu unterwerfen, ohne ewig bindende Gelübde abzulegen, aber auch, ohne in einer Familie der Herrschaft eines »Eheherren« untertan zu sein. Sie hatten jedoch die Möglichkeit, ins »bürgerliche« Dasein zurückzukehren und sich zu verehelichen.

Agnes traf sich immer wieder mit gleichgesinnten Frauen und hatte auch die Kontakte zu ihren Verwandten nicht abgebrochen, lebte aber in Wien für sich allein, wohl in der Nähe der Minoritenkirche. Den Minoriten (oder Franziskanern) gehörte ihr Beichtvater an, und um Angehörige dieses Ordens drehen sich mehrere ihrer Schauungen. Vielleicht hat sie sich diesem Orden als Laienschwester (Tertiarin) näher verbunden, wie mehrere der zeitgenössischen Mystikerinnen, doch haben wir darüber keine Angaben.

Ihre Existenz stand jedenfalls ganz unter dem Zeichen von Frömmigkeitsübungen und mystischen Erlebnissen. Viel Zeit muß sie im Gespräch mit ihrem Beichtvater verbracht haben, dem sie immer wieder davon berichtete und zu dem sie ein von gegenseitiger Achtung und Zuneigung geprägtes Verhältnis gehabt zu haben scheint. Er erinnert in seiner schlichten Gläubigkeit an die Offenbarungen seines Beichtkindes wie auch in der stilistischen Unbeholfenheit seines Lateins an seinen italienischen Zeit- und Ordensgenossen, den Bruder Arnold, der die Offenbarungen der Angela von Foligno zu Pergament brachte.

Die Devotionen der Begine konzentrierten sich auf den wohl täglichen Besuch der Meßfeier, sie ging von Kirche zu Kirche, um die jeweiligen Ablässe zu erlangen, und pflegte dabei die Altäre als Ausdruck ihrer Ehrfurcht vor der Eucharistie zu küssen. In der Fastenzeit kam dazu die Rezitation von 5000 Vaterunser und Ave Maria, wobei sie jedesmal niederkniete und sich dann zu Boden warf. Am Karfreitag geißelte sie sich auch selbst, eine Bußleistung, die von anderen mittelalterlichen Mystikerinnen meist wesentlich öfter erbracht wurde. Insofern unterschied sich ihr Leben also kaum von dem anderer Beginen des 13. Jahrhunderts. Was sie aus ihnen hervorhob, war der dauernde Empfang von Privatoffenbarungen und die Tatsache, daß sie einen Geistlichen fand, der sie aufzeichnete, da er sie als echt und von Gott gesandt beurteilte.

Das Visionenbuch der Agnes Blannbekin beginnt mit ihrer vielleicht schönsten Offenbarung, einer kosmischen Gesamtschau der Schöpfung im Herrn:

»Da die Hand des Herrn über eine heilige Person (das heißt Agnes) nach der öffentlichen Messe in der Kirche kam, begann sie süß an Kräften zu verlieren und, innerlich in ein unaussprechliches Licht entrafft, sah sie im göttlichen Licht den Mann, schön vor den Menschensöhnen, und in jenem Mann jenes Licht. Und in dem Mann und in dem göttlichen Licht sah sie die Elemente und Geschöpfe und die daraus gemachten Dinge, sowohl die kleinen als auch die großen, unterschieden in großer Helligkeit, daß ein jedes, wie klein auch immer, hundertmal heller als die Sonne erschien... Es waren auch die geschaffenen Dinge so verschieden in der Helligkeit, daß jedes einzelne sich nach seiner Art unterschied, also das grüne Korn von der roten Rose, und so war es auch mit den übrigen Dingen. Unter allen Elementen und geschaffenen Dingen war die Erde besonders hell, und das daher, weil Gott den Leib von der Erde genommen und weil die Leiber der Heiligen aus Erde sind und weil bei der Passion des Herrn die Erde getränkt worden ist mit dem Blute des Heilands und der Heiligen. Dies alles nämlich war in jenem Manne, das heißt in Christus« (c. 1).

Agnes schaut nicht nur die Welt als solche, sondern auch die Menschen je nach ihrer Nähe zu Gott und in ihrem Aufstieg zu ihm, Themen, die sie immer wieder beschäftigen. Vor allem Maria und die Heiligen werden ihr in ihrer Helligkeit und mit ihren Kronen gezeigt. Agnes hat aber nicht nur visuelle Eindrücke, sie hört auch den Gesang der Verklärten:

> »Es war aber die Stimme der Lobenden und Jubilierenden nicht in Worten, und dennoch bedeutungsvoll zu verstehen, und sie war so süß und so angenehm, daß, wenn nur eines Engels Stimme auf Erden ertönte, davon die ganze Welt aufjauchzte« (23).

Es scheint nicht so, daß die nun folgenden zahlreichen Gesichte irgendwie thematisch geordnet worden wären, vielmehr bietet sich ein buntes Nacheinander von Offenbarungen über die Heilsgeschichte, über den Heilsstand der Menschen, über in symbolischer Weise vorgestellte Glaubenswahrheiten und über das Jenseits. Gegen Schluß der aller Wahrscheinlichkeit nach unvollständigen Aufzeichnungen hat Agnes' Beichtvater ihre Visionen sozusagen in Tagebuchform einfach chronologisch hintereinander gesetzt und mit dem jeweiligen Datum versehen. Wir wissen nicht, ob er noch eine systematische Anordnung plante, wie sie zum Beispiel beim »Buch von der Erfahrung der wahrhaft Glaubenden« der Angela von Foligno oder beim »Boten göttlicher Liebe« der Gertrud von Helfta erfolgte. Da zwischen die Offenbarungen auch immer wieder Bemerkungen zur Lebensweise der Mystikerin eingestreut sind, entstand so ein für die Zeit charakteristischer Literaturtyp, der zwischen reiner Offenbarungsschrift und Heiligenvita steht.

Charakteristisch für Agnes ist, daß sie die meisten Schauungen sogleich einer Allegorese, einer systematischen Auslegung, unterzieht. Oftmals ist es aber auch eine überirdische Stimme, die ihr diese Deutungen mitteilt, wie Agnes übrigens auch reine Auditionen ohne gleichzeitige visuelle Erlebnisse erfahren hat. Ihre religiösen Erlebnisse kreisen um viele der Hauptthemen der spätmittelalterlichen Frömmigkeit, wie die Passion, die Verehrung des Herzens und der Wunden des Erlösers, die Gnadenfülle des Herrn, die besondere Stellung Mariens usf.

Betrachten wir einige Beispiele für die verschiedenen Visionstypen in der »Vita et Revelationes« der Blannbekin.

Die symbolischen Schauungen wollen Heilswahrheiten des Glaubens durch konkrete Bilder verdeutlichen, welche nicht selten einem recht alltäglichen Bereich entnommen sind. So erscheint ihr einmal Christus als Bischof, der eine Küche, eine Apotheke und einen Laden besitzt. In seiner Küche kocht der Herr aus warmen und aromatischen Spezereien ein Gericht, das die fromme und mitleidsvolle Erinnerung an seine Passion bedeutet:

»Dort, wie sie sagte, wird die Seele entflammt und befeuert, und in jener Entflammung des Mitleids nimmt sie eine gewisse Gottähnlichkeit an. Das zweite Gericht war wie aus Milch, das heißt wie aus Mandelmilch, und bezeichnete den Schmerz und das Mitleid über die Sünden des Nächsten. Denn Milch bezeichnet eine gewisse Süße des Mitleids« (27).

Ähnlich werden die Medikamente in der Apotheke und die Waren des Ladens ausgelegt. Zu diesen Orten kommen nun Menschen, die je nach ihrem Heilsstand diese seelenheilenden Speisen gleich oder später oder gar nicht bekommen. In diesen einfachen Bildern ist also die theologische Lehre ausgesagt, daß die für die ewige Seligkeit notwendigen Tugenden von Christus kommen und den Menschen je nach ihrem eigenen Verhalten zuteil werden. In der zeitgenössischen, besonders der volkssprachlichen Devotionsliteratur finden sich viele ähnliche Allegorien, die nicht auf Visionen zurückgehen, sondern zur Betrachtung und Belehrung erdacht wurden. Sicherlich hat Agnes solche Texte gekannt, sei es über die Predigt, sei es aus eigener Lektüre (sie war, ungewöhnlich für eine Frau ihrer Herkunft, lesekundig).

Wie so viele Mystikerinnen seit Elisabeth von Schönau wird auch Agnes in die Heilszeit des Erdenlebens des Menschensohnes zurückversetzt. Sie sieht das Leiden des Herrn nicht nur als Reflexion der Schilderungen in den Evangelien, sondern angereichert mit manchen dort nicht verbürgten Einzelheiten, die teilweise aus umlaufenden Apokryphen, teilweise aus bildlichen Darstellungen stammen dürften. Solche Visionen werden in der weiteren Geschichte der Frauenmystik ein immer wiederkehrendes Motiv bleiben, noch Therese Neumann von Konnersreuth hat in ihren Passionsvisionen zahlreiche unbiblische Elemente.

»Sie sah einen erwachsenen Jüngling, ganz nackt, ausgenommen, daß ein Leinentuch eng um seinen Körper gelegt war; und es war jenes Tuch mit Blut getränkt. Sie sah auch, wie jener Mann mit Nägeln an das Kreuz geheftet wurde... Und zuerst wurde die rechte Hand gekreuzigt, dann die linke Hand, dann wurden die Füße ausgezogen und, der eine über den anderen gelegt, mit einem Nagel angeheftet... und am Kreuze hangend suchte er Entlastung von einem Nagel zum anderen, wo er es leichter ertragen könne... Von Durst war er heftigst gequält, und ihm wurde ein sehr bitterer Trank gereicht. So bittere und von allzugroßer Hitze kochende Tränen weinte er, daß die Wangen von der Haut enthäutet schienen, und mit einem lauten Schrei verschied er« (55).

Diese Schauungen können aber auch über ihren historischen Inhalt hinaus transzendiert werden, indem sie wie Präfigurationen (das heißt als auf die Seinsweise der Ewigkeit vorausweisende Geschehnisse) erscheinen, jedoch – und das ist typisch für die spätmittelalterliche Mystik – bezogen auf das innerseelische Heilsgeschehen im Individuum. Man kann in der folgenden Vision von der Taufe Christi einen Anklang an ein Hauptthema der Mystik sehen, nämlich das der Einwohnung Gottes in der Menschenseele:

»An der Oktav der Erscheinung, als sie kommuniziert hatte, begann sie am ganzen Körper mit großer, süßer Hitze erfüllt zu werden, die nicht brannte, und bald war sie im Geiste, und innerlich zur Gänze von einem Licht göttlich erfüllt, erkannte sie und verstand und sah sie – eine körperliche Stimme hörte sie nicht –, und es wurde ihr geoffenbart, daß in Christus die Taufe spürbar vollzogen wurde und die selige Dreifaltigkeit sich manifestierte, nämlich der Vater in der Stimme, der Sohn im Fleische und der Heilige Geist in der Taube und im Jordan der getaufte Christus. So vollzieht sich dies alles spirituell in andächtigen Seelen: Der Vater manifestiert sich in der Stimme, wenn der Seele Gottesgeheimnisse innerlich verstandesmäßig oder manchmal stimmlich... dargetan werden mit der Erhebung des Geistes in Gott. Der Sohn manifestiert sich mit Liebe. Und sie sagte, daß der vom Berge fließende Fluß Jordan erschien, und dieser Fluß war gesammelt aus den Tränen der Liebe und der Andacht heiliger Seelen. Und es erschien Christus in so großem Licht, wie oben in der ersten Vision, das heißt in himmlischem Licht. Und er erschien nackt in jenem Fluß und freute sich in jenem Jordan mehr als im körperlichen Jordan. Und der Leib Christi erschien so durchscheinend wie ein Kristall im Licht der Sonne. Und über Christus war ein großer, weißer Berg, der ihn niederzudrücken schien, und... das bezeichnet die Liebe, die Christus uns gegenüber hatte und hat, die ihn besiegt und bis zum Tode so sehr niederdrückt... Es erschien dort auch eine Taube, das heißt der Heilige Geist als Taube, und um sie eine Menge Menschen. Diese Taube setzte sich auch auf die Häupter einiger, anderen zupfte sie die Haare aus dem Haupt, anderen steckte sie ihr Schnäbelchen sanft in den Mund, als ob sie sie küßte... Daß der Heilige Geist im Aussehen einer Taube sich auf die Häupter einiger setzte, bezeichnet, daß der Heilige Geist den Sinn solcher zum Himmlischen erhebt. Daß sie aber einige Haare auszupft, bezeichnet die großen Drangsale und Mühen, durch die die Herzen solcher gedemütigt werden. Daß sie ihr Schnäbelchen sanft in den Mund von einigen steckte, also ob sie sie küßte, bezeichnet die Süßigkeiten der Tröstungen« (50).

Die Schauungen über den Heilsstand einzelner Menschen oder Stände, ja der Menschheit überhaupt entfalten sich in den verschiedensten allegorischen Bildern und können dabei auch, wie die folgende, sehr plastisch sein:

»Vor dem Palmsonntag sah sie, vom Geist erfaßt, fünf Arten von Beichtigern, die die Beichten der Menschen hören. Einige hatten Schweinsköpfe und schmutzige Rüssel, andere hatten Hundsköpfe, andere hatten eine gänzlich erschreckende, teuflische Gestalt und verlarvte Gesichter, andere hatten menschliche Gesichter, aber mit Blut besprengt, andere hatten leuchtende, menschliche Gesichter, von einem gewissen göttlichen Licht erhellt« (71).

Die Stimme erklärt Agnes, daß damit zuerst die Beichtiger gemeint sind, die wegen irdischen Gewinns die Beichte hören (im Mittelalter war es ja üblich, dem Priester nach der Lossprechung einen Beichtpfennig zu bezahlen), dann jene, die dies tun, um sich eine Gunst zu verschaffen. Die Teuflischen sind Häretiker (Österreich war damals fast eines ihrer Zentren) und die Blutbefleckten solche, »die mit Gewalt Menschen zwingen, sogar das zu bekennen, wozu sie nicht gehalten sind, und über das Fleischliche wegen ihrer Ergötzung fragen«, ein auch sonst angeprangerter Mißbrauch. Die letzte Gruppe symbolisiert natürlich die Priester, die wirklich wegen des Seelenheils ihrer Pflicht nachkommen. Hier hat die Vision der Begine also deutlich kritische Funktion unwürdigen Vertretern der kirchlichen Hierarchie gegenüber, und sie steht in ihrem Werk durchaus nicht vereinzelt. Besonders die Franziskaner werden in anderen Gesichten mit Lob und Tadel bedacht, aber auch einzelne Geistliche. Man erinnert sich nicht nur an die nicht selten drohenden Briefe, die eine Hildegard von Bingen an den Klerus schreiben konnte, sondern auch besonders an die oft harten diesbezüglichen Prophezeiungen und Visionen der Birgitta von Schweden. Das besondere Charisma war im Mittelalter der einzige Garant, der es einer Frau erlaubte, wenn sie nicht gerade eine besonders mächtige Fürstin war, Verfehlungen innerhalb der exklusiv männlichen Hierarchie der Kirche zu kritisieren. Es ist aber zu betonen, daß keine einzige der Mystikerinnen, die in der katholischen Kirche blieben, die Hierarchie als solche angriff oder ihre Beschränkung auf das männliche Geschlecht. Hildegard von Bingen zum Beispiel verteidigte nachdrücklich den ausschließlichen Primat des Mannes hinsichtlich des Priesteramtes. Bei als Ketzerinnen verurteilten Mystikerinnen, von denen wir in den mittelalterlichen Quellen allerdings nur äußerst spärliche Berichte besitzen, scheint es dagegen gelegentlich Träume von einer Frauenkirche gegeben zu haben.

Seltener sind die Schauungen, die die Mystikerin an einen der Orte des Jenseits führen.

> »Am Tage der Auferstehung des Herrn... wurde ihre Seele entrafft in ein sphärisches Licht, von dem sie meinte, es sei die materielle Sonne, aber... es war ein göttliches Licht... Es bewegte sich gegen Osten, und sie selbst wurde festgehalten in dem Licht und mit dem Licht geführt... Unten sah sie die Erde, alle Weltzonen und das Zentrum der Erde und die Umgebung weitesthin. Und die Erde war rund nach Art einer Kugel, und in Hinsicht auf die Umgebung schien die Erde kaum gleich einem Apfel in der Größe... Und sie wurde auch unter der Erde zu genugsam lieblichen Orten geführt, wo eine große Menge Menschen erschien, die leuchtend waren, mit schmucken Gesichtern, aber wie Stumme sprachen sie nichts. Dies waren die Verstorbenen..., die ohne schwere Sünde verschieden waren. Und sie hatten keine andere Strafe als die Ermangelung der Anschauung Gottes. Diese Strafe war ihnen dennoch, wie sie selbst sagte, die größte« (136).

Eine Schau der ganzen Welt erlebten seit Benedikt von Nursia zahlreiche Religiöse; der Bericht der Wiener Begine zeigt (so wie auch andere Quellen) deutlich, daß die Auffassung, die Erde sei kugelförmig, im Mittelalter keineswegs vergessen war. Wie die meisten Menschen ihrer Epoche (und durchaus auch Theologen vom Rang eines Thomas von Aquin) glaubte auch Agnes fest an die Möglichkeit, daß die Straf- und Gnadenregionen teilweise auf oder unter oder innerhalb der Erde gelegen seien. Was sie schaute, war eine Form des Fegefeuers, die aber nur für die leichten Sünder bestimmt war, wogegen das »eigentliche« Purgatorium höllenähnlichen Charakter hat. Ältere, nichtmystische Visionen, wie besonders die des irischen Ritters Tundal von 1149, hatten diese Orte ja ausführlichst geschildert.

Agnes und ihr Beichtvater waren eifrige Leser der Hoheliedpredigten des Bernhard von Clairvaux, des grundlegenden Textes der Einigungsmystik. So ist es verwunderlich, daß sie eigentlich nur einmal ausdrücklich von der mystischen Vereinigung, der *unio mystica*, berichtet:

> »Entflammt von göttlichem Feuer, wurde sie ganz in Gott entrafft, daß sie weder sich selbst wahrnahm noch etwas anderes als die unendliche Süße, Güte und Süßigkeit Gottes, wodurch sie Gott schauend genoß. Und so ist sie durch Gott trunken worden... und so fühlte sie sich Gott in Gott vereint, daß, was immer sie wollte, was immer sie ersehnte, was immer sie zu wissen begehrte, ihr alles gegenwärtig war. Sie sagte auch, es sei unaussprechlich« (179).

Diese Beschreibung der mystischen Hochzeit entspricht ganz dem, was wir auch von viel berühmteren begnadeten Frauen und Männern lesen, denn sie enthält alle Elemente der mystischen Einung: die Verschmelzung mit der Gottheit, das Gott-Schauen, die Metapher der Trunkenheit, die Willens- und Wissensgleichheit, den Unaussprechlichkeitstopos. Immer wieder kommt bei Agnes der Ausdruck »Süße« als intensivstes Kennzeichen ihres religiösen Erlebens vor. Es handelt sich dabei um eine psychosomatische Empfindung, die seit dem 12. Jahrhundert fast regelmäßig die Zustände mystischer Versenkung kennzeichnet. Das 13. Jahrhundert scheint ein Höhepunkt für diese Form der Frömmigkeitserfahrung gewesen zu sein.

Andererseits wird Agnes der Einwohnung des Herrn in der Seele teilhaftig, die sich ihr (so wie manchen anderen Mystikerinnen) auch körperlich deutlich manifestiert. Zu Weihnachten schwellen ihr Leib und Adern in köstlich schmerzender Süße auf,

> »denn immer schien ihr, daß sie den Knaben Jesus in ihrem Inneren habe... In jener Ekstase bleibend, wurde sie von so großer Süße und Liebeszärtlichkeit zum Geliebten erfüllt, daß sie ihn selbst mit Armen

zu umfassen schien, und innerlich redeten sie nicht mit Stimmen, sondern geistlich und verstandesmäßig wechselweise vertraut miteinander nach Art eines Zwiegesprächs« (198).

Agnes identifiziert sich also im entsprechenden Zeitpunkt des Kirchenjahres gefühlsmäßig mit Maria, ohne dabei so weit zu gehen, auch eine Gottesgeburt zu erwarten wie ihre Zeitgenossin Prous Boneta, die im selben Jahr wie sie sterben sollte, allerdings als Ketzerin auf dem Scheiterhaufen.

Mit dem 235. Kapitel über die fünf Arten der Gottesliebe brechen die Offenbarungen der Agnes Blannbekin ab, unvollendet oder unvollständig überliefert. Am 10. Mai 1315, so die Schlußanmerkung der Pezschen Handschrift, starb sie. Ihr Schicksal war es, im Gegensatz zu dem vieler anderer Mystikerinnen ihrer Epoche, die heute als Selige oder Heilige verehrt werden, dem Vergessen anheimzufallen. Vielleicht wird die bevorstehende neue Veröffentlichung und Übersetzung ihres Offenbarungsbuches sie wieder ins Bewußtsein der Forschung und des an Frauenmystik interessierten Publikums bringen.

Literatur

Die kritische Ausgabe und vollständige deutsche Übersetzung der »Vita et Revelationes« erscheint in Kürze unter dem Titel: »Leben und Offenbarungen der Wiener Begine Agnes Blannbekin († 1315)«, hrsg. von *P. Dinzelbacher*. Ein ausführlicher Kommentar dazu ist in Arbeit. Vgl. vorläufig *W. Tschulik*, Wilbirg und Agnes Blannbekin, Diss. masch. Wien 1925, und *P. Dinzelbacher*, Die »Vita et Revelationes« der Wiener Begine Agnes Blannbekin († 1315) im Rahmen der Viten- und Offenbarungsliteratur ihrer Zeit, in: Frauenmystik im Mittelalter, hrsg. von *P. Dinzelbacher* und *D. Bauer*, Ostfildern 1985, 152–177. Als jüngste Publikation zum sozial- und kirchengeschichtlichen Hintergrund befindet sich im Druck: Religiöse Frauenbewegung und mystische Frömmigkeit im Mittelalter, hrsg. von *P. Dinzelbacher* und *D. Bauer*, Köln 1988.

Elsbeth von Oye

PETER OCHSENBEIN

Unter den in diesem Band vorgestellten Mystikerinnen dürfte die Zürcher Dominikanerin Elsbeth von Oye die am wenigsten bekannte sein[1]. Das ist kein Zufall. Denn ihre tagebuchartig wirkenden Offenbarungen – sie sind bis heute noch nie gedruckt worden – stellen einen Grenztext mystischer Literatur gleich in zweifacher Hinsicht dar. Ihre Aufzeichnungen waren kirchlicherseits bis ins 18. Jahrhundert der Häresie verdächtig, und sie fordern noch heute zur grundsätzlichen Diskussion heraus, ob sie tatsächlich mystische Erfahrung wiedergeben oder bloß als erschütterndes Dokument psychischer Aberratio einer naiven Schwester zu gelten haben.

Bereits in der Zeit Elsbeths wurden zahlreiche Textstellen in ihren Offenbarungen als häretisch empfunden und deshalb in dem noch erhaltenen Autograph ausradiert. Ihr Wortlaut erregte Anstoß, so noch 1725, als der Melker Benediktiner Bernhard Pez (1683–1735) eine lateinische Übersetzung von Elsbeths Offenbarungen in den 8. Band seiner »Bibliotheca ascetica antiquo-nova« aufnehmen wollte, aber dann im letzten Augenblick – wie das bereits für den Druck vorbereitete und noch erhaltene Manuskript bezeugt – der Publikation entzog[2]. Elsbeth von Oye blieb so bis in unsere Zeit weitgehend unbekannt. In älteren Handbüchern zur Geschichte der deutschen Literatur bzw. zur mittelalterlichen Mystik wird sie meistens gar nicht genannt. Erst 1935 entdeckte sie Walter Muschg in seinem noch heute lesenswerten Buch »Mystik in der Schweiz«. Darin gibt er am Schluß des Kapitels über Meister Eckhart eine Kurzbeschreibung ihrer Offenbarungen und charakterisiert ihr Werk abschließend als »das ergreifende Mißverständnis mit der Genialität seiner (nämlich Eckharts) Verkündigung«[3]. Wenn Muschgs These stimmt, würden Elsbeths Offenbarungen Eckharts Predigttätigkeit, wenn auch durch Mißverständnis gebrochen, widerspiegeln, Eckhartsche Rezeptionsgeschichte wäre so zu einem frühen Zeitpunkt unmittelbar faßbar. Die Eckhart-Forschung hat jedoch Muschgs wichtige Hinweise kaum aufgenommen. Lediglich Klaus Haenel untersuchte in seiner (leider ungedruckt gebliebenen) Göttinger Dissertation (1958) erstmals genauer die Überlieferungsgeschichte von Elsbeths Texten[4]. Diese stellt sich jedoch, wie ich vor kurzem nachweisen konnte, viel komplizierter dar[5]. Nach heutiger Kenntnis waren einzelne Textauszüge von Elsbeths Niederschrift in zahlreichen Handschriften des 14. und 15. Jahrhunderts verbreitet, freilich völlig anonym. Die Zürcher Schwester war somit keine »Winkel«-Mystikerin, vielmehr wurden einzelne ihrer Gedanken und Vorstellungen immer wieder gelesen und anonym abgeschrieben, weil sie offenbar einer bestimmten Spiritualität in spätmittelalterlichen Frauenklöstern entgegenkamen.

Wenn man ein literarisches Porträt Elsbeths von Oye nachzuzeichnen versucht, bestimmen zwei konträre Komponenten dieses Bild: Anonymität ihres Lebens und Unmittelbarkeit ihres Werkes, das uns – selten im Mittelalter und noch seltener bei mittelalterlichen Mystikerinnen – in ihrer eigenhändigen Niederschrift erhalten geblieben ist. Von ihrem Leben wissen wir so gut wie nichts. Vielleicht aus der Zürcher Familie von Ouw stammend[6], trat sie – so jedenfalls berichtet das »Ötenbacher Schwesternbuch« – mit sechs Jahren ins Zürcher Dominikanerinnenkloster ein und starb hier im einundfünfzigsten Lebensjahr, vom Konvent als heiligmäßige Schwester verehrt[7]. Als ihre Zeitgefährtinnen nennt dieselbe Quelle Mechthild von Opfikon (seit 1291) und Subpriorin Elsbeth von Beggenhofen (1281–1340), so daß man die Lebenszeit Elsbeths etwa zwischen 1280 und 1350 eingrenzen kann[8].

Elsbeth von Oye bewahrt ihre Anonymität, so paradox das zunächst klingen mag, aber auch weitgehend in ihren eigenhändigen Aufzeichnungen. Diese kreisen ausschließlich um ihr persönliches blutiges Leiden. Ihre Dialogpartner sind einzig und allein himmlische Personen, keine Mitschwestern oder ein geistlicher Seelsorger. Völlig ichbezogen, hat die leidende Schwester keinen Blick auf ihre nächste Umgebung. Die Gemeinschaft der geistlichen Frauen im Ötenbacher Kloster oder gar äußere politische Ereignisse erwähnt sie mit keinem einzigen Wort. Ihre Aufzeichnungen bleiben so ohne jeden direkten Bezug zur Zeit und zur Gesellschaft. Diese völlige Introvertiertheit ist, wenn ich recht sehe, innerhalb der mystischen Offenbarungsliteratur im deutschsprachigen Raum ziemlich einzigartig.

Gewiß außergewöhnlich in der mittelalterlichen Literaturüberlieferung ist die von Klaus Haenel erstmals festgestellte Beobachtung, daß Elsbeths sozial-historische Anonymität in der persönlichsten Ausdrucksform, im eigenhändig geschriebenen Tagebuch, auf uns gekommen ist. In der Zentralbibliothek Zürich ist ein Pergamentbändchen von insgesamt 178 Seiten erhalten (Hs. Rh 159), dessen Hauptteil (die Seiten 1–160) von einer einzigen Hand geschrieben wurde. Der größere Teil davon (S. 1–125) dürfte Abschrift eines Konzepts, der Rest (S. 125–160) wohl unmittelbare Niederschrift von Offenbarungen sein, die mit vielen Abkürzungen rasch aufs Pergament geworfen wurden, mit 14 deutlich erkennbaren Schreibabschnitten. Höchst wahrscheinlich liegt hier ein Autograph vor, wobei der zweite Teil (S. 125–160) das unmittelbare Notat eines mystischen Tagebuchs darstellt. In den gesamten Text ist – vermutlich noch zu Lebzeiten Elsbeths – eingegriffen worden. Denn auf zahlreichen Seiten wurden einzelne Stellen mit einem Messer ausradiert, jedoch so oberflächlich, daß der ursprüngliche Wortlaut mit Hilfe von Lupe und Quarzlampe noch fast durchgängig lesbar ist. Drei verschiedene Hände versuchten die Rasuren teilweise wieder rückgängig zu machen, entweder mit dem ursprünglichen, oft allerdings mit abgeändertem Wortlaut. Eine dieser restaurierenden Hände scheint mit der Haupthand identisch zu sein. Wenn dies zutrifft, hätten also Elsbeth von Oye und zwei weitere Personen die offensichtlichen Zensuren, die von einer uns unbekannten autoritären Aufsicht stammen, nicht hinnehmen wollen. Elsbeth wäre demnach von ihren Offenbarungen so fest überzeugt gewesen, daß sie die sie zensierende Autorität – vielleicht ihre Priorin oder einen Dominikanerpater – bewußt mißachtet hätte.

Bevor wir diese offensichtlich als häretisch empfundenen und deshalb ausradierten Textstellen näher betrachten, ist eine knappe Charakterisierung von Elsbeths Offenbarungen unerläßlich. Eine solche inhaltliche Beschreibung gestaltet sich allerdings recht schwierig, weil Elsbeths Niederschriften keineswegs systematisch sind, sondern sich, wie schon Walter Muschg festgestellt hat, »durch ein wirres Durcheinander« auszeichnen[9]. Zwei inhaltliche Ebenen lassen sich einigermaßen voneinander abheben. Zum einen berichtet Elsbeth in der Ich-Person von ihren blutig asketischen Übungen, ihren körperlichen und seelischen Schmerzen, zum andern gibt sie diesen ihren Sinn und ihre Funktion dadurch, daß ihre überirdischen Dialogpartner, Gottvater, Christus, Heiliger Geist, Maria und Johannes der Evangelist, sie dazu nicht nur ermuntern, sondern die blutigen Kasteiungen zugleich mit einem uns heute seltsam anmutenden theologischen System der blutigen Nachfolge Christi rechtfertigen und verherrlichen. Schilderungen von grausamen Leibespeinigungen gehen so unmittelbar über in kürzere oder längere Dialoge mit den genannten himmlischen Personen.

Schon in jungen Jahren, so berichtet Elsbeth, kasteit sie sich mit einer selbst verfertigten Geißel, deren Nadeln ihr oft tief ins Fleisch eindringen, daß sie sie kaum wieder herausziehen kann[10]. Hauptinstrument ihrer blutigen Askese ist ein mit spitzen Nägeln versehenes Kreuz, das sie mit einem Gürtel so fest an ihrem Körper befestigt, daß sie kaum atmen kann und die Nägel tief ins Fleisch eindringen. Psychosomatische Schmerzen gesellen sich dazu, die Elsbeth metaphorisch etwa so umschreibt: eine lebende Schlange sauge von ihrem innersten Mark, ein Mühlrad werde in ihrem Herzen unablässig umgedreht, ein Schwert dringe in ihre Seite ein.

Alle diese äußerlichen Selbstpeinigungen und innerlichen Schmerzen nimmt Elsbeth auf sich, um dem Gottmenschen Christus in seinem Leiden gleichförmig zu werden, um *glichste glicheit* zu erlangen. Die möglichst vollkommene Compassio soll ihre menschliche Natur vergöttlichen, so daß sie – dies ist der tiefste Sinn ihrer Blutaskese – gleichsam in den innertrinitarischen Prozeß einbezogen und dadurch zu einer mystischen Einigung mit Gott geführt wird.

Gottvater, der am Leiden seines Sohnes unendliche *herzelust* empfand und dadurch seine gerechte Rache an der gefallenen

Menschheit aufgab, wird durch den blutigen Nachvollzug von Christi Passion wiederum aufs höchste erfreut. Nichts ist ihm lieber als Elsbeths Gleichheit mit seinem gekreuzigten Sohn, und auch der Sohn hält »mit ewiger Begierde« ihre Marter mit dem Nagelkreuz vor seinen Augen, findet er doch in ihren Schmerzen – wie ein Kind bei der Mutter – Zuflucht und Ruhe. Die Schwester ist – so wird ihr von Gott versichert – mittels ihres Marterinstruments mit Christus gekreuzigt. Die blutige Compassio dieses Mitgekreuzigtseins wird so zu einer erneuerten Passion, die sich, wie der Sohn verheißt, wiederum an anderen Menschen auswirken kann: »Du bist mit mir so gekreuzigt, daß dein (Nagel-) Kreuz mein Kreuz wieder ergrünen und erblühen läßt in den Herzen von Menschen, denen mein Kreuzestod erstorben und vergessen war.« So wird Elsbeth zur Miterlöserin der Menschheit.

Indem Elsbeth an Stelle Christi dessen Passion neu aufleben läßt und damit den Vater aufs höchste erfreut, kann sie sich, Christus in seinem Leiden gleich geworden, in die stets dynamische innergöttliche Beziehung zwischen Vater und Sohn gleichsam einschalten. Wie der Sohn ein »ewiges Zurückfließen« hat in den Vater, so vermag ihr durch ihre Passion erneuertes Blut zurückzufließen in den tiefsten Grund des Vaters. Aber auch vom Vater strömt eine Gegenbewegung aus, indem er sein göttliches Wesen und seine Natur, die er allzeit in seinen Sohn einfließen läßt, nun auch in Elsbeths innersten Seelengrund eingießt.

Die Annäherung von Gott und der menschlichen Seele wird in den Offenbarungen Elsbeths öfters als Blut- und Markaustausch gesehen. Gott saugt von der Blutader ihres Nagelkreuzes: »Wie ein Kind vom Herzen seiner Mutter zu saugen liebt, so liebe ich es, alle Zeit von der Blutader deines Kreuzes zu saugen.« Gegenseitige Labung erfolgt ebenso durch Ausgießen und Saugen des innersten Markes. So sagt der Sohn zu Elsbeth: »Entmarkt dich dein (Nagel-) Kreuz, so verleiht es mir Mark und damit angenehme Herzelust vor allem himmlischen Heer.« Mit dem Ausgießen von Elsbeths Mark wird ihr gleichzeitig die Feistheit des göttlichen Marks eingegossen: »Mit der Ausgießung deines Markes wird (in mir) eine Herzelust geboren, mit der ich dir die Feistheit meines Markes eingießen werde... Ich bin so voller Mark, daß ich die Dürre deines Markes sehr wohl wiedersättigen kann.«

Durch diesen von Elsbeth mehrmals beschriebenen Blut- und Markaustausch wird ihr göttliche Kraft zuteil, ihre menschliche Natur damit vergöttlicht im Schmerz ihres Nagelkreuzes, ja ihr Marterinstrument bindet und zwingt die Gottheit an sie, wie ihr der Sohn offenbart: »*Din kru̓ze ingoͤttit, innaturet mich alle zit in den inresten grunt diner sele.*«

Damit kann sich die mystische Einigung vollziehen. In den Grund der durch das Leiden vergöttlichten Seele Elsbeths erfolgt das ständige »Wiederfließen« (*widerfluz*) des Sohnes, der innerste Seelengrund Elsbeths wird zur Geburtsstätte Christi: »Durch das schmerzliche Leiden deines (Nagel-) Kreuzes will ich wesentlich in dir wirken, und mit diesem wesentlichen Wirken werde ich im innersten Grund deiner Seele geboren, genauso wie ich geboren werde im Herzen meines Vaters.« In der verborgenen Schatzkammer der göttlichen Dreifaltigkeit wird Elsbeth zur Spielgefährtin Gottes. Dieser hat »die gekreuzigte Minnerin« als Braut angenommen.

Elsbeths krasse, weil unvermittelt vorgetragene Bildlichkeit vom Blut- und Markaustausch, vom blutsaugenden Gott erschreckt nicht nur uns heutige Menschen, sondern hat schon in ihrer Zeit Zweifel und Zurückweisung ausgelöst. Denn die meisten von einer Aufsichtsperson vorgenommenen Rasuren in Elsbeths Bändchen betreffen genau solche Textstellen. Als häretisch empfunden wurde zudem die immer wieder auftretende Vorstellung, daß das Marterinstrument des Nagelkreuzes Elsbeths Seele vergöttlichen könne. So sind etwa in dem zitierten Offenbarungswort: »*Din kru̓ze ingoͤttit, innaturet mich alle zit in den inresten grunt diner sele*« die beiden Verben ausgetilgt worden. Allerdings hat Elsbeth lange nach ihrem Tod einen Verteidiger gefunden. Eine wohl kurz vor 1400 schreibende Nachtragshand verurteilt auf den letzten Seiten des Zürcher Bändchens (S. 150–178) die vorgenommenen Rasuren und verteidigt in scholastischer Manier die inkriminierten Offenbarungsworte mit Zitaten der Bibel und aus Kirchenvätern als in der kirchlichen Tradition stehende Wahrheiten.

Der unbekannte Apologet, vermutlich ein gelehrter Dominikaner, verherrlicht Elsbeth als *heiligi magt und marterin*, als *heilig jonfrouw von Ey* und gibt zu bedenken: »*der in* [das heißt der durch Elsbeth sprechende Geist Gottes] *verstat reht, der ergret sich nit noh tilget dich*.« Elsbeths rechtfertigende Leidensmystik bewegte sich offensichtlich an der Grenze christlicher Glaubenslehre. Eine genaue Analyse der Rasuren einerseits wie andererseits der restaurierenden Nachträge und der Verteidigung des Apologeten gewährt Einblicke in die sonst wenig belegte Geschichte der häretischen Mystik im 14. Jahrhundert.

Elsbeths von Oye autographische Aufzeichnungen sind ein eindrückliches Beispiel für jene blutige Leidensaskese, wie sie in spätmittelalterlichen Frauenklöstern öfters gepflegt wurde. Hierfür ließen sich aus den deutschsprachigen »Schwesternbüchern« von Töß, Katharinenthal, Adelhausen, aber auch aus Elsbeths Hauskloster Ötenbach zahlreiche, wenn auch meist nicht so drastische Beispiele anführen[11]. Ähnliche Phänomene begegnen zudem in der italienischen und späteren spanischen Frauenmystik. Was Elsbeth von diesen allen unterscheidet, ist ihre Rechtfertigungstendenz, die eine eigene Theologie des Leidens und blutigen Mitleidens in stark formelhafter Sprache ausgebildet hat. Diese basiert auf zwei Fundamenten, die auch in ihrem Wortschatz unmittelbar faßbar werden. Zum einen lebt hier die Liebesmystik weiter, die sich in der besonderen Variante der blutigen Selbstmarterung als Liebesdienst Gottes versteht. Zum andern versucht Elsbeth ihre Selbstzüchtigungen mittels Offenbarungen zu rechtfertigen und stützt sich dabei auf eine spekulative, abstrakte Sprache, wie sie in der Tradition neuplatonischer Wesensmystik insbesondere Meister Eckhart und seine Schule bei ihren Predigten vor Schwesterngemeinschaften ausformuliert haben.

Meister Eckhart verurteilt zwar in seinen erhaltenen Schriften nirgends direkt und konkret die blutige Selbstkasteiung. Aber er warnt in seiner grundsätzlichen Redeweise mehrmals vor dem einseitigen Versuch leiblicher Nachfolge Christi. Und offensichtlich hat er die Ötenbacher Schwestern bei einem seiner Besuche, wohl in seiner Straßburger Zeit von 1313 bis 1323/24, zumindest verunsichert, eher jedoch vor ihren Selbstzüchtigungen gewarnt und davon abgeraten. So jedenfalls läßt sich ein Passus aus dem »Ötenbacher Schwesternbuch« deuten[12]. Dort wird berichtet, wie Elsbeth von Beggenhofen zusammen mit Elsbeth von Oye und *andern heiligen swestern* sich körperlich züchtigten und darin den Willen Gottes zu erfüllen suchten. Aber Gott will diese Peinigung nicht. Da ihr Beichtvater und andere Geistliche Elsbeth von Beggenhofen nicht helfen können, sucht sie Rat bei Meister Eckhart. Dieser sagt ihr: »Da hilft keine vergängliche Weisheit, es ist ausschließlich Gottes Werk; da hilft nichts, außer daß man sich in freier Gelaßenheit Gottes Treue anempfehle.«[13]

Eckharts »Gelaßenheit« meint bekanntlich ein Freiwerden von sich selber und allen Dingen, aber auch und insbesondere ein Freikommen von allen Arten, wie man Gott erfahren und fassen will. »Vergängliche Weisheit« will Gottes habhaft werden, so wie die Ötenbacher Schwestern in ihrer Leibeszüchtigung den Willen Gottes suchten und ihn damit für sich zu gewinnen trachteten. Eckhart lehnt solche äußerliche Werke ab: »Es dünkt viele Leute, sie müßten große Werke in äußeren Dingen tun, wie Fasten, Barfußgehen und dergleichen mehr, was man Bußwerke nennt.... Christus hat viele Werke getan in der Meinung, daß wir ihm geistig und nicht leiblich nachfolgen sollen. Darum soll man beflissen sein, daß man ihm in geistiger Weise nachfolgen könne; denn er hat es mehr abgesehen auf unsere Liebe als auf unsere Werke. Wir sollen ihm je auf eigene Weise nachfolgen.«[14]

Ob überhaupt und wie genau Elsbeth von Oye Eckharts Warnungen verstanden hat, ist schwer zu sagen. Durch genaue Vergleichsanalyse läßt sich jedoch vielleicht folgende These erhärten: Elsbeth benützt spekulative Elemente aus der Mystik Eckharts und seiner Schule, um damit – ganz im konträren Sinn des Meisters – ihre Blutaskese zu verteidigen und zu rechtfertigen. So jedenfalls hat schon Walter Muschg Elsbeths Aufzeichnungen in die Geschichte der Frauenmystik einzuordnen versucht: »Geschichtlich gesehen, kämpft diese Dulderin um den Übertritt aus der alten asketischen Richtung in die Lichtreiche der Eckhartschen Spekulation. Die Neigung zur philosophischen Abstraktion, die das Visionäre ganz in den Hintergrund drängt und ohne Übergang der persönlichsten Not aufgesetzt ist, unterscheidet sie von allen Mystikerinnen ihrer Zeit, etwa von Christina Ebner in Engelthal, ihrer bekanntesten deutschen Zeitgenossin.... So bricht sich der Sinn der thomistischen Spekulation in der grausam kasteiten Nonne. Ihre abstrakte Sprache wirkt beinahe frevelhaft, weil sie als persönliches Bekenntnis vorgetragen wird und überdies einem asketischen Bekenntnis mit seiner altertümlichen Wundenmystik und Bluterotik als Mantel dient. Fleischliche und geistige Mystik sind hier zu einem hybriden Zwittergebilde verbunden.«[15]

Da sich nach Elsbeths Darstellung ihre Selbstpeinigungen und Offenbarungen durch die himmlischen Personen in aller Heimlichkeit ereignen, ist der moderne Leser geneigt, Elsbeths Aufzeichnungen im Zürcher Bändchen als private, tagebuchartige Dokumente zu sehen, sie vielleicht sogar in die Nähe romantisch-subjektiver Herzensergießungen einer gottliebenden Klosterschwester zu rücken. Dem ist, wenn ich richtig sehe, nicht so. Elsbeths eigenhändige Aufzeichnungen waren wohl bereits von Anfang an für andere Leser bestimmt. Mehrmals hebt Elsbeth hervor, daß sie von Gott zur Niederschrift ihrer himmlischen Offenbarungen gezwungen werde. Wo in mittelalterlicher Literatur ein Schreibbefehl auftaucht, wird Verkündigung an andere angestrebt. Von daher wird auch verständlich, daß der erste Teil im Zürcher Bändchen bereits Abschrift eines (verlorenen) Konzepts sein könnte.

Es geht Elsbeth also weniger um eine Versprachlichung ihrer mystischen Erfahrung als vielmehr um eine – in den Dialogen vorgetragene – mystische Lehre und Rechtfertigung, die jeweils im Zusammenhang asketischer Einzelübungen präsentiert wird. Diese Beobachtung wird nun auch von der Überlieferungsgeschichte gestützt. Wie der unbekannte Apologet im Zürcher Bändchen bezeugt, hinterließ Elsbeth mehrere Büchlein; nur das eine ist als Autograph erhalten. Vermutlich kurz nach ihrem Tod entstand eine erste mittelhochdeutsche Bearbeitung, die aus verschiedenen Texten Elsbeths einen erbaulichen Traktat über geduldiges, gottgewolltes Leiden schuf. Dieser Traktat, in dem das Ich der Elsbeth in einen anonymen Menschen transponiert und alles Persönliche möglichst getilgt wird, wurde im 14. und 15. Jahrhundert ganz oder teilweise immer wieder abgeschrieben[16]. Elsbeths Gedanken drangen so – völlig anonym – in zahlreiche Mystikerhandschriften, asketische Andachtsbücher und geistliche Spruchsammlungen ein. Viele geistliche Frauen, die diese Texte lasen oder hörten, dürften sich mit Elsbeths Leidensauffassung identifiziert haben. Wie sehr ihre Mystik noch um 1450 aktuell war, belegt eine weitere, viel umfangreichere Bearbeitung von Elsbeths Aufzeichnungen. Diese systematisch in 35 Kapitel gegliederte Redaktion, vermutlich das Werk des Zürcher Dominikaners Johannes Meyer (1422–1485), ist uns zwar nicht mehr im mittelhochdeutschen Originaltext erhalten, der Freiburger Kartäuser Mathias Thanner (um 1595 – um 1648) fertigte jedoch um 1630 eine recht zuverlässige lateinische Übersetzung an, die heute noch in zwei Handschriften faßbar ist[17].

Es macht wenig Sinn, Elsbeths einseitige, uns heutige Menschen vielleicht abstoßende Leidensaskese zu verurteilen und als pathologische Äußerung abzustempeln. Viel wichtiger ist der Versuch, ihre Aufzeichnungen von den historischen und sozialen Gegebenheiten eines Dominikanerinnenkonvents um 1320 zu verstehen. Diese geistlichen Frauen, streng klausuriert und deshalb von jeder karitativen Tätigkeit in der Stadt ausgeschlossen, nahmen immer mehr ihre Zuflucht in die geistlichen Werke und Übungen. Gemeinsames Chorgebet (bis zu acht Stunden im Tag), persönliches stilles Beten und Meditieren, ein wenig Handarbeit, viel Schweigen: das waren die Pflichten und der unveränderliche Tagesablauf einer Dominikanerin. Geißelungen, asketische Übungen, aber auch Offenbarungen und Gnadenerweise fanden, wie uns die Schwesternbücher berichten, vielfach in aller Heimlichkeit statt, ohne daß die Mitschwestern davon wußten.

Eine solche Atmosphäre, solche Bedingungen förderten den religiösen Individualismus. Da konnte es leicht geschehen, daß einzelne – wie Elsbeth von Oye – eigene Vorstellungen über Leiden, Erlösung und Vergöttlichung entwickelten. Die Vereinzelung und Verinnerlichung führt bei Elsbeth zu einer Egozentrik, die keinen Blick mehr gestattet auf die Mitmenschen und alles Bemühen in die blutige Nachfolge Christi setzt. »Wer mein Jünger sein will, nehme täglich sein Kreuz auf sich und folge mir nach« (Lukas 9,23). Dieses Christuswort hat Elsbeth wortwörtlich genommen.

Anmerkungen

1 Das folgende Portrait basiert gedanklich weitgehend auf meiner Studie: »Die Offenbarungen Elsbeths von Oye als Dokument leidensfixierter Mystik«, in: Abendländische Mystik im Mittelalter. Symposion Kloster Engelberg 1984, hrsg. von *K. Ruh*, Stuttgart 1986, 423–442. Eine inhaltlich weitgehend sich deckende Studie unter dem Titel: »Leidensmystik in dominikanischen Frauenklöstern des 14. Jahrhunderts am Beispiel der Elsbeth von Oye« erscheint zudem in: Religiöse Frauenbewegung und mystische Frömmigkeit im Mittelalter, hrsg. von *D. R. Bauer* und *P. Dinzelbacher*, Köln 1988.

2 Das Manuskript ist als Cod. 1920 in der Stiftsbibliothek Melk erhalten. Gedruckt wurde (S. 446f.) lediglich eine knappe Zusammenfassung von Elsbeths Offenbarungen.

3 *W. Muschg*, Die Mystik in der Schweiz, Frauenfeld 1935, 205.

4 *K. Haenel*, Textgeschichtliche Untersuchungen zum sogenannten »Puchlein des Lebens und der Offenbarung Swester Elsbethen von Oye«, Masch. Diss. Göttingen 1958.

5 Auf die Überlieferungsgeschichte kann hier nicht näher eingegangen werden. Meine Ergebnisse fasse ich zusammen in meiner (in Anm. 1) bereits zitierten Studie, Die Offenbarungen Elsbeths von Oye, 424–430.

6 Vgl. *A. Halter*, Geschichte des Dominikanerinnen-Klosters Ötenbach in Zürich (1234–1525), Diss. Zürich 1956, 59f. – Die Zuweisung nach Eiken (im schweizerischen Fricktal) stammt erst aus dem 17. Jahrhundert.

7 Die Stiftung des Klosters Ötenbach und das Leben der seligen Schwestern daselbst, hrsg. von *H. Zeller-Werdmüller* und *J. Bächtold*, in: Zürcher Taschenbuch NF 12 (1889), 274–276.

8 Vgl. ebda. S. 273 (Mechthild von Opfikon) und 262f. (Elsbeth von Beggenhofen).

9 *W. Muschg*, Mystik (Anm. 3), 196.

10 Auf genaue Stellenangaben aus dem noch nicht edierten Zürcher

Bändchen wird hier verzichtet. Kürzere Textauszüge aus Elsbeths Offenbarungen bietet der Anhang meiner (in Anm. 1) genannten Studie, Die Offenbarungen Elsbeths von Oye, 440–442.

11 Über die deutschsprachigen Schwesternbücher und Nonnenviten vgl. die vorzügliche Übersicht bei *W. Blank*, Die Nonnenviten des 14. Jahrhunderts, Diss. Freiburg i. Br. 1962, 45–81, und den Forschungsbericht von *S. Ringler*, Viten- und Offenbarungsliteratur in Frauenklöstern des Mittelalters, München 1980, 3–15.

12 Die Stiftung des Klosters Ötenbach (Anm. 7), 262f.

13 Eckharts Rat lautet im Originaltext: do gehört kein zeitlich weisheit zu, es ist ein lauter gottes werk; do hilfet nichts für, denn daß man sich in einer freien gelassenheit gottes treuen befehle! (ebd., 263).

14 Reden der Unterweisung, Kap. 16 und 17, hrsg. von *J. Quint*, Meister Eckharts Traktate, Stuttgart 1963, 244, 5ff. und 253, 8ff. bzw. 520 und 523.

15 *W. Muschg*, Mystik (Anm. 3), 200 und 203.

16 Ein Auszug aus dieser sog. *K-Redaktion ist im Anhang meiner (in Anm. 1) genannten Studie, Die Offenbarungen Elsbeths von Oye, 441f. gedruckt.

17 Einsiedeln, Stiftsbibliothek, Cod. 470, fol. 484v–509r (geschrieben um 1635) und Melk, Stiftsbibliothek, Cod. 1920, fol. lr–28v (vgl. Anm. 2).

Birgitta von Schweden

Tore S. Nyberg

Einem Skandinavier erweckt der Name Birgitta Birgerstochter viele Gedankenverbindungen und Gefühlsregungen. Nach einem gewaltsamen und heroischen Zeitalter, das in steinernen Runeninschriften und in den Denkmälern der Sagatradition seinen Niederschlag fand, wandte sich Skandinavien dem Christentum zu und brachte in der neuen Religion eine Frau zur höchsten Ehre. Wer war diese Frau, die in der skandinavischen Kultur eine neue seelische Tiefe verkörpern konnte? Heldenhafte Kämpfer gingen sonst ihrem Heiligenkatalog nicht ab. König Olav von Norwegen war bald nach seinem Tode auf dem Schlachtfeld von Stiklastad im Jahre 1030 als Heiliger verehrt worden. Dem dänischen König Knud, 1086 ermordert, widerfuhr bald nach seinem Tode die gleiche Ehre, sogar mit Bestätigung seines Kultes durch den Papst. Schweden betrachtete seinen 1160 gefallenen König mit dem heilsträchtigen Namen Erik als Heiligen. Aber auch die neue Kategorie der Machtlosen hatte ihre Vertreter gefunden: Missionare und Blutzeugen wie Sigfrid und Eskil in Schweden, Henrik in Finnland, neben anderen Verkündern der neuen Botschaft in Wort und Tat. Schon hatte Maria, die Gottesmutter, ihre Stelle eingenommen; ihr waren andere Frauen nachgefolgt: Helena von Skövde, Margarethe von Roskilde, Ingrid von Skänninge.

Ingrid, die Dominikanernonne, gestorben um 1280, war eine Verwandte Birgittas. Das Mädchen Birgitta muß von ihr gehört haben. Birgit Klockars setzt Birgittas Geburt auf die Jahreswende 1302/03 an. Finsta, östlich von der erzbischöflichen Residenzstadt Uppsala, war ihr Geburtsort. Kindheitserlebnisse mit starkem religiösen Grundton wurden viel später ins Gedächtnis gerufen und aufgezeichnet. Da ist auf der einen Seite ein früher Einblick des Kindes in den Zusammenhang zwischen

Tun und Leiden zu verzeichnen, in dem Erlebnis des Mit-Leidens mit Christus, der sie fragt: »Dies habe ich für dich getan, was hast du für mich getan?« Eine Aussage, die aber nicht nur von Tun und Leiden spricht, sondern auch eine Grundhaltung der Liebe zum Ausdruck bringt. Da ist auf der anderen Seite der Traum oder die Traumvision von der prächtigen Krone der Gottesmutter, die Birgitta in ihrer Kindheit hat. Birgitta findet als Mädchen ihren Prototyp in der Frau, die den Verkünder und Träger einer neuen Welt geboren hat.

Dann ist es der Verlust der Mutter, die starb, als Birgitta elf Jahre alt war. An die Stelle der Mutter trat eine Tante. Dafür war aber ein Umzug erforderlich, denn die Tante wohnte weiter südlich, in Östergötland, wo auch Skänninge und die Bischofsstadt Linköping liegen, einem Landesteil mit frühen Überlieferungen christlichen Wirkens. Dann folgte nach wenigen Jahren die Verlobung mit Ulf, Sohn eines Gudmar, einem jungen Mann von achtzehn Jahren. Für das Zustandekommen der Ehe gab es kaum Probleme, denn alles erfolgte nach der Sitte und Anordnung der Eltern der beiden Eheleute. In der gesellschaftlichen Struktur des 14. Jahrhunderts nach der freien Entscheidung junger Leute bei der Wahl des Ehepartners zu suchen hieße nur, das Irreale zu suchen. Die Ehe wurde arrangiert – was nicht heißt, daß man sich nicht der Bedeutung gegenseitiger Zuneigung der Partner für die Fruchtbarkeit der Ehe bewußt war.

Der Fall Birgitta bietet in zweierlei Hinsicht etwas Besonderes. Erstens: Im Alter von 40 Jahren gab sie die Ehe mit ihrem Mann auf, nachdem sie acht Kindern das Leben geschenkt hatte. Und zweitens: Sie ist Schriftstellerin geworden, und so erhalten wir Einblicke in das Innenleben einer Person in dieser Lage, wie sie uns normalerweise verwehrt sind. Eine »Inkubationszeit«, die entweder 1344 oder 1346 mit dem Tode Ulfs an einem 12. Februar endete, ging dem dramatischen öffentlichen Hervortreten der Witwe voraus. Als Prophetin, sich auf religiöse Erlebnisse, Stimmen und Aufträge berufend, äußerte sie sich mündlich, bald auch schriftlich, sogar in Latein, in das willige Geistliche ihre Botschaft gekleidet hatten, über Politik und Moral der Politiker, die Existenz des Christenmenschen als Sünder oder Begnadeter, die Aktualität teuflischen Wirkens, die zentralen

Triebfedern des ethischen Handelns, die reale Kraft heiliger Handlungen und Riten, die Gottverbundenheit des gläubigen Menschen und über den Verrat an der Gottesebenbildlichkeit des Menschen durch Verletzung der menschlichen Würde.

Unter dem inneren Druck der prophetischen Berufung gab Birgitta auch die Aufgabe und die Bürde der Kindererziehung auf, obwohl nur die ältesten Kinder erwachsen waren; das jüngste Kind scheint um 1335 geboren zu sein. Nun konnte man in einer adligen Gesellschaft sich für die materiellen Probleme auf Dienstleute, Verwandte und Beziehungen verlassen; Kindererziehung fand zum Teil in Klöstern statt, und diese Lösung wurde auch für einige der Kinder Birgittas gewählt. Es ist wahrscheinlich, daß die Reise der beiden Gatten nach Spanien 1341/42 entscheidende neue Eindrücke religiöser Natur vermittelt hat, und zwar gilt das für beide Ehepartner. Was müssen wohl Erfahrungen in Köln und Aachen für einen Eindruck gemacht haben: Pilgerscharen, Menschen aus allen denkbaren sozialen Verhältnissen, mit tausend verschiedenen Zielen und Absichten durch Europa unterwegs. Und das Frankreich der Kathedralen! Wie die kleine schwedische Reisegruppe ihre Route gelegt hat, ist nicht geklärt. Hat sie Reims, Tours, St. Maria Magdalena in Vézeley besucht? Machte sie in großen Abteien der Benediktiner oder der Zisterzienser halt – ihr begleitender Beichtvater gehörte dem letztgenannten Orden an – oder sogar in Abteien vom Orden von Fontevrault mit der Vereinigung von Nonnenkloster, Äbtissin und Priesterkloster, die dieser Orden praktizierte?

Auf jeden Fall war sie beim Apostel Jakobus in Santiago de Compostela, dem Reiseziel. Auf dem Heimweg war sie ohne Zweifel in Paris, wo sie wohl La Sainte Chapelle mit der Dornenkronenreliquie, sicher aber die Abtei Saint-Denis besuchte. Davon zeugen mehrere Stellen in Birgittas Schrifttum, denn mit St. Dionysius in seiner Eigenschaft des Schutzheiligen Frankreichs führt die politisch bewußte Birgitta später mehrere innere Zwiegespräche vor Gottes Angesicht. Sie »hadert«, hier wie gegenüber der schwedischen Politik, wo sie der Gedanke an den Lebenswandel des jungen Königs Magnus und seiner Frau Blanka von der Grafschaft Namur im heutigen Belgien nicht losläßt – wie gefährlich es sei, wenn Könige durch ein leichtfertiges Leben dazu verführt werden, »Freunden«, von denen sie abhängig sind, zu hohen Stellungen zu verhelfen, und so Gerechtigkeit und Frieden des Landes in Gefahr bringen.

»Friede« und »Gerechtigkeit« waren Schlüsselbegriffe der politischen Ideologie des Mittelalters. »Friede« hieß in dieser Zeit: mit ausgewogenen Kräften so im Gleichgewicht mit sich selbst und mit anderen zu leben, daß die echte menschliche Gottesebenbildlichkeit zum Tragen kommen kann. Für die »Gerechtigkeit« hatte Birgitta ohnehin einen starken Spürsinn, denn sowohl ihr Vater als auch ihr Gatte waren »Schützer des Gesetzes« (*lagman*) oder »Gesetzessprecher«, wie man den Begriff übersetzt, mit einer leitenden Funktion bei der Gerichtsverhandlung auf dem Thing.

Politische Fragen von höchster Brisanz wurden nun von Birgitta im überhöhten Selbstbewußtsein des prophetischen Durchbruchs angegangen. Der neue Krieg zwischen England und Frankreich war ein Greuel, und Birgitta ließ Botschaften ergehen an die Könige beider Länder. Die schwedische Ostpolitik gegen Novgorod – östlich der heutigen Ostgrenze Finnlands – erhielt in religiösen Warnungen keine Anerkennung Birgittas, es sei denn, der König engagiere Missionare und Prediger und bemühe sich um die Bekehrung der zu besiegenden Völkergruppen zum Christentum. Rom war Sitz der Nachfolger Petri; diese residierten aber seit mehr als vierzig Jahren nicht mehr dort, zu Schade und Schande der ganzen Christenheit. Und dann, wie angedeutet, die für Birgittas eigene Stellung in der Adelsgesellschaft nicht unwichtige Frage der »Günstlinge« am königlichen Hof. Auf der anderen Seite wurden die Rügen in der Vorstellung Birgittas in einem gewissen Einverständnis mit dem König erteilt, denn als erstes hatte sie am 1. Mai 1346 bei einem Besuch in Lödöse (Vorgänger des heutigen Göteborg – Magnus war auch König von Norwegen und hielt sich deshalb oft in West-Schweden auf) dem König ein Testament abgerungen, in dem er und die Königin den Königshof Vadstena zur Gründung eines Klosters nach der Klosterregel Birgittas vermachten. Birgitta muß also gemeint haben, mit dem König auch ernsthafte Themen mit politischem Gewicht erörtern zu können, ohne in Ungunst zu geraten.

Es kam aber anders. Die Dramatik der aufgewühlten Jahre 1346 bis 1349, unter den bedrohlichen Gerüchten von einer furchtbaren Krankheit, der Pest, die gerade in Südeuropa ihren tödlichen Siegeszug antrat, fiel zeitlich mit einem inneren Umbruch in Birgittas eigenem geistigen Leben zusammen. Sie scheint mit ihrem Beichtvater, dem Magister Matthias Övedsson, gebrochen zu haben; wie und unter welchen Umständen dies geschah, darüber lassen sich nur auf Grund des Schrifttums Hypothesen aufstellen. Mehrere Forscher haben ihr Augenmerk auf das 5. Buch der Offenbarungen gerichtet, das sogenannte Buch der Fragen, und darin die Lösung dieser entscheidenden religiösen und geistigen Krise der Witwe gesucht. Magister Matthias, ein Theologe von internationalem Ruf, Verfasser einer Auslegung über das Buch der Geheimen Offenbarung, die in vielen Handschriften in europäischen Bibliotheken überliefert ist, hat ohne Zweifel Birgittas religiöse Veranlagung stimuliert und durch seinen Glauben an ihre prophetische Gabe den Stein ins Rollen gebracht, der zu ihrem öffentlichen Auftreten führte.

Nach einigen Jahren klösterlicher Abgeschiedenheit beider Gatten Witwe geworden, hat sich aber Birgitta mit anderen religiös begabten Männern konfrontieren können. Verschiedene Wege müssen ihr klar geworden sein, verschiedene Möglichkeiten der Entfaltung und Vertiefung der Gottverbundenheit: die politisch-gesellschaftliche Reformator-Rolle, die Abgeschiedenheit in klösterlicher Demut, die Führungsrolle als Äbtissin des geplanten Klosters in Vadstena. Der Prior der Zisterzienser, Petrus Olavsson, gewann einen wachsenden Einfluß auf sie. Die von Bernhard immer wieder behandelte Polarität Hochmut – Demut scheint bei Birgitta andere Kategorien zeitweise verdrängt zu haben. Sie las die Schriften Bernhards, sie betrachtete zunehmend die Welt mit der bernhardinischen Brille der Dichotomie von Überheblichkeit und Stolz gegenüber Anerkennung der eigenen Unwürdigkeit und Unterwerfung des Eigenwillens unter Gott.

Das 5. Buch erscheint demgegenüber als ihre Abrechnung

mit Magister Matthias und ist auch so von Hjalmar Sundén interpretiert worden. Ein hochmütiger Mönch steigt auf einer Leiter in den Himmel zu Gott auf und belästigt Gott mit Fragen über Fragen: Warum hat Gott die Welt und den Menschen so geschaffen, wenn ihm doch dies und jenes verboten wird? Warum sollte das Heil durch ein Kind, geboren in Unansehnlichkeit, zur Welt kommen, wenn es Gott doch viel eher zustünde, überzeugend mit Macht und Kraft der Welt seine Botschaft zu vermitteln? Durch das ganze Buch geht es so weiter. Gottes Antworten werden immer ausführlicher, der Mönch wird aber fanatischer, und am Ende bleibt er in seiner Verhärtung. Hier, sagt Sundén, beschreibt Birgitta sich selbst unter der Projektion des Mönchs auf der Leiter als ihres *animus*, in der Terminologie von C. G. Jung. Sie rechne mit ihrem eigenen hochmütigen Ich ab; sie sehe sich selber in der Hölle der Verhärtung enden; durch die Niederschrift dieses inneren Individuationsprozesses mache sie sich frei und löse sich zugleich vom bisherigen Seelenführer Matthias, der sie in diese Krise hineingebracht habe.

Nicht alles paßt jedoch zu diesem Bild. Matthias war kein Mönch – wohl aber Zisterzienserprior. Warum sollte Birgitta ausgerechnet den mönchischen Hochmut beschreiben, nicht den Hochmut eines Weltmenschen oder Weltgeistlichen? Ein Geheimnis der Person bleibt hier verhüllt.

Ein Hinweis ist vielleicht in den weiteren Ereignissen zu suchen. Denn von den anfänglich anscheinend naheliegenden Zukunftswegen Birgittas als Witwe hat sich keiner in der vorausgesehenen Weise verwirklicht. Birgitta hat sich von der politisch-prophetischen Rolle in Schweden zurückgezogen – sie gab Schweden auf. Sie hat aber auch auf das etablierte Klosterleben verzichtet. Kein Kloster, kein Orden, den sie kennenlernte, regte sie zum Eintritt an. Sie überschritt ihr fünfzigstes Lebensjahr in Rom, als Gast des Kardinals von San Lorenzo in Damaso. Ein Engel inspirierte sie hier zu dem langen und schönen Traktat »Die Engelsrede«, in dem Birgittas Identifikation mit dem weiblichen Grundelement des Lebens als vorweltliche *Sophia* – Weisheit – in Gottes Schöpfungsplan, als Tochter des Vaters, als durch Jahrhunderte ersehnte Mutter des Sohnes, als

Braut des Bräutigams, als Mit-Leidende der Liebe, als Himmelskönigin am stärksten spürbar wird. Zugleich finden wir einen weiteren priesterlichen Helfer, Magister Petrus Olavsson von Skänninge, als Dichter und Musiker in ihrer Umgebung, mit der Komposition eines poetischen Kranzes von Gesang- und Gebetstexten zu Ehren Marias beschäftigt, der als Stundengebet der Nonnen des geplanten künftigen Klosters dienen sollte – der sogenannte *Cantus sororum*.

Rom bedeutete also für Birgitta Inspiration, Musik, Dichtung. Sie war zwar wegen Gebet und Buße gekommen, zum Heiligen Jahr, das Weihnachten 1349 anfing. Birgitta muß die Alpen in den Herbstmonaten 1349 überschritten haben. Die Pest wütete schon fürchterlich in Norwegen, war aber noch nicht nach Schweden gelangt. Auf dem Reiseweg kam Birgitta durch Gebiete, welche die Pest schon verheert hatte. Ihre Reaktionen kennen wir nicht. Sogar sagenhafte Überlieferungen kreisen in ihrem Falle um das Problem Hochmut und Demut. Eine Volksüberlieferung in Genua berichtet, daß sie der Stadt wegen ihres Hochmutes den Ruin angekündigt habe für den Fall, daß sie sich nicht bekehrte; Birgitta habe dann im Vorort Quarto ausgeruht, was mit ein Grund gewesen sei, daß viel später ihr großer Bewunderer, der vertriebene spanische Bischof Alfons von Jaen, hier in Quarto seine Einsiedelei aufgeschlagen habe. Ihre Ankunft in rom ist wahrscheinlich auf den Advent zu datieren, eine Zeit, in der die Sonntagsevangelien apokalyptisch über das Gericht und die Wiederkunft Christi sprechen.

Nach der Engelsrede bot ihr eine gewisse Franziska Papazuri ihr Haus zum Wohnen an, das seitdem das Birgitta-Haus »an der Piazza Farnese« geworden ist, wie wir es heute benennen. Dort lebte sie, weder Nonne noch Äbtissin, noch Politikerin, lediglich eine prophetisch-religiöse Schriftstellerin, bis zu ihrem Tode am 23. Juli 1373, abgesehen von Reisen in Italien und 1371/72 zum Heiligen Land.

Mit ein Grund, warum alles anders kam als geplant, muß gewesen sein, daß sich Rom vor Birgittas Augen als ein Chaos, eine Stätte der Verwüstung enthüllte. Tägliche Unsicherheit von Leib und Habe verband sich bei der klarsichtigen kleinen

Dame aus dem Norden mit der Entdeckung der hohlen Geistigkeit so vieler kirchlicher Würdenträger. Dazu kam noch das physische Bild der Verwüstungen durch den Bevölkerungsrückgang und verlassene Kirchen und Wohnhäuser. Wir sprechen hier nicht vom Vergleich mit dem antiken Rom – die Millionenstadt der Cäsaren gab es schon lange nicht mehr –, sondern vom Vergleich mit der relativen Blüte Roms im 12. und 13. Jahrhundert, als Päpste, Kardinäle und eine Bevölkerung von 30000 bis 40000 Menschen immerhin recht viele neue Siedlungen und Kirchen gebaut hatten. Da die Päpste über ein Menschenalter in Avignon lebten, hielten höchstens 20000 Menschen das bewohnte Areal aufrecht, und die Pest hatte auch diese stark dezimiert oder in die Flucht gejagt. Der Niedergang trug apokalyptische Züge, und Birgitta war dafür höchst empfindlich. Abgründe menschlichen Versagens begegneten ihr hier in geradezu kosmischen Dimensionen. Eine solche Stätte unverrichteter Dinge wieder zu verlassen, um eine Existenz in Schweden aufzugreifen, die keine mehr war, muß Birgitta als Alternative abgewiesen haben. Sie blieb.

Sie blieb beim Beten, beim ständigen Durchwandern Roms und bei den Kirchen seiner Heiligen; sie blieb bei ihrem Pult, dem Schreibtisch, dessen Platte immer noch als kostbare Reliquie in ihrem Haus aufbewahrt wird. Die Offenbarungen flossen ihr in die Feder, sie schrieb schwedisch. Ihre schwedischen Beichtväter blieben bei ihr, die beiden Petrus Olavsson; sie übersetzten sie ins Lateinische. Sie lernte Latein, um die Übersetzungen kontrollieren zu können, denn wenn die beiden Väter nicht richtig verstanden, was Gott wollte, dann mußte verbessert werden. Die Texte wurden abgeschrieben, weggeschickt, verbreitet, zu Sammlungen redigiert, wieder als solche abgeschrieben.

Ein erstes Buch mit 60 Texten brachte zunächst die Zusammenstellung der grossen, vom neuen Berufungsbewußtsein erfüllten Botschaften aus Birgittas schwedischen Jahren. Eindringlich stellt Birgitta Christus, manchmal Maria als Sprechende vor; ihre eigene Rolle ist die der Braut und Vermittlerin der Botschaft. Ein zweites Buch mit 30 Texten bildet die Fortsetzung dazu. Im dritten Buch mit anfänglich vielleicht auch 60

Texten begegnen uns die ersten Visionen aus Rom. Das Buch der Fragen wurde als 5. Buch hineinkomponiert. Buch 4 und 6 wuchsen ununterbrochen – sie wurden zu Sammlungen von teils sehr umfänglichen Gerichtsvisionen, die oft einzelne, später im Kommentar bei Namen genannte Personen betrafen, teils von Gebetserhörungen oder inneren Erfahrungen, denen der visionäre Charakter weitgehend abgeht – die erbauliche oder belehrende Funktion der Texte überwiegt. Am Ende hatten sie mehr als je 100 Texte. Endlich folgte das 7. Buch mit den Erlebnis- und Visionsfrüchten aus der Reise nach Zypern, Jerusalem und Bethlehem. Und zuallerletzt die Texte zur aktuellen Politik und deren überzeitlichen Grundlagen, die Bischof Alfons in Quarto bei Genua als 8. Buch redigierte und eigens mit einer Einleitung versah. Zwanzig Jahre lang verbrachte die Dame aus dem Norden im Zittern und Beben um die Heiligkeit der Kirche, in einem ständigen Ringen um Hochmut und Demut, um die Gottesnähe, die für religiös und prophetisch begabte Menschen zu einem Existenzkampf wird, der alle anderen Probleme in den zweiten Rang verweist.

Jesus ist da. Er ist der Geliebte, er nimmt die Kleine und Demütige zu seiner Braut. Die Braut macht sich bereit wie die Frau, die ihre Würde kennt, durch klare, einsichtige und geradlinige Zeichen ihrer Schönheit und Bereitschaft. Sie verwaltet mit Umsicht die Gaben, die ihr übertragen worden sind – wie es Birgitta schon in Ulvåsa gelernt hatte und wie sie die Aufgabe wiederum an die Äbtissin ihres Klosters weiterreichen wollte. Männer kommen und gehen, sie bilden Stufen der Entwicklung der Gottesnähe. Vater, Ehemann, Matthias, der Dichter und Setzer der Musik der Nonnen, der Zisterzienserprior, endlich Alfons, der Erbe und Verwalter des Gesamtwerkes. Dazu noch Priester, Bischöfe, Kardinäle, Herzöge, aber auch immer wieder männliche Heilige aus der Bibel und Kirchengeschichte, die Birgitta auf ihren Reisen als Heiligenpatrone der Kirchen, die sie besuchte, »traf«: Franz von Assisi, Benedikt, Dominikus, Petrus, Andreas sprechen mit ihr, sie antwortet und erhält wieder Antwort und zeichnet dann zu Hause die Gespräche auf – intelligente, eindringliche Gespräche, nicht impertinent, aber immer »per du«. Birgitta scheint vorauszusetzen, daß, wenn sie es mit einem Mann zu tun habe, dieser auch die Kraft und die Fähigkeit besitze, ihr etwas Wesentliches zu vermitteln. Oft fragt sie, was sie zu solchen Gesprächen mit Gott und heiligen Männern berechtigt. Sie kommt nach vielen Erfahrungen und Belehrungen zu dem Ergebnis, daß sie das nicht wissen darf. Gott tut, was er will, und sendet, wen er will, und keine menschliche Würde oder Unwürdigkeit der Braut kann darauf einen Einfluß ausüben. Nur, die Auserwählung hat ihre Bedingungen – und arm ist diejenige Braut, die nicht rechtzeitig diese Bedingungen erkennt.

Birgitta tritt – nach der Zeit in der Obhut ihrer Mutter und der Tante – so früh in die Existenz einer Mutter und Hausfrau ein, daß bei ihr wie bei wenigen anderen Mystikerinnen die Selbstidentifikation als Frau zur Selbstverständlichkeit wird. Birgitta erlebt sich selbst als Maria, die ihre ständige Gesprächspartnerin bleibt. Ihr Bild von Maria ist dementsprechend reich an Facetten des Mütterlichen und der Leitung einer ganzen Welt von Menschen, Tieren, Pflanzen, Gebäuden, Getreide und Milch, Fleisch und Fisch. Alles läßt sich diese Führung gefallen; das Männliche ist dabei kein Gegenpol, sondern vergeistigte Anwesenheit im Rahmen der sonstigen gesamten Schöpfung des *mundus maior*, der großen Welt, die Gott physisch schuf nach dem Vorbild Marias, des *mundus minor*. Maria kann immer auf ihren Sohn, den Weltenrichter, einen Einfluß ausüben, ihn mit dem Hinweis auf die Barmherzigkeit umstimmen. In Rom begegnen ihr außer Maria viele weibliche Heilige – eine Agnes, eine Maria Magdalena –, die ihrer weiblichen Selbstidentifikation weitere Aspekte verleihen: die Jungfrau und römische Märtyrerin mit ihrer Basilika außerhalb der Stadtmauern, vielleicht ihrer Kapelle in den Ruinen von Domitians Zirkus, der heutigen Piazza Navona; die bekehrte Sünderin, die (nach mittelalterlicher Vorstellung) für würdig befunden wurde, als erste am Auferstehungsmorgen den Erlöser sehen zu dürfen. Alles wird für die Nonnen ihres künftigen Klosters aufgespeichert, für welche ihre Tochter Katharina zum Prototyp wird: Sie blieb bei der Mutter alle Jahre, brachte ihren Leichnam 1374 nach Schweden und sammelte dann die ersten Frauen des künftigen Klosters Vadstena, um nach weiteren fünf Jahren in Rom im Einsatz für die Absicherung des neuen Ordens dem Konventsleben seine Form zu geben; sie starb im März 1381 in Vadstena.

In Birgittas Entwurf zum Klosterleben spiegeln sich ihre Person und ihre Spiritualität. Dreizehn »Apostelpriestern« stehen zweiundsiebzig »Jünger« gegenüber – von denen sechzig Frauen, acht Laienbrüder und vier Diakone sind. Anders ausgedrückt: Sechzig Nonnen stehen fünfundzwanzig Männern gegenüber. Die Frauen bilden das Schwergewicht; eine der sechzig Nonnen vertritt als Äbtissin die Gottesmutter für alle, einschließlich der Männer. Wenn wir uns erinnern, wie häufig uns die Darstellungen von der Ausgießung des Heiligen Geistes über die Apostel begegnen, in denen Maria in der Mitte des Kreises, wie sein Gravitationspunkt, steht oder sitzt, dann braucht uns die Struktur des Birgittenklosters nicht zu überraschen: Maria, die Äbtissin, vertritt die Einheit gegenüber der sie umgebenden Vielfalt. Ein Gegenpol ist im inneren Spannungsverhältnis insofern vorhanden, als der Obere der Priester den Apostel Petrus vertritt. Aber die traditionelle kirchliche Hierarchie ist damit nicht vertreten – sie bleibt außerhalb der Klostermauern in Gestalt der äußeren Gewalten, welche die Umwelt regieren: Bischof, König, Papst.

Der kleine Birgittenorden, der es um 1480 auf etwa 25 solche Abteien brachte, bildete gewissermaßen die Basis der geistigen Präsenz Birgittas in Europa. Birgittas Bedeutung für Kunst und Literatur und für das religiöse Verständnis der Heiligkeit der Kirche war sehr groß und ist von der Forschung bisher nur sehr lückenhaft erkannt und gewürdigt worden. Die Birgittenklöster – manche bis zur maximalen Größe besetzt, andere kleiner – waren die geheime Kraft, die im Hintergrund das Zeichen setzte. Im 17. Jahrhundert war die ursprüngliche Struktur des Ordens nur noch bei wenigen Klöstern vorhanden, dafür wurden in Flandern, Italien, Spanien mit Mexico und Polen neue Nonnenklöster gegründet, und Birgittenpriester trugen in den Niederlanden die Botschaft weiter. In unserem Jahrhundert entstanden in Rom die Birgitta-Schwestern der schwedischen Konvertitin Elisabeth Hesselblad. Das geistige Fortleben Birgittas ist mit menschlichen Bausteinen Wirklichkeit geworden.

Literatur

Quellen: *Birgitta*, Revelations coelestes, alte Drucke lateinisch, der früheste Lübeck 1492, der letzte München 1680.

Birgitta, Kritische Edition des lateinischen Textes in der Reihe: Samlingar utgivna av Svenska Fornskriftsällskapet, Ser. II: Latinska skrifter, Stockholm-Uppsala. Erschienen sind: 1. Buch (C. G. Undhagen), 1977; 5. Buch (Birger Bergh), 1971; 7. Buch (Birger Bergh), 1967; Sermo Angelicus (Sten Eklund), 1972; Regula Salvatoris (Sten Eklund), 1975; Revelationes Extravagantes (L. Hollman), 1956.

Übersetzungen ins Mittelhochdeutsche: *U. Montag*, Das Werk der heiligen Birgitta von Schweden in oberdeutscher Überlieferung, München 1968, mit weiteren Hinweisen.

Jüngste Gesamtübersetzung ins Deutsche: *L. Clarus*, Leben und Offenbarungen der hl. Birgitta, I–IV, Regensburg 1888.

Birgitta una santa svedese – a Swedish Saint, Roma: Ambasciata di Svezia, 1974.

P. Damiani, La spiritualità di S. Brigida di Svezia, Roma 1964.

Festschrift Altomünster 1973, hrsg. von *T. Grad*, Aichach 1973.

E. Fogelklou, Die hl. Birgitta von Schweden, München 1929; 2., bearbeitete Fassung in Schwedisch: Birgitta, Stockholm 1955.

F. Holböck, Gottes Nordlicht. Die heilige Birgitta von Schweden und ihre Offenbarungen, Stein am Rhein 1983.

B. Klockars, Birgittas svenska värld, Stockholm 1976.

T. Nyberg, Art. Birgitta/Birgittenorden, Theologische Realenzyklopädie VI, 1980, mit weiteren Literaturhinweisen.

T. Nyberg, »Birgitta von Schweden – die aktive Gottesschau«, in: Frauenmystik im Mittelalter, hrsg. von *P. Dinzelbacher* und *D. R. Bauer*, Ostfildern bei Stuttgart 1985, 275–289.

Hjalmar Sundén, Den heliga Birgitta. Ormungens moder som blev Kristi brud, Stockholm 1973.

André Vauchez, »Sainte Brigitte de Suède et sainte Catherine de Sienne: La mystique et l'église aux derniers siècles du moyen âge«, in: Temi e problemi nella mistica femminile trecentesca, Todi 1983, 227–248.

Juliana von Norwich

Roland Maisonneuve

Innerhalb der mystischen Strömungen im England des Mittelalters, die so verschiedene Werke wie »The Fire of Love« von Richard Rolle († 1349), die »Leiter der Vervollkommnung« von Walter Hilton († 1395), »Die Wolke des Nichtwissens« von einem anonymen Autor des 14. Jahrhunderts und die Autobiographie der Margery Kempe († 1440) hervorgebracht haben, ist Juliana von Norwichs Beitrag von originellem und sehr persönlichem Charakter. Ihre Offenbarungen und ihre Erfahrungen mit Gott wurden uns in ihren »Offenbarungen der Göttlichen Liebe« überliefert, und zwar in zwei verschiedenen Versionen: in einer Kurzfassung und in einer offensichtlich später zu datierenden Ausgabe, die durch viele Jahre der Kontemplation bereichert worden war.

Von den großen Ereignissen ihres Lebens wissen wir nur das, was sie uns selbst darüber berichtet. So erzählt sie, daß sie sich in ihrer Jugendzeit »drei Gnaden aus der Güte Gottes wünschte«: zum ersten die »Versenkung in die Passion Christi«, zum zweiten »ein leibliches Siechtum«, das sie die Schrecken und das Grauen des Todes erfahren läßt und ihre Seele läutert; als Drittes wünschte sie sich »durch Gottes Gnade drei Wunden zu empfangen«, nämlich »die Wunde der wahren Zerknirschung«, »die Wunde des gütigen Mitleids« und die »Wunde der willentlichen Sehnsucht nach Gott« (Offenbarungen, 27/28).

Im Alter von dreißig Jahren wird ihr Gebet erhört, denn sie wird todkrank. Nachdem sie ganz plötzlich genesen ist, erfährt sie die Gnade, innerhalb eines sehr kurzen Zeitraumes sechzehn Offenbarungen über die Passion Christi zu schauen, die sich mit den Mysterien der Dreieinigkeit, der Erlösung und der Gottwerdung des Menschen befassen, die durch die Vereinigung mit Gott durch die Vermittlung Christi möglich wird.

Über die Art Leben, das sie danach führt, erfahren wir aus den Aufzeichnungen von Überlieferungen sowie aus einigen Testamenten, in denen sie erwähnt wird, daß sie lange Zeit zurückgezogen in einer Klause gelebt habe, die zu der Kirche des Heiligen Julian in der Stadt Norwich gehörte. Zwei Mägde leben bei ihr, die eine heißt Sara, die andere Alice. Wann wird sie zur Klausnerin? Aus welchem Grunde? Ist sie eine Ordensfrau gewesen oder nicht? Hierüber wissen wir nichts. Das einzige genauere Zeugnis über ihre Lebensumstände verdanken wir Margery Kempe, die sie eines Tages aufsucht. Aus ihrem Bericht erfahren wir zwar nichts über das tägliche Leben Julianas, aber er vermittelt uns einen Eindruck davon, wie sehr Juliana in und mit Gott lebt und wie sehr sie von Gott bewegt wird (Autobiographie I, 18).

Die »Offenbarungen« lassen uns in Juliana eine sehr geistreiche und geistbegabte Persönlichkeit erkennen, die einen wachen Verstand hat, mit dem sie ständig versucht, die Dinge, die sie lebt und erlebt, zu verdeutlichen und zu verstehen. Sie zeigt einen gesunden Menschenverstand und Ausgeglichenheit und ist ein fröhlicher Mensch, dem es nicht an Humor fehlt.

Juliana behauptet von sich, daß sie »ungebildet« sei. Eine Analyse ihrer Texte läßt jedoch erkennen, daß sie gebildeter ist, als sie zugibt. Jedoch stammt ihr Wissen nicht aus Büchern, ist nicht nur rein theoretisch, sondern läßt erkennen, daß sie nicht aufhört, das, was sie aus den verschiedensten Quellen gelernt hat, nachzuvollziehen. Sie kennt sich sehr gut in der Heiligen Schrift aus und weiß gründlich über einige Kirchenväter Bescheid: Augustinus, Gregor den Großen und Dionysius Areopagita. Kritikern ist nämlich die Ähnlichkeit gewisser Redewendungen mit den Schriften von Rolle und Hilton, sogar den niederrheinisch-flämischen Mystikern, insbesondere auch Meister Eckharts aufgefallen. Die ständigen Kontakte, die sie mit Priestern oder mit ihren Beichtvätern und Besuchern pflegt, befruchten und erleuchten ihr Klausnerinnenleben, das auf die Liturgie, das Gebet und die Kontemplation gerichtet ist. Auch wird sie von dem religiösen und theologischen Klima von Norwich beeinflußt – einer Kleinstadt, die viele Kirchen und verschiedene religiöse Orden (Benediktiner, Dominikaner, Karmeliter, Franziskaner und Augustiner) beherbergte, in dem sich ihr geistiges Leben entfaltet.

Juliana lebt in schweren Zeiten; sie sind in England von zahlreichen Bruderkriegen und Kämpfen mit dem Ausland gekennzeichnet. Es gibt auch Auseinandersetzungen zwischen dem Adel und den Herrschern, es herrschen Revolten, Pest und Hungersnot. Als sie geboren wurde, dauert das Exil von Avignon – der Aufenthalt von sieben Päpsten in der Grafschaft Venasque – nun schon seit 1305. Das Große Schisma, das die Wahl von gleichzeitig zwei, dann drei Päpsten erlebte und die Kirche spaltete, bricht fünf Jahr nach ihren ersten Visionen aus.

In diese Zeit großer Finsternis wird Juliana ein Licht hineintragen, indem sie von den Wundern Gottes und von den Schätzen der göttlichen Liebe spricht. Zweck und Sinn der Offenbarungen, die sie erlebt, faßt sie selbst wie folgt zusammen:

»Seitdem es offenbart war, wünschte ich oft, unseres Herrn Absicht zu wissen. Und mehr als fünfzehn Jahre danach wurde meinem Geist diese Antwort:
Wie willst du deines Herrn Absicht in diesen Offenbarungen erkennen?
So wisse: Liebe war seine Absicht!
Wer offenbarte es dir? Liebe!
Warum offenbarte er es dir? Aus Liebe!
Halte dich daran, und du wirst dies immer mehr erkennen, und dies wird deine ewige Erkenntnis sein.
So wurde ich gelehrt, daß Liebe unseres Herrn Absicht ist. In diesem und allem, was unser Gott an uns tat, sah ich gewißlich, daß er uns liebt; diese Liebe ließ nie nach und wird nie nachlassen. In dieser Liebe hat er all seine Werke getan; in dieser Liebe hat er alles geschaffen, was uns nützlich ist.
Unser Leben währt ewig in dieser Liebe. Wir begannen, als wir erschaffen wurden. Aber die Liebe, in der er uns schuf, war in ihm vor allem Anfang. In dieser Liebe nahmen wir unseren Anfang. Und all dies werden wir ewiglich in Gott sehen« (189).

Die ganze Botschaft der »Offenbarungen« zielt darauf ab, eine Erkenntnis liebenden Glaubens zu entwickeln, die nicht aufhört, den dreieinigen Gott und die unendliche Liebe in jedem Wesen, Ding, Ereignis und Gegenstand des Realen wahrzunehmen. Zwei Offenbarungen Julianas überbringen diese Botschaft. So sieht die Seherin einmal in seiner Hand eine Haselnuß liegen, »so rund wie eine Kugel«: »Ich sah darauf nieder mit dem Auge meines Verstandes und dachte: ›Was mag dies sein?‹ Und ungefähr so lautete die Antwort: ›Es ist das Universum des Geschaffenen‹« (35).

Aus dieser Haselnuß, dem Symbol alles Realen, erkennt Juliana das Mysterium der drei göttlichen Personen, die in der Zeit und in der Geschichte beständig wirken:

> »Ich sah drei Eigenschaften an diesem kleinen Ding. Erstens: Gott schuf es. Zweitens: Gott liebt es. Drittens: Gott erhält es« (35).

Die zweite Offenbarung holt noch weiter aus:

> »Und dann sah ich Gott deutlich in meinem Geiste und erkannte dadurch, daß er in allem ist... Er ist der Mittelpunkt von allem... Und ich erkannte in dem Gesicht, daß er alles tut, was getan wird« (50).

Dies ist der kosmische und universale Mittelpunkt der unendlichen Liebe, der hier all das, was Gott ist, und all das, was Gott tut (und was über alle Erwartungen hinaus wohlgetan ist), und alles, was er zuläßt, symbolisiert (und das, was zuweilen von schädlichem Einfluß sein kann, zum Guten kehrt und so ruhmvoll wird); Gott in seiner Immanenz und Transzendenz, alles Geschaffene und jeder einzelne Punkt des Geschaffenen; alle Menschen und jeder einzelne Mensch; das menschliche Leben in seiner Kürze; die *Unus Mundus* (die eine Welt), die in Gott Schöpfung, Kreatur, Geschichte und Ewigkeit ist. Mit jeder ihrer Betrachtungen dringt Juliana bis zum Ursprung, bis zur Quelle vor, die in den Tiefen jeder Kreatur und aller Dinge liegt und die in diesen Tiefen auf das göttliche Leuchten hinwirkt.

Nach Julianas Überzeugung kann nur eine gläubige Lebenseinstellung die Wahrheit des Realen entdecken, und diese Wahrheit ist die unendliche göttliche Liebe. Juliana sieht im Menschen einen Blinden, den man von seiner Blindheit heilen und zum Sehen führen muß:

> »Aus sich selbst ist er (der Mensch) ohnmächtig und töricht, und auch sein Wille ist blind. Dann ist er in Drangsal und Sorge und Weh. Das kommt daher, weil er blind ist und Gott nicht sieht« (117).

Dies ist der Grund, warum Juliana durch eine gläubige Einstellung allen Menschen denjenigen entdecken will, der da ist. Sie will allen Menschen vermitteln, wie sehr sie mit ihm verbunden sind. Sie will sie auf die Wege des Lebens, des Glücks und der Freude führen, die von dem, der diese Wege unsichtbar gestaltet und die Menschen mit seiner Liebe umfängt, geplant werden.

Sie fordert ihre Leser auf, wachen Blickes zu schauen und Gott in jeglicher Form der Realität zu suchen, da er das »Zentrum von allem« ist. Es muß dies auch ein Blick der Sehnsucht sein, den es danach dürstet, in die Abgründe des unendlichen und unsichtbaren Gottes vorzudringen; oder aber ein Blick der Ergebung und Hingabe, der sich der Klarsicht und der alles umfassenden Liebe Gottes ausliefert.

Dadurch werden die »Offenbarungen« zu einer Geschichte vielfältiger Reisen, die der Mensch in Gott zu machen berufen ist.

Ihr Augangspunkt ist eine Beschreibung der Passion Christi. Juliana sieht die Leidensgeschichte nicht in der Vollständigkeit ihres menschlichen Ablaufes; vielmehr werden ihr nur einige Szenen enthüllt, zum Beispiel die Krönung mit der Dornenkrone und das von Schmach bedeckte Antlitz Christi: »bespien, beschmutzt und geschlagen, und noch viele peinigende Schmerzen« (46). »Ich sah das süße Antlitz trocken und blutlos werden« (62). Sie sieht die Geißelung und Ströme von Blut, die sich über seinen Körper ergießen; sie sieht die Agonie des Gekreuzigten, den seine Lebensgeister allmählich verlassen. Sie sieht es so genau, daß Christus ihr »zusammengeschrumpft, ausgelaugt und so farblos wie ein altes Stück trockenes Holz erschien«, »das Herz von einer Lanze durchbohrt«: »Ein schöner und lieblicher Ort, groß genug für die ganze Menschheit, die erlöst werden und in Frieden und Liebe bleiben soll« (77).

Juliana verwendet keine überzogen realistische Beschreibung, indem sie, um zu beeindrucken, mit unserer Empfindsamkeit oder mit unserem Mitgefühl spielt; sie beweist vielmehr Mäßigung und Nüchternheit. Auch die geringsten Einzelheiten ihrer Schilderungen verfolgen eine geistige Absicht der Zerknirschung und der Reue, des Mitgefühls und der Begeisterung für Gott durch eine reine Liebe; sie vermeidet eine empfindsame Aufreizung. Ihre Erzählungen und Kommentare strahlen bis zu Gott und seinem heilbringenden Erlösungsplan aus.

Wenn Christus leidet, so zu einem doppelten Zweck: »Denn ich sah, das Christus seinem Vater im Himmel uns, die er verlor, darbietet, die er in sich beschließt und die wir erlöst werden sollen« (131), um letzteren das Glück, Kinder Gottes zu sein, wiederzugewinnen. Juliana zeigt mit Nachdruck, daß die Passion das gemeinsame Werk des dreieinigen Gottes ist und in Freude endet: in der Freude für die Seele, die nun die Überfülle Gottes erkennen kann, und in der Freude Gottes, weil er die Seele aus der Finsternis zum Licht und zum Leben führt. Es ist bedeutsam, daß Julianas Vision, als sie zum ersten Mal mit dem seine Passion erleidenden Christus konfrontiert ist, sich sofort in Freude und Jubel verwandelt: »Die Dreieinigkeit erfüllte mein Herz plötzlich mit höchster Freude« (33). Als Christus ihr sein von der Lanze durchbohrtes Herz zeigt, geschieht dies ohne Vorwurf, ohne Mißbilligung und Tadel. Er zieht ihre Aufmerksamkeit nicht auf das Leiden, sondern ist ganz Freude und lädt sie dazu ein, an dieser Freude teilzunehmen:

»Dann fragte mich unser gnädiger Gott: ›Bist du auch zufrieden, daß ich für dich litt?‹ Ich sprach: ›Ja, gnädiger Gott, wie danke ich dir. Wahrlich, o gnädiger Gott, gepriesen seist du!‹ Dann sprach unser lieber Herr Jesus: ›Wenn du zufrieden bist, bin ich auch zufrieden. Es ist mir Freude, Seligkeit und ewiges Wohlgefallen, daß ich das Leiden für dich ertrug‹« (72).

Nach Beendigung ihres Berichtes von ihren Visionen über das Leiden Christi beschäftigen sich die »Offenbarungen der Göttlichen Liebe« mit der Darstellung der vielfältigen Anwesenheit Gottes, die schon für die Menschen auf dieser Erde eine Quelle unaussprechlicher Freude ist.

Juliana verweist auf den dreieinigen Gott, der in seiner Schöpfung immer am Werk ist; er ist die feste und dauerhafte Liebe, die nicht aufhört, ihre Kreatur in ihrer Einsamkeit zu umfangen. Die Seherin Juliana erfaßt Gott über das Bild eines Kleidungsstückes:

»Denn wie der Körper in das Gewand gekleidet ist und das Fleisch in die Haut und die Knochen in das Fleisch und das Herz in den Leib, so sind auch wir mit Seele und Leib gekleidet und eingeschlossen in die Güte Gottes, ja noch inniger; denn all das andere vergeht und schwindet hin, die Güte Gottes aber ist immer unvergleichlich vollkommen und uns näher als alles andere. Und wahrlich, Gott, der uns liebt, verlangt, daß die Seele mit allen Kräften sich an ihn klammert und daß wir uns immer mehr an seine Güte halten; denn von allem, was sich das Herz nur denken mag, gefällt dies Gott am meisten und ist am heilsamsten« (38).

Dem Menschen, der sich Ebbe und Flut der täglichen Ereignisse ausgeliefert glaubt oder von den blinden Kräften des Universums oder seines eigenen Ich erschlagen, entdeckt Juliana einen vollkommen guten Gott, der alles zu einem glücklichen Ausgang führt. Sie lenkt den Blick ihrer Leser immer wieder auf die geheimsten Tiefen der Geschichte, in die – bei völliger Handlungsfreiheit des Menschen – Gott eingreift, um das, was verborgen, verdorben oder unheilvoll geworden ist, wieder aufzurichten. Über dem Elend oder der menschlichen Unvollkommenheit errichtet er die Wege zu künftiger Herrlichkeit und läßt – zwar ahnungsvoll verschleiert, aber doch mit Bestimmtheit – in der Tiefe der verzweifelten Seele die unbegrenzte Freude der unendlichen Liebe hervorkommen. Die letzte Lektion der Geschichte, die Christus der Seherin von Norwich erteilt, ist diese:

»Siehe, ich führe alles zu dem Ende, zu dem ich es bestimme von Anfang an, und das durch dieselbe Macht, Weisheit und Liebe, mit der ich es schuf« (52).

Somit ist der Blick beständig auf einen Endpunkt, den Schlußpunkt der Menschheitsgeschichte gerichtet, das glückselige Omega, das einem modernen Leser allzu optimistisch und utopisch erscheinen mag: »Alles, jeglicher Art, wird gut werden. Du sollst selbst sehen, daß ein jegliches Ding gut werden wird« (89).

Dieser Satz, den Christus Juliana gegenüber mehrfach wiederholt und den der englische Dichter *T. S. Eliot* († 1965) am Ende seiner »Vier Quartette« als das Schlußwort des »Little Gidding« verwendet, ist für die Seherin von Norwich kein künstliches Paradies, mit dem sie sich tröstet. Dieser Satz wird für sie vielmehr zu einer Gewißheit, die unter verschiedenen Gesichtspunkten dargestellt wird. Er wird zum Leitmotiv, das mit den großen und fundamentalen Themen der »Offenbarungen« verschmilzt: die Dreieinigkeit, die Christus-Struktur des Menschen, die Erbsünde Adams und ihre Folgen, der Endsieg und Triumph Gottes, der alles und alle in sich vereinigt.

Die Feststellung, daß »alles gut enden wird«, wird von Christus selbst ausgesprochen, und er verpflichtet dadurch die Dreifaltigkeit, deren Sprecher er ist. Juliana betont, daß dazu jede einzelne Person ihren Beitrag leisten muß, und versichert uns der Gemeinschaft des dreieinigen Gottes bei diesem Werk:

»Ich darf alles gut machen und ich will alles gut machen, und du selbst sollst sehen, daß alles gut sein wird.« Und das »ich darf« sprach er in seiner Eigenschaft als Vater, das »ich kann« als Sohn, und das »ich will« sprach er als Heiliger Geist. Aber das »ich werde« galt für die ganze heilige Dreieinigkeit: drei Personen und *eine* Wahrheit. Und als er sprach: »Du wirst es selbst sehen«, da verstand ich, daß er die ganze Menschheit meinte, die gerettet werden soll zur Anschauung der seligen Dreieinigkeit« (87).

Die »Christus-Struktur« des Menschen kann das Problem auch insofern erleuchten, als in den Augen Julianas das menschgewordene Wort für alle Ewigkeit der Prototyp des aus dem Wollen Gottes entstandenen Menschen ist:

»Nach dem ewigen Beschluß der Dreieinigkeit wollte die zweite Person (Gott, der Sohn) Grund und Haupt dieses edlen Geschlechtes werden. Diesem Grunde entstammen wir, in ihm sind wir alle beschlossen, in ihn werden wir alle eingehen und unsere vollkommene, himmlische, immerwährende Freude finden. Das ist der Beschluß, den die Heilige Dreieinigkeit vor allem Anfang gefaßt hat« (128).

Der sündige Adam ist ein verstümmelter Mensch, der zwar immer noch mit Gott in Verbindung steht, aber in existentieller Zwietracht lebt, die durch die Kluft der Un-Liebe entstand, was ihn daran hindert, daß er weiterhin ganz von der Liebe des Vaters, des Sohnes und des Heiligen Geistes eingehüllt wird. Durch seine Menschwerdung und sein Erlösungswerk hat Christus, der vollkommene Adam, der alle Sünden der Menschen auf sich nahm, diese Kluft überbrückt. Jeder Mensch, der sich ihm anschließt, findet seine Integrität wieder, die von der Dreieinigkeit ausgeht und über Christus den Weg zu allen Nachkommen Adams findet, um diese zum Uranfang zurückzuführen, zu Gott. Verborgen im Dunkel der Geheimnisse der zeitlichen Historie und der Seelen bereitet Christus seinen endgültigen Triumph vor:

»Ist da nicht geschrieben: Ich werde euch von euren müßigen Neigungen und eurem lasterhaften Stolz erlösen? Danach vereinige ich mich

> mit euch, um euch sanft und bescheiden, rein und heilig zu machen, und dann ›sind wir vereint in Seligkeit‹« (101).

Christus zeigt Juliana, daß die Sünde Un-Liebe im Schoße der Liebe ist, ein Nichts: »Ich glaube, Sünde ist keine Substanz, und nichts Seiendes« (83). Von Gott entblößt, kann die Leere und die Hohlheit der Sünde leicht von Gott wieder aufgefüllt werden, sobald sich der sündige Mensch wieder in seinen Schöpfer versenkt. Der Schrecken der Sünde Adams ist ein Nichts im Vergleich zu der Herrlichkeit, die die Sühne Christi hervorruft. Wenn darüber hinaus der größte Fehltritt, den es nach dem Plane Gottes je gegeben hat, durch Christus wieder aus der Welt geschafft wurde, wie wäre es da möglich, daß gar andere daraus resultierende Fehltritte, die gezwungenermaßen weniger gravierend sind, nicht ebenfalls wiedergutgemacht werden könnten?

> »Die Sünde hat einen guten Sinn.... Wahrlich, die Sünde ist die Ursache aller dieser Pein; aber alles wird gut sein, und ein jegliches Ding soll gut sein« (82f.).

Christus belehrt Juliana über die hoffnungslose und endgültige Niederlage der Mächte der Hölle, die anfänglich zu triumphieren schienen:

> »Und das kommt daher, weil Satan nie so viel Böses tun kann, wie er es möchte; denn seine Gewalt ist ganz in Gottes Hand beschlossen« (55).

Juliana ist erstaunt. Diese Ohnmacht erscheint ihr relativ zu sein, bedeutet sie doch ewige Verdammnis für viele und damit ein Versagen des Planes Gottes; dies versteht sie nicht. Sie spricht Christus an. Wenn auch die göttliche Antwort nichts verdeutlicht, so bestätigt sie doch wieder mit Macht den glücklichen Ausgang aller Dinge und die universelle Souveränität Gottes:

> »Das, was dir unmöglich ist, ist mir nicht unmöglich. Mein Wort wird in allem erhalten bleiben, und ich werde alles gut machen« (91).

Juliana kann sich jedoch kein Bild davon machen, wie dies in Erfüllung gehen soll. Sie durchdringt mit ihrem Geist die historischen Zeiten und kontempliert wie mit den Augen Gottes das Ende der Menschheitsgeschichte und deren Vollendung. Die unendliche Liebe wird in allen und über alles siegen:

»Dann werden wir alle aus einem Munde sprechen: Herr, gesegnet seist du. Denn so, wie es ist, so ist es gut. Und nun sehen wir wahrhaft, daß alles geschehen ist, wie du es vor Beginn aller Dinge beschlossen hattest« (188).

Wenn sie fortan in die Betrachtung Christi versunken ist, sieht ihn Juliana wie eine Mutter, die sich über die Menschheit beugt. Sagt nicht Gott bei Jesaja: »Kann denn eine Frau ihr Kindlein vergessen, eine Mutter ihren leiblichen Sohn? Und selbst wenn sie ihn vergessen würde, ich vergesse dich nicht« (Jesaja 49,14).

Oder bei Hosea: »Ich war da für sie wie die (Eltern), die den Säugling an ihre Wangen heben; ich neigte mich ihm zu und gab ihm zu essen« (Hosea 11,4).

Johannes Chrysostomus läßt Christus sagen: »Ich bin euer Freund und Bruder, eure Schwester und Mutter, ich bin alles für euch.« Anselm feiert Jesus als »seine süße Ernährerin, seine liebreiche Mutter«. Indem sie sich in diese reiche, biblische, patristische und geistige Strömung einbezieht, entwickelt Juliana systematisch eine richtige Theologie der Mutterschaft Christi, der »mütterlichen Natur« oder der Mutterschaft der göttlichen Gnade und ihres Wirkens. Als Mutter der Menschheit wird das Wort Gottes die menschliche Natur hervorbringen; das Wort zeugt das Menschengeschlecht; nach dem Sündenfall bringt es den Menschen durch die Menschwerdung und das Erlösungswerk Christi zum göttlichen Leben zurück:

»So ist Jesus unsere wahre Mutter in unserer Erschaffung, und er ist unsere Mutter durch die Gnade, denn er nahm unsere Natur an« (141).

Juliana fordert die Menschen auf, sich vertrauensvoll und aktiv den Gnadenerweisen Christi hinzugeben, Christus als unserer himmlischen Mutter und dem Fährmann der göttlichen Liebe, der seine Kinder in den sicheren Hafen zurückbringt:

»Die Mutter kann wohl dulden, daß ihr Kind manchmal fällt und mancherlei Schaden nimmt, wenn es ihm zum Segen gereicht; aber ihre Liebe kann nie zulassen, daß irgendeine Gefahr ihr Kind bedroht. Unsere irdische Mutter zwar kann ihr Kind umkommen lassen, aber unsere himmlische Mutter Jesus kann niemals zulassen, daß wir, die wir seine Kinder sind, umkommen. Denn in ihm ist alle Macht, Weisheit und Liebe« (164).

Juliana kann nicht aufhören, ihrem Leser immer wieder diese unendliche Güte Gottes, die unaufhörlich wirksam und vorhanden ist, nahezubringen. Alles Geschaffene ist gut, da es von Gottes Güte ausgeht und sie manifestiert. Was nun den Menschen betrifft, ist auch in ihm jene göttliche Güte am Werk, denn während sie die menschliche Synthese und ihre Christusförmigkeit erforscht, entdeckt Juliana im innersten Wesen des Menschen einen manifest guten Willen, von dem er sich zu Gott hingezogen fühlt und der ihn veranlaßt, sich Gott zu nähern:

> »In dieser Offenbarung sah und erkannte ich gewiß, daß in jeder Seele, die gerettet werden soll, ein göttlicher Wille ist, der niemals der Sünde beistimmt und es auch nie tun wird. Dieser Wille ist so gut, daß er nichts Böses wollen kann, sondern er will immerdar das Gute und wirkt immerdar Gutes vor Gottes Angesicht« (127).

Hierin wollten nun einige Forscher eine Resonanz auf gewisse Ansichten Eckharts und der niederrheinisch-flämischen Mystiker sehen. Sagte nicht auch Jan van Ruysbroeck:

> »Jeder Mensch verfügt über einen grundsätzlichen und natürlichen Hang zu Gott, welcher der Funken der Seele und die oberste Vernunft ist, die unaufhörlich das Gute wünscht und das Böse haßt.«

Ein solcher Standpunkt könnte uns nun dazu verführen, Juliana wie auch ihre niederrheinisch-flämischen Glaubensbrüder des Irrglaubens zu bezichtigen. In einem größeren Zusammenhang zeigt sich jedoch sehr deutlich, daß es hierbei vielmehr um die Existenz des dreieinigen Gottes im Innersten eines Menschen geht, die den Menschen beständig anspornt, immer wieder in seine göttlichen Ursprünge einzutauchen. Juliana präzisiert dies so:

> »Dennoch begriff ich, daß unser Wesen in Gott ruht, das heißt, daß Gott Gott ist und unser Wesen ein Geschöpf in Gott« (130).

Sie bezieht sich hier nicht auf den sinnlich-geistigen Willen des Menschen, der unter der Macht des Psychischen steht, sondern auf den Willen Christi, welcher der in ihm und mit ihm verbundene göttliche Wille zum Guten ist, der nur die Zustimmung des Sünders benötigt, um von dem ganzen Wesen Besitz zu ergreifen und ihn allmählich Gott ähnlicher zu machen. Juliana sagt außerdem:

> »Demnach sah ich wahrhaftig, daß unser Herr niemals zornig war und es nie sein wird; denn er ist Gott: Er ist gut, er ist Wahrheit, er ist Liebe, er ist Friede, und seine Macht, seine Weisheit und Liebe, in der er sich mit der Seele vereinigt, lassen ihn nicht zornig werden. Denn ich erkannte in Wahrheit, daß es seiner Macht nicht ansteht, zornig zu werden. Und der Zorn widerspricht auch seiner Weisheit und seiner Güte. Gott ist die Güte, die keinen Zorn kennt; denn Gott ist nichts als Güte. Unsere Seele ist mit dem vereint, der die unwandelbare Güte ist« (116).

Eigentlich verdient der Mensch Tadel und Rüge, doch Gott sieht in ihm schließlich doch nur den Christus, in welchem er ist. Indem er jeden sündigen Adam gütig ansieht, erblickt er in ihm nur den göttlichen Adam, einen reinen und verwandelten Adam, der sich Gottvater darbietet. Auch sein Blick ist schließlich nichts anderes als die Güte selbst. Die Rüge, die der Sünder erlebt, ist das Werk der reinigenden Gerechtigkeit Gottes, der alles wieder aufrichtet und zur Liebe zurückführt.

Die letzte Erscheinung Gottes, die Juliana erlebt, ist die eines innig-vertrauten Gottes, der zu jedem einzelnen Menschen mit den folgenden Worten spricht:

> »Mein teures Kind, ich freue mich, daß du in all deinem Schmerz zu mir gekommen bist. Ich bin immer bei dir gewesen, und nun siehst du mich und meine Liebe, und wir sind vereint in Seligkeit« (101).

Alle von Juliana verwendeten Bilder und Symbole verfolgen letztendlich den Zweck der geistigen Wiedergeburt des Menschen und seines Wiederaufblühens in der Freude Gottes. Bei der Kontemplation des Antlitzes des leidenden Christus sieht Juliana, wie sich dieses plötzlich in ein Gesicht voller Glanz verwandelt:

> »Als sein heiliges Antlitz sich wandelte, da veränderte sich auch das meine; und ich war so froh und heiter, wie es nur möglich war. Und unser Herr sprach und ließ es mich bedenken: ›Wo ist nun noch irgend etwas von deiner Qual und deiner Angst?‹ Und ich war sehr fröhlich« (71).

Gepeinigt von der Realität der Sünde und der Hölle, erfleht sie von Gott Erleuchtung, und es wird ihr daraufhin eine Parabel über die Verklärung Christi gezeigt (114) anhand des Beispiels von einem Herrn, der seinen Diener auf die Suche nach einem verlorenen Schatz aussendet. Der Diener fällt in einen Hinterhalt und wird schwer verletzt sowie von großen Schmerzen heimgesucht. Inmitten dieser harten Heimsuchungen fördert er den Schatz zutage, der eine Wüste ist (nämlich das göttliche Universum der Schöpfung und seiner sündigen Kreaturen), eine Ödnis, die man umgraben und bewässern muß und die dann schöne und zahlreiche Früchte hervorbringt (alle Menschen, die in ihr wohnen) und die er seinem Herrn darbietet:

> »So wie die Menschheit ewig in der Seligkeit leben und die Feine Gottes in seinen Werken vollkommen machen wird, so ist dieselbe Menschheit Gott von Anfang an bekannt und lieb gewesen« (128).

Jesus bedeutet die gesamte errettete Menschheit, und die gerettete Menschheit ist Jesus.

Das Werk Julianas ist schließlich auch eine Betrachtung der Freude. Sie entdeckt dem modernen Menschen, der in seinem Ghetto, in seiner ihn abriegelnden kleinen Welt lebt, die Freuden, die von Gott ausgehen: die göttliche Freude in ihm selbst im Herzen der Dreieinigkeit; die Freude Gottes an seiner Schöpfung und die Freude Christi an seiner Passion, die Freude der göttlichen Liebe, die alles wieder zur Liebe zurückführt; die einmalige Freude, welche die unendliche Liebe im Glück oder Unglück diejenigen erleben läßt, die sich ihr hingeben. Da Juliana diese Freude schaut und erkennt, haben ihre Worte einen unschuldigen und kindlichen Klang, sind sie von tänzelnder Fröhlichkeit und Leichtigkeit, vermitteln sie das Licht eines wiedergefundenen Paradieses. Solche Worte faszinieren und durchdringen die von unserem Zeitalter geängstigten Gemüter. Juliana schlägt uns einen geistigen Weg der Einfachheit und Schlichtheit sowie einen elementaren theologischen Weg vor: In ihren Augen garantiert ein beständig auf Gott gerichteter Blick schon im zeitlichen Leben eine zunehmende Transfiguration und Verklärung des Menschen und ist Wegbereiter für seine endgültige Verklärung. Indem sie zwischen der lateinischen westlichen Welt und dem byzantinischen Osten, zwischen der Römischen Kirche und den aus der Reformation hervorgegangenen Kirchen vermittelt, ist Juliana von Norwich darüber hinaus zu einer der hervorragendsten Gestalten der ökumenischen Bewegung geworden. Ihre Parabeln sind gleichermaßen verwandt mit den *meshalim* der rabbinischen Literatur wie mit den Erzählungen aus dem Sufismus oder den kurzen Aufzeichnungen der Zen-Meister, die von großen geistigen Geheimnissen in alltäglichen und verwirrenden Bildern oder ungewöhnlichen Lehrfabeln sprechen. Auch hier wiederum ist sie ein Glied in einer Kette, das die christliche Weltanschauung mit den vielfältigsten Visionen der Menschen verbindet, Vorstellungen, die aus den Tiefen der Herzen der Menschen geboren wurden und die sich um den einen und absoluten Gott, die alles umfassende göttliche Liebe, das Unendliche des Unendlichen drehen, aus dem alles entsteht, in dem alles wohnt, lebt und stirbt und aus dem alles wiedergeboren wird.

Übersetzt von Thérésa-M. Bullinger

Bibliographie

Deutsche Übersetzung der *Offenbarungen* in Kurzfassung: *E. Strakosch*, Lady Julian of Norwich, Offenbarungen von Liebe, Einsiedeln 1960.
Ausführliche Version: *O. Karrer*, Juliana von Norwich, Offenbarungen der göttlichen Liebe, Dokumente der Religion, Paderborn 1926.
Original englischer Text: *E. Colledge, J. Walsh*, A Book of Showings to the Anchoress Julian of Norwich, Pontifical Institute of Mediaeval Studies, Toronto 1978; 2 Bände.
In modernem Englisch: *Julian of Norwich*, Showings. Übersetzung und Einführung von *E. Colledge* und *J. Walsh*, New York 1978.
Kritische Studien in deutscher Sprache: *W. Riehle*, Studien zur englischen Mystik des Mittelalters unter besonderer Berücksichtigung ihrer Metaphorik, Heidelberg 1977.
Frauenmystik im Mittelalter, hrsg. von *P. Dinzelbacher* und *D. R. Bauer*, Ostfildern bei Stuttgart 1985.
Ein Kapitel von *F. Wöhrer* über die englischen Mystiker des 14. und 15. Jahrhunderts. Eine Höhe, über die nichts geht. Spezielle Glaubenserfahrung in der Frauenmystik, Stuttgart-Bad Cannstatt 1986.
Ein Kapitel über Juliana von *J. P. H. Clark*: Die Vorstellung der Mutterschaft Gottes; Trinitätsglauben der Juliana von Norwich, in: ebd.

M. Collier-Bendelow, Gott ist wirklich unsere Mutter. Die Botschaft der Juliana von Norwich, Freiburg 1988.
In anderen Sprachen: *B. Pelphrey*, The Theology and Mysticism of Julian of Norwich, Institut für Anglistik und Amerikanistik, Universität Salzburg 1982.
R. Maisonneuve, L'Univers visionnaire de Julian of Norwich, Paris 1987.

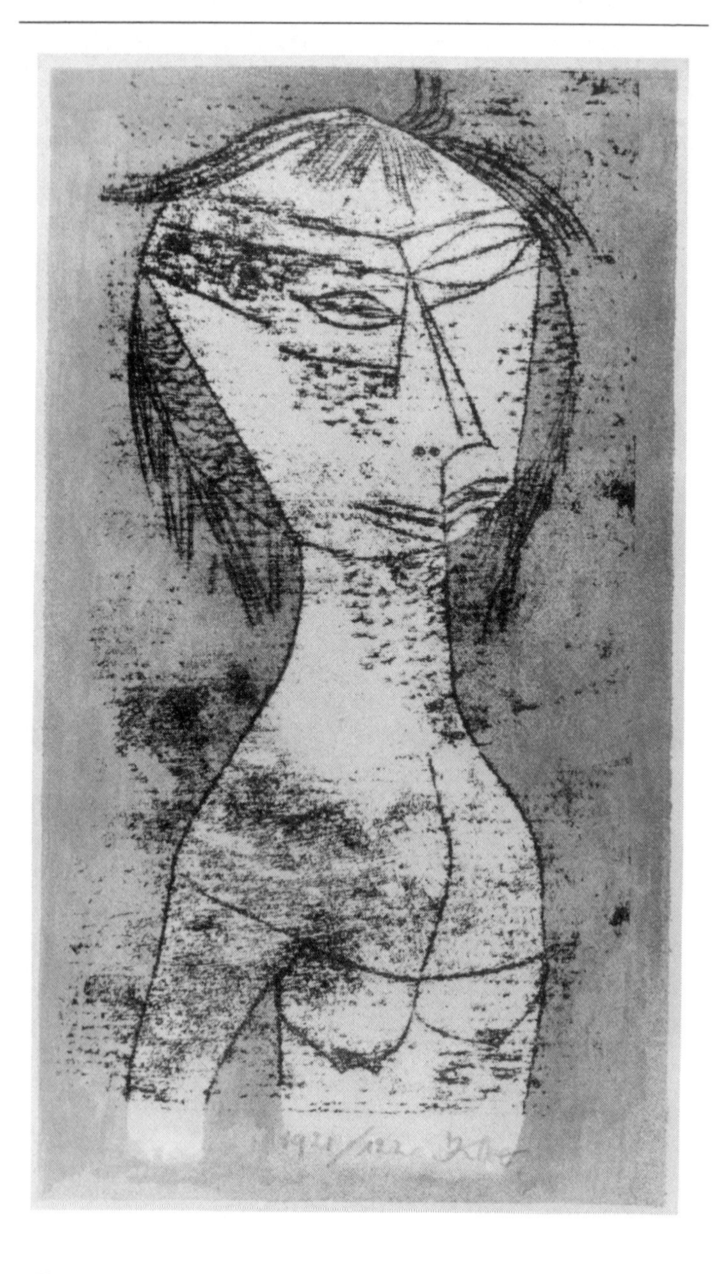

Caterina von Siena

Jörg Jungmayr

In der ersten Mappe der sogenannten »Bauhaus-Drucke«, die in mehreren Folgen zwischen 1921 und 1923 erschienen sind, veröffentlichte Paul Klee eine vierfarbige Lithographie (orange-braun, sepia, inkarnat und schwarz), der er den Titel gab: »Die Heilige vom inneren Licht«. Dem damaligen Betrachter – mehr noch als dem heutigen – muß diese Lithographie mit ihrem provokativen Verzicht auf traditionelle Sehkategorien und den damit verbundenen Gefühlserwartungen befremdlich, ja anstößig vorgekommen sein. Die Graphik zeigt ein weibliches Brustbild, eine Figur in sehr aufrechter Haltung: Auf einem hageren, langgestreckten Leib mit herabhängenden Brüsten – im Gegensatz zu ihnen betont die Linie vom rechten Arm in den Hals die gegenläufige Bewegung nach oben – sitzt ein trapezförmiger Kopf, dessen Kantigkeit durch die Rundungen von Schädeldecke, Kinn und einem sich kaum vom Hintergrund abhebenden Schleier, den man auch als eine Art »irdischen« Heiligenschein interpretieren könnte, leicht gemildert wird. Die dreieckig vorspringende Nase teilt das Gesicht in zwei ein wenig gegeneinander verschobene, ungleich große Hälften; das linke, große Auge in der schmäleren Gesichtshälfte ist geschlossen, als ob es nach innen sähe, während das rechte, etwas kleinere Auge an dem Betrachter vorbei nach unten, auf den Boden blickt.

Nein, beschaulich und erbaulich im herkömmlichen Sinn ist Klees Darstellung einer Heiligen gewißlich nicht, will es auch gar nicht sein; und doch erschließt sich dem Betrachter, läßt er sich auf die Formsprache dieser Graphik ein, eine zweifache Dimensionalität, eine diesseitige, die durch Farben und Linien vorgegeben ist, die aber nicht für sich allein steht, sondern auf eine andere, tiefere und metaphysische Ebene verweist. Paul

Klee hat sich zum Verweischarakter von Kunst im allgemeinen und von Graphik im besonderen in einer »schöpferischen Konfession«, die kurz vor der »Heiligen vom inneren Licht« entstanden ist, folgendermaßen geäußert:

»Kunst verhält sich zur Schöpfung gleichnisartig. Sie ist jeweils ein Beispiel, ähnlich wie das Irdische ein kosmisches Beispiel ist. Die Freimachung der Elemente, ihre Gruppierung zu zusammengesetzten Unterabteilungen, die Zergliederung und der Wiederaufbau zum Ganzen auf mehreren Seiten zugleich, die bildnerische Polyphonie, die Herstellung der Ruhe durch Bewegungsausgleich, all dies sind hohe Formfragen, ausschlaggebend für die formale Weisheit, aber noch nicht Kunst im obersten Kreis. Im obersten Kreis steht hinter der Vieldeutigkeit ein letztes Geheimnis, und das Licht des Intellekts erlischt kläglich.«[1]

Damit hat Klee in seiner theoretischen Konzeption von Kunst wie in der bildlichen Realisierung seiner »Heiligen vom inneren Licht« ein für die Mystik Eigentümliches und Wesenhaftes zum Ausdruck gebracht, nämlich das Paradoxon, das in dem Zusammenfall von Unendlichem und Endlichem, in der Spannung zwischen rational Beschreibbarem und der die Möglichkeiten des Intellekts überschreitenden Erfahrung besteht.

Martin Buber hat dieses Spannungsverhältnis in seinen »Ekstatischen Konfessionen«, die im übrigen wie Klees »Heilige vom inneren Licht« ebenfalls 1921 erschienen sind, folgendermaßen beschrieben:

»Dies ist die Spannung zum Sagen des Unsagbaren, eine Arbeit am Unmöglichen, eine Schöpfung im Dunkel. Ihr Werk, die Konfession, trägt ihr Zeichen. Und doch ist das Sagenwollen des Ekstatikers nicht bloß Ohmacht und Stammeln: auch Macht und Melodie. Er will der spurlosen Ekstase ein Gedächtnis schaffen, das Zeitlose in die Zeit hinüberretten, – er will die Einheit ohne Vielheit zur Einheit aller Vielheit machen.«[2]

Auch die Mystikerin Caterina von Siena, die im Sinne Bubers eine ekstatisch Bekennende gewesen ist, hat um dieses Spannungsverhältnis gewußt, wenn sie etwa in ihrem »Libro della divina dottrina volgarmente detto dialogo della divina provvidenza«, ihrem Buch von der göttlichen Vorsehung, über den Apostel Paulus und seine Verzückung in den dritten Himmel hinein schreibt (vgl. 2. Korinther 12, 2ff.):

> »Die Seele des Paulus erlebte und spürte die Vereinigung mit mir, dem ewigen Vater, so wie die Heiligen im beständigen (jenseitigen) Leben, und doch war seine Seele nicht von ihrem Körper getrennt... Also hatte Paulus erlebt, wie es ist, wenn man mich ohne die Schwere des Körpers kostet, ein Gefühl, das ich ihm durch die Vereinigung mit mir, aber nicht durch die Trennung der Seele von ihrem Körper, gewährte.«[3]

Mit anderen Worten ausgedrückt: Wer in die Bereiche des schlechterdings nicht mehr Sagbaren, nie Gefühlten, nie Gesehenen vordringt, tut dies immer als körperliches Wesen, als eine geschichtlich bedingte und begrenzte Existenz. Diese Feststellung gilt aber nicht nur für den Mystiker oder die Mystikerin, sie gilt ebenso für denjenigen, der etwas über Caterina und ihre Mystik berichten möchte: Er muß, will er sich nicht in die Phraseologie des Uneigentlich-Unverbindlichen flüchten, auch das historisch-soziale Koordinatensystem, eben den exakten anthropologischen Ort zu beschreiben versuchen, in dem sich mystische Erfahrung, die *cognitio dei experimentalis*, vollzogen hat. Nur so und nicht anders wird das »innere Licht«, das Paul Klee in seiner Lithographie dargestellt und zu dessen Ausdruck er sich eben auch einer ganz präzisen, rational begründbaren »écriture« bedient hat, faßbar.

Das Leben der Caterina von Siena durchmaß eine Spanne von gerade 33 Jahren. An ihrer Wiege standen Pest und Umsturz[4], und als sie starb, war das große abendländische Schisma ausgebrochen, die Kirche in zwei Teile auseinandergefallen. Somit umfaßt dieses kurze Leben all die Ereignisse, welche die Zeitgenossen in Furcht und Bangigkeit versetzten und derentwegen sie ihr Zeitalter als das endzeitliche, das apokalyptische verstanden. Als Raimund von Capua, Caterinas Beichtvater und geistiger Mentor, sich 1385 daran machte, über ihr Leben zu schreiben, waren für ihn allerdings Seuche und Revolution, die ihr Leben begleiteten, weniger bedeutsam als die Tatsache, daß Caterina gerade 33 Jahre alt geworden war. Die Zahl 33 verwies mit ihrem symbolischen Aussagewert nämlich weit über die Grenzen biographischer Bedingtheiten hinaus: Auch Jesus von Nazareth war der mittelalterlichen Vorstellung zufolge 33 Jahre alt geworden, somit waren also Weg und Ziel im Leben Caterinas gekennzeichnet; mit der Zahl 3 wurde außerdem die Dreieinigkeit und damit die Vollkommenheit schlechthin ausgedrückt, und folgerichtig gliederte Raimund von Capua seine Lebensbeschreibung in drei Bücher, welche die drei Stadien, die Caterina bis zu ihrer Vollendung durchlaufen sollte, symbolisieren. Und indem Raimund von Capua ihr Leben in drei Entwicklungsstufen gliederte, verwies er auf Caterinas Hauptwerk, den »Libro della divina dottrina«, das Buch von der göttlichen Vorsehung, in dem Caterina ihre Vorstellung von den drei Stufen, von den drei Seelenpotenzen, durch die und mit deren Hilfe die menschliche Existenz zu ihrer Vollendung und eigentlichen Bestimmung gelangt, entwickelt hat:

> »Ferner zeigte Ich (die göttliche Vorsehung) dir, um dich noch tiefer mit meiner Wahrheit zu erleuchten, wie man die Brücke in drei Staffeln besteigt, nämlich gemäß den drei Seelenkräften, und wie diese Staffeln im Leib dieses Wortes, der Brücke, dargestellt sind: in den Füßen, in der Seite und im Mund, und wie sie drei Seelenzuständen entsprechen: dem unvollkommenen, dem vollkommenen und dem höchst vollkommenen, in dem die Seele zur Erhabenheit der einigenden Liebe gelangt.«[5]

1347 wird Caterina als 23. Kind des Färbers Jacopo Benincasa und seiner Frau Lapa, einer Tochter des Dichters Puccio Piacenti, in Siena geboren. Im Alter von sechs Jahren erlebt sie, so berichtet Raimund von Capua, ihre erste Vision. Sie sieht über dem Dach der Predigerkirche Christus in all seiner Herrlichkeit auf einem Thron sitzen. Die Vision erinnert nicht von ungefähr an das Gesicht des Propheten Jesaja von der Herrlichkeit des Herrn und an seine Berufung zum Prophetenamt (Jesaja 6,1). Indem Raimund das Bild von der Berufung des Jesaja aufgreift, nimmt er eine literarische Legitimierung Caterinas vor, und zugleich bedeutet er seinem Leser, in welchen Traditionszusammenhang, den der Propheten und Seher, er sie stellen möchte. Auch ein anderer Zeitgenosse, ein Florentiner, der die »Miracoli di Caterina di Iacopo da Siena« geschrieben hat, erzählt von dem visionären Erlebnis Caterinas:

> »Und wie sie ging und in den Himmel schaute, da sah sie, nicht gar zu weit über sich, eine nicht allzu große Bogenhalle. Darin saß, so dünkte es ihr, Christus in hellweißen Bischofsgewändern und mit einem Bischofsstab in der Hand. Lächelnd schaute er das Mädchen an, und es ging von ihm ein Lichtstrahl ähnlich wie ein Sonnenstrahl aus... Hinter ihm standen weißgekleidete Männer, allesamt Heilige.«[6]

Und dann fügt der Chronist hinzu: »Sie sah sie so, wie sie sie auf den Bildern in den Kirchen gesehen hatte.« Damit sagt der Anonymus auf seine naive Art und Weise etwas ganz Entscheidendes über das Zustandekommen eines mystischen Erlebnisses aus. Der Inhalt eines beliebigen Bildes wird mit Hilfe der immaginativen Fähigkeiten des Betrachters so umgesetzt, daß er – unabhängig von der jeweiligen Vorlage und deren örtlicher Gebundenheit – als real präsentes Ereignis erlebbar ist.

Die Vision verändert das Kind von Grund auf: Caterina entwickelt eine tiefe Neigung zu den altchristlichen Anachoreten in der Wüste und ihren einsiedlerischen Vorbildern. Entsprechend zieht sie sich von der Welt zurück, um ein asketisches Leben, das aus Kasteiung und mystischer Versenkung besteht, zu leben. Den Heiratsplänen ihrer Mutter Lapa widersetzt sie sich hartnäckig. So schneidet sie sich die Haare ab, um für etwaige heiratswillige Kandidaten nicht mehr attraktiv zu sein, und erreicht schließlich, daß sie – ungefähr zwischen 1362 und 1364 – in den Laienorden der »Schwestern von der Reue St. Dominici« aufgenommen wird. Aber sehr bald genügen ihr Zurückgezogenheit und Beschaulichkeit nicht mehr, sie drängt es nach draußen zu einem Leben in politischem und sozialem Engagement. Nun ist die Absicht, öffentlich wirksam zu werden und sich damit auf ein Terrain zu begeben, das ausschließlich den Männern vorbehalten war, für eine Frau des 14. Jahrhunderts, für eine Frau zumal, die aus kleinen Verhältnissen stammt, etwas so Außerordentliches, daß Raimund von Capua, der Biograph, Caterinas Berufung nicht anders als die Folge eines von Christus persönlich erteilten Auftrags beschreiben kann. Raimund erzählt uns von einem Gespräch zwischen Christus und Caterina, das der frühneuhochdeutsche Übersetzer der ursprünglich in Latein geschriebenen Biographie mit der bezeichnenden Überschrift »Das sie der herre awß jrrer kammern vnd awß irem gemach treib« versehen hat:

> »Do wart sie (Caterina) jemerlichen clagen vnd winselen vnd sprach mit weinenden awgen: ›... Du waist wol, das ich alle menschen geflohen han, ...das ich dich funde, meinen herren vnd meinen got‹. ...Do sprach der herre: ›aller libeste tochter, lazz das sein. Wanne vnß gezymmet wol, das wir volbringen alle gerechtigkeit, das du dir nicht allein

scholt nucz sein/du scholt anderen leutten auch nücz sein. Waistu, das ich gepotten han, mich *vnd* den menschen liep zu haben?‹ ... Do sprach sie: ›herre, dein wille, der werd vnd nicht der mein. ... Aber herre, jch pitt dich, tar (darf) ich es gesprechen: wie mag ich arme den selen nucze gesein? Da waist wol, das frewlichem (weiblichem) geslechtt nicht fuget zu predigen vnd zu wonen bei den mannen.‹ Do sprach er: ›gott ist kein ding vnmugelichen zu thun... Du solt wissen, das grosse hoffart yntzzunt (jetzt) jn der werlt ist, besunderr an gelerten leutten vnd die sich weise dunckenn, daz ez mein gerechtigkeit nicht lenger mag geleyden. Douon wil ich in senden frewliches geslechtte, die von nature vnweise vnd vnwissent seint vnd plod. Aber von meiner crafft sullen sie gereichet werden mit weißheit in zu einen schanden.‹«[7]

Im Sommer 1368 tritt Caterina zum ersten Mal in die breitere Öffentlichkeit: Infolge eines politischen Umsturzes werden die Mitglieder und Anhänger der alten sienesischen Regierung, unter ihnen auch zwei Brüder Caterinas, geächtet und mit dem Tode bedroht. Als Caterina von der Gefahr hört, nimmt sie ihre beiden Brüder an der Hand, führt sie durch die feindlichen Stadtviertel hindurch und bringt sie in Sicherheit.

Nach 1370 schreibt Caterina ihren ersten politischen Brief, zur gleichen Zeit beginnt sie einen Kreis von Schülern und Freunden um sich zu versammeln, zu dem neben den vertrauten Freundinnen wie Lisa, die Schwägerin, Alessia und Francesca Cecca in der Folgezeit auch ein bedeutender Theologe wie Giovanni Terzo, genannt Tantucci, aber auch sienesische Adlige wie der Dichter Neri di Landoccio Pagliaresi oder Stefano di Corrado Maconi gehören.

Caterinas ungewöhnliche Lebensweise erweckt Mißtrauen und Argwohn bei den Ordensoberen, und so wird sie im Mai 1374 vor das Generalkapitel der Dominikaner in Florenz zitiert. Caterina vermag sich offensichtlich glänzend zu verteidigen, und in der Folge bestellt der Ordensgeneral Elias von Toulouse Raimund von Capua zu ihrem Beichtvater, geistlichen Mentor und – Kontrolleur. Über den Prozeß selber schweigen sich Raimund und die auf ihm basierenden Quellen diskret aus, es wäre ja in der Tat den erbaulichen Intentionen der Biographie wenig förderlich gewesen, wenn Raimund hätte berichten müssen, daß seiner Schutzbefohlenen der Ketzerprozeß drohte. Lediglich eine recht späte Chronik des 18. Jahrhunderts aus der Kirche Santa Maria Novella in Florenz und der uns schon bekannte Florentiner Anonymus berichten von dem Erscheinen Caterinas vor dem Ordenstribunal. Am 29. Juni 1374 verläßt Caterina Florenz, um nach Siena zurückzukehren, wo in der Zwischenzeit die Pest ausgebrochen ist. Unter den Toten des Jahres 1374 befinden sich auch zahlreiche Angehörige ihrer Familie, wie aus den Totenbüchern von S. Domenico zu entnehmen ist.

Caterina wird die Pest freilich nicht bloß als eine Gottesgeißel erlebt haben, die es zu erleiden galt und die man allenfalls helfend und tröstend lindern konnte, sie wird sehr wohl diese Epidemie auch als einen Auslöser für soziale Umschichtungen, für die Auflösung traditioneller Familienbande und herkömmlicher Standesstrukturen mit all den Folgen für das wirtschaftliche und soziale Gefüge eines Gemeinwesens wahrgenommen haben. In ihr wird sich ebenso die Vorstellung davon entwickelt haben, wie denn ein gutes im Gegensatz zu einem schlechten Regiment beschaffen sein müsse, und dabei werden ihr in einem wörtlich zu nehmenden Sinne auch die Fresken vor Augen gestanden haben, die Ambrogio Lorenzetti 1337 für den Palazzo Pubblico in Siena gemalt hatte und die den »buon governo«, das gute Regiment, und das schlechte Regiment darstellen. Man kann also sagen, daß Caterina in der Enge Sienas all die religiösen Überzeugungen und gesellschaftlichen Einsichten gewonnen hat, die sie ab 1375 auf der Bühne der großen Politik vertreten wird.

Im Jahre 1375 haben die Visconti in Mailand mit dem damals noch in Avignon residierenden Papst einen Frieden abgeschlossen, wodurch ausländische Söldnertruppen freigesetzt werden, die plündernd und sengend durch Oberitalien ziehen. Florenz sieht darin einen feindlichen Akt des Papstes und beginnt nun seinerseits, eine antipäpstliche Liga aufzubauen, der sich auch Mailand, das sich eben noch mit dem Papst verbündet hatte, anschließt. Andere Stadtstaaten wollen dem Bündnis beitreten, und in dieser Situation setzt die politische Mission Caterinas ein: Sie reist zunächst nach Pisa und Lucca und versucht, die beiden Stadtrepubliken von einem Beitritt zur antipäpstlichen Liga abzubringen. Die Briefe, die in dieser Zeit entstehen, machen deutlich, worum es Caterina bei ihrer Mission geht: um Frieden für den einzelnen Menschen, für das Land und die Kirche. Dieses Ziel läßt sich aber nur dann verwirklichen, wenn sich die italienischen Stadtstaaten untereinander aussöhnen. Die entscheidende Vermittlerrolle soll hierbei dem Papst zukommen. Nun befindet sich aber das Papsttum in einem in jeder Hinsicht so desolaten und heruntergekommenen Zustand, daß es dieser Aufgabe gar nicht nachkommen kann. Deshalb fordert Caterina die Reform des Papsttums an Haupt und Gliedern im Sinne des franziskanischen Armutsideals, in der Konsequenz auch die Bereitschaft zur Preisgabe weltlicher Macht und die Rückkehr des Papstes von Avignon nach Rom, weil der Papst nur in einer von Frankreich unabhängigen Position seine Vermittlerrolle glaubhaft vertreten kann. Das Problem der ausländischen Söldnertruppen glaubt Caterina dadurch lösen zu können, daß sie zur Bildung eines vereinigten christlichen Kreuzfahrerheeres aufruft, um Jerusalem zu erobern, wodurch die Kräfte der fremden Truppen und Mächte aus Italien abgezogen werden. Im übrigen hat Caterina mit Jerusalem ganz sicherlich keine sehr präzisen Vorstellungen verbunden, für sie ist Jerusalem vielmehr der Ausdruck einer Friedenssehnsucht, die sich nur dann erfüllen läßt, wenn sie als Aufforderung an das Leben des einzelnen verstanden wird. In diesem Sinn schreibt Caterina an Fra Matteo Tolomei da Siena und Don Niccolò di Francia:

> »Wir sollen uns daran erfreuen, ständig im Kampf (d. h. in der *vita activa*) zu sein, solange wir leben... Wer den Kampf nicht hat, hat nicht den Sieg... Deswegen auf zum Streit, allerliebster Sohn... Anders kehren wir nicht als Sieger in unsere Stadt Jerusalem, das heißt in das ewige Leben, zurück.«[8]

Daß Frieden für Caterina etwas Unteilbares ist, in das Christen wie Heiden gleichermaßen einbezogen werden müssen, daß sie also im Gegensatz etwa zu Bernhard von Clairvaux keine militante Kreuzzugsideologin ist, macht Caterina in einem Brief an Raimund von Capua vom Frühjahr 1376 deutlich:

> »Während das Feuer des heiligen Verlangens in mir zunahm, gewahrte ich schauend das christliche Volk und das ungläubige in die Seite des gekreuzigten Christus eingehen, und ich trat aus Sehnsucht und Liebeswunsch mitten unter sie und mit ihnen in Christus den liebsten Jesus ein... Dann gab er mir das Kreuz auf die Schultern und den Ölzweig in

die Hand, wie wenn er wollte – und so sagte er auch –, daß ich sie dem einen und dem anderen Volk reiche. Er sprach zu mir: ›Sag zu ihnen: Ich verkündige euch eine große Freude.‹ Daraufhin erfüllte sich meine Seele noch mehr; sie war mit den wahren Genießern durch Hingabe und Vereinigung in die göttliche Wesenheit versunken.«[9]

Aber noch etwas anderes zeigt dieser Brief: das Verhältnis, in dem innere Schau und äußere Welt, mystisches Erleben und tätiges Handeln, Religion und Politik zueinander stehen: Der Tat, dem Frieden-Stiften, versinnbildlicht durch Kreuz und Ölzweig, geht das mystische Erlebnis, die religiöse Schau voraus. Das Handeln in der Welt führt dann wieder zu seinem kontemplativen Ausgangspunkt zurück. Innen und Außen, Welt- und Gotteserfahrung schließen einander also nicht aus, sondern sie sind aufeinander bezogen und bedingen sich gegenseitig. So kann es auch nicht verwundern, wenn Caterina inmitten ihrer politischen Arbeit in Pisa stigmatisiert wird, die Wundmale Christi empfängt, die freilich nicht äußerlich sichtbar sind, sondern als symbolischer Ausdruck einer letzten Hingabe und Nähe aufzufassen sind.

Zwischen 1375 und 1376 beginnen sich die Verhältnisse in Italien für den Papst deutlich zu verschlechtern, Perugia und Bologna, beide zum Kirchenstaat gehörend, empören sich gegen Rom, zur gleichen Zeit treten Siena, Pisa und Lucca der Liga von Florenz bei; im Gegenzug dazu belegt Gregor XI. Florenz mit dem Bann. Obwohl Caterina ihre bisherigen Bemühungen als gescheitert ansehen muß, läßt sie sich von ihrem Friedensengagement nicht abbringen: Sie mahnt den Papst in eindringlichen Worten zu seiner Friedenspflicht: »Man kann den Teufel nicht mit dem Beelzebub austreiben und durch Krieg keinen Frieden gewinnen. Frieden, Frieden, Frieden, liebster Vater und keinen Krieg mehr« (Brief 218). Gleichzeitig schreibt sie an die Florentiner, daß sie mit ihnen, den Gebannten und von den Heilssakramenten Ausgeschlossenen, das Osterfest feiern möchte:

»An euch, meine geliebten und teuren Brüder im süßen Jesus Christus. Ich, Caterina, Dienerin und Sklavin der Diener Christi, schreibe euch in seinem kostbaren Blut, wobei mir das Wort in den Sinn kommt, das unser Heiland zu seinen Jüngern sagte: ›Mich verlangt, das Osterfest mit euch zu feiern, bevor ich sterbe.‹«[10]

Im Frühjahr 1376 ist Caterina in Florenz, von dort aus reist sie, obwohl sie niemand offiziell damit beauftragt hat, zu Friedensverhandlungen nach Avignon weiter. Hier erwartet sie die ihr völlig fremde Welt einer von äußerem Glanz umgebenen und mit subtiler Taktik operierenden Diplomatie, und sowohl die Gesandten aus Florenz als auch Teile des Kardinalskollegiums durchkreuzen Caterinas Pläne, wo sie nur können. Trotzdem muß ihr unerschrockenes, allen höfischen Gepflogenheiten zuwiderlaufendes Auftreten einen großen Eindruck bei Gregor XI. hinterlassen haben, wie Raimund von Capua berichtet, der zwischen Caterina und dem Papst dolmetscht, weil Gregor XI. den toskanischen Dialekt Caterinas nicht versteht:

> »Es geschah eines mals, das wir aber kumen waren fur den pabst Gregorium den xj. Do waz ich tulmetsch zwischen in. Do sprach Katherina: ›Mir ist lait vmmb den Romischen hoff, der solt pillichen sein als ein lusticlichs paradeis der tugent, so ist er als ein hellischer smack der sunden.‹ Do ich im daz in Latein her wider saget, do sprach er: ›Ist sie lange hie gewesen?‹ Do sprach jch: ›Nayn, nicht vile tage.‹ Do sprach der pabst: ›Wie konde sie als pald ynnen werden der weise dez Romischen hofes?‹ Do ward sie jren leip vnd jre awgen auff richten vnd sprach gewalticlichen mit gewaltigen worten: ›Durch die ere gotes tor (darf) ich es wol reden vnd sprechen, daz ich posern smack der sunden jn dem Romischen hoff gesmecket han, denne in meiner stat, in der ich geporn pin...‹ Do gesweig der pabst. Aber jch erschrack vnd trachtet mit angesten, wie jch ez in latein her wider solt sagen vor einem als grossen herren, das wir mit gnaden von im komen.«[11]

Zwar erzielt Caterina keine Fortschritte in der Florentiner Angelegenheit, aber sie kann immerhin den Papst von der Notwendigkeit überzeugen, nach Rom zurückzukehren, womit ihrer Vorstellung zufolge ein erster Schritt hin auf die Reform der Kirche und die friedliche Einigung Italiens getan ist. Gleichzeitig mit Gregor XI. verläßt auch Caterina Avignon und kehrt über Pisa wieder in ihre Vaterstadt zurück. In Siena vermittelt sie zwischen der Stadtregierung und dem Papst und wird gleichzeitig nicht müde, Gregor XI. an seine Pflicht zur Reform der Kirche zu erinnern. Nichts von dem, was sie sich von der Rückkehr Gregors nach Rom erhofft hat, hat sich bis jetzt erfüllt, und so schreibt sie am 15. April 1377 in ungewöhnlich strengen, fast verbittert klingenden Worten an ihn:

»Erhebt das Auge Eures Intellekts und schaut auf zu dem Kreuz, dem unsere Sehnsucht gilt, und seht, wieviel Böses durch diesen perversen Krieg entstanden ist und wieviel Gutes auf den Frieden folgen wird... Mir will scheinen, daß der Teufel Besitz von der Welt ergriffen hat, aber nicht von sich aus,... sondern weil wir sie ihm gegeben haben. Wohin ich mich auch wende, sehe ich, wie jedermann ihm die Schlüssel zu seinem freien Willen mit einer verderbten Bereitwilligkeit aushändigt; die Weltlichen, die Ordensleute und die Kleriker jagen hochmütig den Lustbarkeiten, den Pfründen und den Reichtümern der Welt nach, und dies mit viel Verkommenheit und Elend. Aber von allen Dingen, die ich sehe und die vor Gott verabscheuenswert sind, sind am schlimmsten die Blumen der Kirche... Legt Hand an und entfernt die Diener, die mit ihrem Gestank die hl. Kirche verpesten, reißt die übelriechenden Blumen aus und pflanzt wohlriechende ein, tugendsame Männer, die Gott lieben... Frieden, Frieden, um Christi des Gekreuzigten willen, und kein Krieg mehr; denn ein anderes Mittel gibt es nicht.«[12]

Nachdem Caterina die ehemalige Festung Belcaro – von hier aus ist im übrigen der oben zitierte Brief geschrieben – in ein reformiertes Frauenkloster umgewandelt hat, bricht sie Ende 1377 wieder nach Florenz auf, um im Auftrag des Papstes einen Frieden auszuhandeln. In Florenz hat Caterina einflußreiche Freunde, die allesamt der papstfreundlichen, guelfischen Partei angehören: Carlo Strozzi und seine Frau Laudamia, Niccolo Soderini, Bindo Altoviti und Piero Canigiani. Wohl auf Betreiben Soderinis hält Caterina vor dem Rat der guelfischen Partei eine Rede, die das Gegenteil von dem bewirkt, was Caterina beabsichtigt hat: Anstatt den Friedenswillen in der Stadt zu fördern, verstärkt sie nur die Zwistigkeiten zwischen der oppositionellen guelfischen und der kriegführenden Regierungspartei. Die Ereignisse gleiten Caterina aus der Hand, und am 14. Juni 1378 kommt es zu einem Aufstand, der Caterina beinahe das Leben kostet. Trotzdem kommt am 28. Juli 1378 der sehnsüchtig erhoffte Frieden zustande, der Florenz vom Interdikt befreit:

»O ihr liebsten Söhne, Gott hat das Rufen seiner Knechte erhört, das schon so lange vor seinem Angesicht ertönt ist, und das Geschrei, das über den toten Kindern erschallt ist. Jetzt sind sie auferstanden, vom Tod sind sie zum Leben, von der Blindheit zum Licht gekommen. O ihr liebsten Söhne, die Lahmen gehen, die Tauben hören, das blinde Auge sieht, und die Stummen reden, sie schreien mit lauter Stimme: Friede, Friede, Friede!«[13]

Am 27. März 1378 ist Papst Gregor XI. in Rom verstorben und Bartolomeo Prignano als Urban VI. zu seinem Nachfolger gewählt worden. Es werden aber sehr bald Stimmen laut, die behaupten, die Wahl Urbans sei nur unter dem Druck der aufrührerischen Römer zustande gekommen und die zur Wahl erforderliche Zweidrittelmehrheit nie erreicht worden. Anfang August 1378 sagen sich 13 französische Kardinäle von Urban VI. los und wählen am 20. September, von Frankreich und Neapel unterstützt, Robert von Genf als Clemens VII. zum Gegenpapst: Das große abendländische Schisma bricht aus.

Caterina und ihre *famiglia* werden von Urban VI. nach Rom berufen – das Haus unweit von S. Maria sopra Minerva, in dem sie wohnte, ist heute noch zu sehen –, und Caterina zögert keinen Moment, diesem Ruf zu folgen und sich bis zum physischen und psychischen Zusammenbruch für die Einheit der Kirche einzusetzen. Sie schreibt beschwörende Briefe an Karl V. von Frankreich (»O diese elenden Männer! Sie kennen nicht ihren Ruin noch das, was auf ihn folgt«, Brief 350) und Johanna von Neapel (»Aber ich kann Euch nicht mehr Mutter nennen und ehrerbietig mit Euch reden, denn... aus einer Dame ist eine Sklavin geworden,... untertan der Lüge und dem Teufel, der nicht der Vater ist«, Brief 317), in denen sie die beiden Monarchen auffordert, Urban VI. als den rechtmäßigen Papst anzuerkennen und somit die Einheit der Kirche wiederherzustellen.

Obwohl Caterina sicherlich zu den schärfsten Kritikern der Kirche ihrer Zeit gehört hat, ist für sie nur eine »einige katholische« Kirche denkbar, deren Einheit und Unverbrüchlichkeit in der Person des römischen Papstes, des Stellvertreters Christi auf Erden, sinnfällig sichtbar wird. Denn diese irdische Kirche, so reformbedürftig sie auch immer sein mag, ist ein untrennbarer Bestandteil des *corpus mysticum* der *ecclesia spiritualis*, der unvergänglichen, der geistigen Kirche, und die Teilhabe an der *ecclesia spiritualis* erfährt der, der für die Reform der Kirche und für ihre Einheit im Hier und Heute als tätig Handelnder kämpft:

»Ja, Ich sage dir: je mehr die Bedrängnisse am mystischen Leib der heiligen Kirche jetzt überhandnehmen, desto reichlicher sollen ihr Erquickung und Trost zuteil werden. Und dies wird ihre Erquickung sein:

heilige und gute Hirten werden kommen, diese Blüten der Verherrlichung, auf daß sie meinem Namen Ehre und Lob erweisen und den Duft der in der Wahrheit begründeten Tugenden zu mir aufsteigen lassen. Darin besteht die Erneuerung meiner Diener und Hirten. Nicht die Frucht der Braut bedarf der Erneuerung, denn sie wird durch die Fehler meiner Diener weder geschädigt noch verdorben. Also freut euch inmitten der Bitternis! Du, der Vater deiner Seele und meine übrigen Knechte, denn Ich, ewige Wahrheit, habe euch nach der Bitternis Erfrischung verheißen und werde euch bei dem vielen Dulden Trost spenden in der Erneuerung der heiligen Kirche.«[14]
Und zuerst möchte ich, daß ihr daran denkt, wir kurz bemessen eure Zeit ist; daß ihr nicht sicher des morgigen Tages seid. Wir können getrost sagen, daß uns weder die Mühen der Vergangenheit noch die der Zukunft gehören, sondern nur der Zeitpunkt, der uns jetzt gegeben ist.«[15]

Anfang 1380 kommt es zu einem Aufstand der Römer gegen Urban VI., und noch einmal versucht Caterina, auszugleichen und zu versöhnen: Sie ruft die Römer zum Gehorsam gegenüber dem Papst auf, dann verlassen sie die Kräfte. Als sie während der Fastenzeit in der Peterskirche vor Giottos »Navicella«, einem Mosaik, das das Schiff der Kirche darstellte, betet, hat sie plötzlich das Gefühl, als ob dieses Schiff auf ihre Schultern gleite. Unter dem Gewicht dieser Last bricht sie zusammen und stirbt nach langem Todeskampf am 20. April 1380. In einem Brief ihres Schülers Barduccio di Pietro Canigiani an eine Nonne im Kloster San Pietro a Monticelli bei Florenz besitzen wir einen für das 14. Jahrhundert seltenen Augenzeugenbericht über das schwere Sterben der Caterina von Siena.

Caterina von Siena konnte weder lesen noch schreiben, und doch war sie eine bedeutende Schriftstellerin, eine der großen mittelalterlichen Mystikerinnen. Das, was sie an bildlichen Vorgaben und mündlich überliefertem theologischen Wissen umsetzte und verarbeitete, hat sie, die durch ihre Wortgewalt die Zeitgenossen in Erstaunen versetzte, ihren Sekretären in die Feder diktiert. Ihr Hauptwerk ist der schon mehrfach erwähnte »Libro della divina dottrina volgarmente detto dialogo della divina provvidenza«, der zwischen Oktober 1377 und 1378 niedergeschrieben wurde. Aus der für ihre Mystik charakteristischen Grundsituation des Dialogs heraus, hier des Dialogs zwischen Gott und der Seele, entwickelt Caterina in 167

Kapiteln, die ihrerseits in die Traktate von der Unterscheidung (trattato della discrezione), vom Gebet (trattato dell'orazione), von der göttlichen Voraussicht (trattato della providenza) und vom Gehorsam (trattato dell'obbedienzia) zusammengefaßt sind, ihre Lehre, die wir als die Summe ihrer Erfahrung von Mensch und Gott in der Welt bezeichnen können.

Der *Libro* ist in 19 Handschriften überliefert und erschien 1475 in Bologna bei Baldassare Azzoguidi zum ersten Mal im Druck. Neben dem *Libro* sind es die Briefe, 381 an der Zahl, in denen Caterina die existentielle Situation des Gesprächs aufgreift. Ihre Briefe bilden ein einzigartiges Zeugnis für die italienische Geschichte des 14. Jahrhunderts; die Adressaten sind Päpste, Kardinäle, Bischöfe und Prälaten, Mönche und Nonnen, Könige und Königinnen, Stadtregenten, Heerführer, Damen der hohen Aristokratie, aber auch einfache Laienschwestern (*mantellate*), Mediziner und Juristen, Künstler und Handwerker, Schüler und Angehörige – kurzum, die ganze Gesellschaft in all ihren Schichten, Frauen und Männer, Gelehrte und Ungelehrte, Geistliche und Laien, finden sich hier vertreten.

Leider sind uns nur einige wenige Briefe in authentischer, in der von den Sekretären Caterinas geschriebenen Form erhalten geblieben; alle anderen Briefe sind lediglich in Abschriften überliefert, und die meisten menschlich-privaten Mitteilungen Caterinas, ihre Berichte über Alltägliches, also genau das, was uns heute an einem geschichtlichen Dokument besonders interessieren würde, sind entweder, weil sie dem Kopisten als unwesentlich erschienen oder aus einer falsch verstandenen Pietät – im Leben einer Heiligen hatte Alltägliches eben nichts zu suchen – unterschlagen oder getilgt worden. Und doch sind auch in den Abschriften die sprachliche Kreatürlichkeit Caterinas, ihre Fähigkeit, die sie bewegenden Gedanken in unmittelbar ansprechende, sinnfällige wie sinnliche Bilder zu fassen, nicht verlorengegangen.

Um am Ende den Bogen zu unserem Ausgangspunkt, zu Klees »Heiliger vom inneren Licht«, zu spannen: Was bleibt von Caterinas »innerem Licht«, was hat die Bedingtheiten ihrer Zeit und ihres Ortes überdauert? Wenig, wollte man ihr Tun an dem messen, was sie bewirkt hat: Die Welt war und blieb friedlos, die Kirche verharrte in demselben beklagenswerten Zustand wie ehedem. Viel, mißt man sie an der dunklen und schönen Sprache, die ihre Kraft und Rhythmik aus der mystischen Erfahrung des Ich im Du, des Menschen in Gott, des Jenseits im Diesseits bezogen hat.

Anmerkungen

1 *Paul Klee*, Schöpferische Konfession, in: Tribüne der Kunst und Zeit, hrsg. von *K. Edschmid*, Berlin 1920. Wiederabgedruckt in: *Paul Klee*, Form- und Gestaltungslehre. Band 1: Das bildnerische Denken, hrsg. und bearb. von *J. Spiller*, Basel/Stuttgart [4]1981, 76ff., s. bes. 79–80.
2 *M. Buber*, Ekstatische Konfessionen, Leipzig 1921, 21f.
3 S. Caterina da Siena, Libro della divina dottrina. A cura di Matilde Fiorilli, Bari [2]1929, Kap. 83, 159–160. Die Übersetzungen dieses und der folgenden Zitate aus dem Italienischen stammen, wenn nicht anders vermerkt, vom Verfasser.
4 1347 brach die Pest in Sizilien, Marseille und einigen italienischen Hafenstädten aus; von dort aus verbreitete sie sich über ganz Europa. – Am 20. Mai 1347 rief Cola di Rienzo in Rom einen neuen, demokratischen Volksstaat aus.
5 Libro, a. a. O., Kap. 166, 401. Deutsche Übersetzung: Caterina von Siena, Gespräch von Gottes Vorsehung. Eingeleitet von *E. Sommer-von Seckendorff* und *H. U. von Balthasar*, Einsiedeln 1964, 245.
6 Anonimo Fiorentino, I miracoli di Caterina di Iacopo da Siena. A cura di Fr. Valli, Firenze 1936, 2–3.
7 Zitiert nach der Handschrift Cent IV 14 der Stadtbibliothek Nürnberg, Blatt 223–224.
8 S. Caterina da Siena, Epistolario. Introduzione e note a cura di D. Umberto Meattini, Roma [3]1979, Brief 169.
9 Epistolario, a. a. O., Brief 219. Deutsche Übersetzung in: Caterina von Siena, Gotteserfahrung und Weg in die Welt, hrsg., eingeleitet und übersetzt von *L. Gnädinger*, Olten/Freiburg 1980, 157.
10 Epistolario, a. a. O., Brief 207.
11 Zitiert nach der Handschrift Cent IV 14 der Stadtbibliothek Nürnberg, Blatt 273.
12 Epistolario, a. a. O., Brief 270.

13 Epistolario, a. a. O., Brief 303.
14 Libro, a. a. O., Kap. 12, 30. Deutsche Übersetzung in: Gespräch von Gottes Vorsehung, a. a. O., 22.
15 Epistolario, a. a. O., Brief 18.

Literatur

An deutschen (Auswahl-) Ausgaben sei verwiesen auf: Caterina von Siena, Gespräch von Gottes Vorsehung. Eingeleitet von *E. Sommer- von Seckendorff* und *H. U. von Balthasar*, Einsiedeln 1964.
Caterina von Siena, Gotteserfahrung und Weg in die Welt, hrsg. von *L. Gnädinger*, Olten/Freiburg i. Br. 1980.
E. von Seckendorff, Die kirchenpolitische Tätigkeit der hl. Katharina von Siena unter Papst Gregor XI. (1371–1378), Berlin/Leipzig 1917.
W. Nigg/*H. N. Loose*, Katharina von Siena. Die Lehrerin der Kirche, Freiburg/Basel/Wien 1980.
J. Jungmayr, Caterina von Siena. Mystische Erkenntnis und politischer Auftrag in den Traditionen der mittelalterlichen Laienbewegung, in: Eine Höhe, über die nichts geht. Spezielle Glaubenserfahrung in der Frauenmystik?, hrsg. von *M. Schmidt* und *D. R. Bauer*, Stuttgart-Bad Cannstatt 1986, 163ff.

Dorothea von Montau

ELISABETH SCHRAUT

Eine ungewöhnlich reiche Quellenbasis erlaubt es uns, den Alltag der Dorothea von Montau, einer Bauerntochter und Handwerkersfrau, die im 14. Jahrhundert im Deutschordensstaat Preußen lebte, bis in die Details ihrer Kindheit und ihres Ehelebens zu rekonstruieren, wie dies für eine Frau jener Zeit, die überdies nicht aus den obersten Gesellschaftsschichten stammte, nur selten möglich ist. Wir verdanken dies zum einen dem Umstand, daß sich Dorothea mit einem durchschnittlichen Leben in geordneten Bahnen nicht zufriedengeben konnte und wollte. Ihr Ziel war es, je länger je mehr, eine *vita religiosa*, ein Gott gewidmetes Leben zu führen; bei ihren Lebensumständen freilich eine Sache, die sich nur schwer verwirklichen ließ. Zum anderen verdanken wir es der Tatsache, daß sie trotz ihrer »einfachen« Herkunft Förderer fand, Deutschordensherren, die ihre Frömmigkeit für ihre Interessen nutzbar machen wollten. Denn bis zu diesem Zeitpunkt besaß der Deutsche Orden zwar einen Staat, dieser aber keine »eigene« Heilige. Der Deutsche Orden ist es denn auch, der das Heiligsprechungsverfahren der Dorothea von Montau in Rom betrieb. Ein Mitglied des ermländischen Domkapitels, der gelehrte Theologe Johannes Marienwerder, Dorotheas Beichtvater, verfaßte mehrere lateinische und eine deutsche Lebensbeschreibung. Informationen über Dorotheas Alltagsleben können wir außerdem den umfangreichen Prozeßakten entnehmen, die im Zuge des Heiligsprechungsverfahrens entstanden sind. Sie enthalten unter anderem die Aussagen von mehr als 250 Zeugen, von denen einige Dorothea selbst gekannt haben.

Dorothea wurde 1347 als siebtes von neun Kindern der Eltern Agatha und Wilhelm Swarze geboren. Ihre Eltern werden als wohlhabende Bauern des Weichseldorfes Montau beschrieben, die Land und Vieh besaßen und ihren Hof mit Hilfe von Gesinde bewirtschafteten. Sie werden als ehrbar und gottesfürchtig, als rechtgläubig und von gutem Ruf beschrieben. Individuelle Züge erfahren wir aus den Viten nicht. Allerdings wird die Frömmigkeit der Mutter besonders herausgestellt. Durch ihr Vorbild lernt Dorothea, die seit ihrem siebten, besonders aber ihrem zehnten Lebensjahr – in dieses Jahr fällt auch der Tod des Vaters – als frommes Kind gezeigt wird, das die älteren Schwestern und die Mägde mit seinen asketischen Übungen – mehr und länger fasten zum Beispiel – übertreffen will. Parallel zu ihren asketischen Interessen zeigt sie wenig Lust, sich mit Gleichaltrigen zu beschäftigen, zu spielen und zu tanzen – übrigens ein häufig benutzter Topos in Lebensbeschreibungen von Heiligen: Die meisten »heiligen« Kinder haben etwas Altkluges an sich. Während ihrer ganzen Jugendzeit, vom 9. bis zum 17. Lebensjahr, hat Dorothea überdies eine große Wunde an einem Rückgratsknochen, die sie so sehr behinderte, daß die Leute glaubten, sie werde ihr Leben lang ein Krüppel bleiben. Diese Behinderung erklärt wohl auch zum Teil Dorotheas Vorlieben und Abneigungen während ihrer Jugend.

Wie andere Dorfkinder zu dieser Zeit – und Mädchen im besonderen – besucht auch Dorothea keine Schule und genießt keinerlei theoretische Ausbildung. Was sie können und wissen muß, lernt sie durch die unmittelbare Anschauung im Haushalt der Eltern; und nachdem die älteren Schwestern verheiratet und aus dem Haus sind, übernimmt sie einen großen Teil der häuslichen Arbeit und wächst so in ihre Rolle als Hausfrau hinein.

Im Alter von siebzehn Jahren wird Dorothea von ihrem ältesten Bruder, der nach dem Tod des Vaters dessen Rechtsstellung einnimmt, mit Adalbert, einem schon älteren, anscheinend in finanziell gesicherten Verhältnissen lebenden Schwertfeger aus Danzig, verlobt. Die Lebensbeschreibung berichtet, daß Dorothea eigentlich nicht heiraten wollte und nur dem Drängen ihrer Verwandten nachgegeben habe. Dieser Bericht Johannes Marienwerders wird durch die Aussage einer langjährigen Bekannten Dorotheas, der ungefähr sechzigjährigen Metza Hugische aus Danzig, im Kanonisationsprozeß bestätigt: Ihr erzählte nämlich der Heiratsvermittler Claus Schönfeld, daß Dorotheas Einwilligung nur sehr schwer zu erlangen gewesen sei. Letztlich hat Dorothea allerdings offensichtlich »ja« gesagt.

Hätte es Alternativen für sie gegeben? Man könnte natürlich an den Eintritt in ein Kloster denken – obgleich es im damaligen Preußen nur wenige Frauenklöster gab –, dann an ein Leben als Begine und schließlich an eine Existenz als unverheiratete Frau im mütterlichen oder brüderlichen Haushalt oder als Magd in einem fremden. Die beiden letzten Möglichkeiten unterscheiden sich allerdings nur unwesentlich und sind gewiß keine Alternative mit besonderem Sozialprestige. Eine selbständige Existenz als berufs- und erwerbstätige Frau auf dem Dorf ist kaum denkbar, es sei denn eben als Magd. In ein Kloster einzutreten hätte im allgemeinen eine Mitgift erfordert und damit die Zustimmung der Eltern oder des Vormunds vorausgesetzt. Beginen wiederum werden in Preußen erst spät erwähnt. Andererseits muß man aber auch konstatieren, daß Dorotheas Entschlossenheit, unverheiratet zu bleiben, auch nicht so weit ging, daß sie sich Mutter und/oder Bruder unbeirrt widersetzte, wie dies etwa Clara von Assisi tat, die von zu Hause ausriß, um ihre Vorstellungen zu verwirklichen, und ins Kloster ging. Letztere lebte freilich im religiös voll erschlossenen Oberitalien und hatte zudem noch das Beispiel der älteren Schwester vor sich.

Nach der Hochzeit, die 1363 in Montau stattfindet, zieht Dorothea nach Danzig. Was wird nun von ihr als Ehefrau erwartet? Johannes Marienwerder zitiert dazu das augustinische Eheideal: *proles, fides, sacramentum*, also: Kinder, Treue und den Charakter der Ehe als Sakrament; das bedeutet auch die Unauflöslichkeit. Und wie sieht das Eheleben Dorotheas nun konkret aus, unter welchen Bedingungen spielt es sich ab?

Wie bereits erwähnt, war Adalbert ein wohlsituierter, hochspezialisierter Handwerker, der ein eigenes Haus besaß und Gesinde beschäftigte. Er gehörte wohl zur städtischen Mittelschicht. Zu Dorotheas Aufgaben zählte die Haushaltsführung mit allem, was damals dazu gehörte. Und sie bekam neun Kinder, die sie wohl ausreichend beschäftigt haben dürften. In seiner Freizeit wollte ihr Mann mir ihr zum Tanz oder in die Trinkstube gehen – und was derlei Vergnügungen mehr sind. Von einer Berufs- oder Erwerbstätigkeit Dorotheas ist in den Quellen niemals die Rede, denkbar ist allenfalls, daß sie Hilfeleistungen in der Werkstatt verrichtete (wenngleich das bei einem so spezialisierten und »männlichen«, d. h. männlich dominierten Gewerbe wie einem Schmied sehr unwahrscheinlich ist); möglich ist eher, daß sie Waren verkauft hat – eine häufige Aufgabe von Handwerkerfrauen.

Ausführlich wird Dorotheas Vorbildlichkeit als Ehefrau beschrieben. Sie ist also fromm und gottesfürchtig und vor allem gehorsam und unterwirft sich den Wünschen ihres Ehemannes. Auf ihr Eheleben wirkt sich das vor allem auf dem Gebiet der Sexualität aus: Sie fordert ihr Eherecht niemals von ihrem Mann, gewährt es ihm aber, wenn er es fordert, nach dem Motto »dem Kaiser, was dem Kaiser, Gott, was Gott gebührt«. Besonders hervorgehoben wird dabei Dorotheas Vorbildlichkeit als Mutter; ausführlich beschreibt die Vita, wie Dorothea ihre neun Kinder – im Gegensatz zu den bösen, weltlichen Müttern, die ihre Kinder zu weltlichen Freuden, als da sind Spiel, Tanz und natürlich, wenn auch nicht explizit gesagt, Sexualität, anhalten – in erster Linie geistlich erzieht, zu Demut und Gottesfurcht. Der Ehegatte, Adalbert, wird zunächst recht positiv beschrieben: Auch er ist fromm und gottesfürchtig; er geht auch ohne Dorothea auf Wallfahrten, und er unterstützt seine Ehefrau sogar bei der Ausübung ihrer religiösen Bedürfnisse, indem er die Aufsicht über die Kinder übernimmt, wenn Dorothea in die Kirche gehen will: »Solange seine Ehefrau, die selige Dorothea, ihm zu Willen war, gönnte er ihr sehr wohl, daß sie vor der Essenszeit eifrig Gott diente, und damit sie die Versorgung der Kinder nicht daran hinderte, blieb er selbst zu Hause und vertrat sie.«

Doch dieses Eheglück ist nicht von Dauer.

In dem Maße, wie Dorotheas Frömmigkeit zunimmt, tauchen auch in der Ehe immer mehr und immer stärkere Konflikte auf, die sich aus der Unvereinbarkeit einer *vita religiosa* und einem »normalen« Eheleben ergeben.

Hatte Dorothea nämlich anfangs die Ausübung ihrer Frömmigkeit vielleicht noch auf häufigen Kirchgang und besonders strenges Fasten beschränkt, ihre sonstigen Formen der Askese geheimgehalten und vor allem dann ausgeübt, wenn ihr Ehemann abwesend war, so gibt sie ihre diesbezügliche Zurückhaltung im Laufe der Zeit auf.

So gehört zu ihren Gewohnheiten etwa, daß sie ihren Körper mit Ruten, Peitschen, mit Disteln, Dornzweigen und harten stacheligen Geißeln schlägt und sich auf diese Art zahlreiche Wunden zufügt. Um diese offen zu halten, steckt sie Nesseln, harte Besenruten, spitze Nußschalen und schmerzende Kräuter in ihre Wunden oder trägt ein härenes Gewand auf bloßer Haut, das sie gewöhnlich unter ihrem Bett zu verstecken pflegt. Ihre Freundin Metza Hugische hat es dort einmal gesehen. Um ihre Leiden zu verschlimmern, legt sie sich mit ihren Wunden in Fleisch- oder Heringslake und stellt sich im Winter so lange in eiskaltes Wasser, bis dieses gefroren ist und sie sich nur noch mit Mühe daraus befreien kann.

Daß zu diesen frommen Ambitionen weltliche Vergnügungen wie Tanzen und Festlichkeiten sonstiger Art nicht allzugut paßten, läßt sich leicht vorstellen. Und so weigert sich Dorothea auch schon bald, ihren Ehegatten zu derartigen Vergnügungen zu begleiten – mal mit mehr, mal mit weniger Erfolg. Einfach »nein« sagen genügt jedoch offensichtlich nicht. Schließlich ist sie ihrem Ehemann unterworfen und zu Gehorsam verpflichtet. Nur mit Hilfe von allerlei Tricks erreicht sie ihr Ziel: »Als sie verheiratet war und an die Befehle ihres Ehemannes gebunden war und sie von zukünftigen Festlichkeiten erfuhr und sich Sorgen machte, sie würde dazu eingeladen werden, da zerstach sie sich die Füße so sehr mit einer Nadel, daß sie furchtbar anschwollen, damit sie ganz augenscheinlich ihre Unfähigkeit, dorthin zu gehen, beweisen konnte und eine wirkliche Entschuldigung hätte, sowohl ihrem Ehemann gegenüber als auch gegenüber den Gastgebern, die glaubten, ihre Verletzungen stammten vom Frost oder sonstwoher.«

Im Laufe der Zeit wurde auch ihr Wunsch und Bedürfnis, das Sakrament der Eucharistie möglichst häufig zu empfangen, immer stärker. Im Deutschordensstaat war damals für Laien nur der siebenmalige Empfang der Heiligen Kommunion im Jahr üblich – Dorothea jedoch wäre am liebsten jede Woche gegangen, wie eine ihrer Freundinnen, Margaretha Creuzburgische, bei der Befragung im Kanonisationsprozeß berichtet. Ihre Beichtväter aber verweigern Dorothea die Erfüllung ihrer Bitte, woüber sie sich bei ihrer Freundin heftig beklagt: »Ich weiß nicht, warum sie mir das verweigern, ich verlange doch nur unsern Herrn Jesus Christus, meinen Tröster und Beschützer!« Ob Ursache oder Wirkung, sei dahingestellt.

Jedenfalls leistet Dorothea den sexuellen Wünschen ihres Ehemannes keineswegs immer bereitwillig Folge, wie Marienwerder bei der Schilderung Dorotheas in ihrer Rolle als Ehefrau hervorhebt. Schildert er sie nämlich in der Absicht, ihre Heiligkeit zu betonen, so berichtet er von zahlreichen Versuchen Dorotheas, sich zu verweigern. So wiegte sie ihr Kind die ganze Nacht, um nicht in das Bett ihres Ehegatten zu müssen; aus demselben Grund war sie sehr bekümmert, wenn die sechswöchige Schonfrist nach der Geburt eines Kindes vorüber war. An anderer Stelle wird berichtet, daß sie sich immer stärker vom ehelichen Bett zurückzog, »wenn auch mit Vernunft«; daß sie dabei insgesamt nicht sonderlich erfolgreich war, zeigt ihre neunköpfige Kinderschar allerdings recht deutlich.

In der Folgezeit – bis hin zum Jahr 1385, als, Zeichen ihrer neuen Stufe von Frömmigkeit, der »Austausch des Herzens« stattfindet – verstärkt sich ihre Frömmigkeit und bekommt eine neue Qualität. Seit dieser Zeit, so berichtet die Vita, hat Gott mit ihr gesprochen. Das überliefert auch ein Gespräch Dorotheas mit ihrer Mutter, wiedergegeben von ihrer Schwägerin Gertrud. Dorothea fragt nämlich ihre Mutter, ob der Herr denn niemals mit ihr gesprochen habe. Darauf erwidert Agatha: »Wie könnte das sein, daß der Herr mit mir spricht, wo ich doch nur eine arme Sünderin bin!« und stellt Dorothea die Gegenfrage, woraufhin Dorothea den Finger auf den Mund legt und bedeutet, daß sie nicht darüber sprechen dürfe.

Spätestens seit dieser Zeit ist Dorothea häufig »verzückt«. Äußerlich macht sie dabei den Eindruck, als ob sie betrunken wäre, sie kann ihre Sinne nicht gebrauchen, verliert die Kontrolle über ihre Körperfunktionen, liegt da wie ohnmächtig oder in tiefem Schlaf. In diesem Zustand kennt sie selbst die einfachsten Dinge nicht. Einmal hält sie Gänseeier in ihren

Händen, sieht sie, erkennt aber nicht, daß es Gänseeier sind. Die umstehenden Frauen lachen sie deshalb aus. Doch sie ist nicht ohnmächtig, sondern »verzückt«, also, wie Marienwerder hervorhebt, in einem Zustand besonderer Gnade, denn gleichzeitig ist sie von einer überschwenglichen Freude erfüllt, der sie Luft machen muß, indem sie ihre Empfindungen und Gedanken den Umstehenden mitteilt. Doch diese halten sie für geistesabwesend.

Nun ist sie auch nicht mehr fähig und willens, ihren Haushalt zu versorgen. Aufträge Adalberts, bestimmte Dinge einzukaufen, vergißt sie. Statt Fisch kauft sie Fleisch oder Eier. Fische kocht sie ungeschuppt oder unausgenommen.

Adalbert reagiert auf die Verweigerungsformen seiner Frau heftig. Er macht ihr Vorwürfe und droht ihr, sie einzusperren, wenn sie ihre gesellschaftlichen, sexuellen und häuslichen Pflichten nicht sorgfältiger erfülle. Er schlägt sie blutig und droht ihr, sie in Ketten zu legen. »Wenn du dein Herumstrolchen nicht aufgibst und dich mit größerem Fleiß als bisher um deinen Haushalt kümmerst, werde ich dich mit Banden und Ketten zähmen!«

War Adalbert nun ein besonders jähzorniger Mann, wie Johannes Marienwerder meint? Le Roy Ladurie hat gezeigt, daß in Montaillou Schläge für Ehefrauen aller Schichten an der Tagesordnung waren: »Jede Frau, die sich widersetzt, muß früher oder später mit einer beträchtlichen Tracht Prügel rechnen.«

Dorothea reagiert mit Schweigen. Adalbert faßt es als Trotz und Bosheit auf, Marienwerder interpretiert es als »heilige Geduld«.

Dorotheas Umwelt, einerseits Kleriker, andererseits Laien, reagieren unterschiedlich auf Dorotheas außergewöhnliche Formen der Frömmigkeit.

Der Klerus verdächtigt Dorothea erst einmal als Ketzerin. Außer der Vita berichtet darüber wieder Dorotheas Freundin Metza Hugische im Kanonisationsprozeß. Und zwar glauben Henricus de Lapide, Offizial des Bischofs, und Ludike, ein Priester, daß Dorothea sich im rechten Glauben irre. Die Zeugin weiß auch den Grund dieses Ketzereiverdachts zu berichten. Man habe Dorothea der Häresie verdächtigt, weil sie den beiden in der Beichte Dinge erzählt habe, die ihnen unbekannt waren, zudem auch wegen der exzessiven Hingabe bei heiligen Pflichten und guten Werken, die sie über das normale Maß hinaus vollbrachte. Aus diesen Gründen halten sie sie für geistesgestört, was für die Beichtväter mit Ketzerei offenbar gleichbedeutend war.

Später allerdings sind es gerade diese Dinge, die Dorothea zur Heiligen prädestinieren: Rechtgläubigkeit und Ketzerei trennt nur ein schmaler Grad – ein Phänomen, das schon Herbert Grundmann herausgestellt hat.

Für geistesgestört oder verrückt halten Dorothea allerdings auch ihre Bekannten und überhaupt die Leute, die sie sehen, wie aus der schon erwähnten Episode mit dem Gänseei deutlich wird. An Heiligkeit denkt niemand.

Bei der Entwicklung von Dorotheas Frömmigkeit sind zwei Phasen unterscheidbar: eine deutliche Zunahme bis und vor allem nach 1378 und eine weitere nach 1384. Diese Steigerung läßt sich in Beziehung setzen zum Schicksal ihrer Kinder – 1378 sind bereits drei bis vier verstorben, 1384 weitere vier. Nur die jüngste, erst um 1381 geborene Tochter Gertrud, die später in ein Benediktinerinnenkloster eintritt, ist noch am Leben. Dorotheas immer stärkere Hinwendung zu Gott wäre also in Beziehung zu sehen mit dem Verlust ihrer Kinder.

Nach dem Tod der acht Kinder begibt sich die Restfamilie zuerst ohne, dann mit Tochter auf Pilgerfahrt nach Aachen und nach Finsterwald. Dort bleiben sie eineinhalb Jahre. Doch Krieg und Teuerung machen das Leben dort schwer. Dorothea stört das nicht. Sie lernt Menschen kennen, die sie sehr schätzen wegen ihrer Tugend, also ihrer harten Askese, ihrer Ausdauer usw. Ihrem Ehemann allerdings gefällt das karge Leben – oft gibt es kaum etwas zu essen – nicht.

Er überlegt sich daher öfters, sich von Dorothea zu trennen. Im entscheidenden Augenblick – sie warten nur noch auf den Priester, der ihnen die einvernehmliche Trennung bescheinigen soll; Dorothea ist schon restlos glücklich und träumt davon, endlich als Bettlerin mit dem Ruf »Brot um unseres lieben Herren willen«, also als Begine, durch die Lande ziehen zu können – aber überlegt es sich Adalbert noch einmal anders. Jetzt will er nach Danzig zurück. Dorothea will nicht. Es bleibt ihr aber nichts anderes übrig, denn noch immer ist sie gegenüber ihrem Ehemann zu Gehorsam verpflichtet.

Nach Danzig zurückgekehrt, baut man ihnen ein kleines Häuschen an der Katharinenkirche. Dorothea ist jetzt meistens verzückt, und der Ehekrieg nimmt neue Formen an. Zwar ist die Sexualität kein Streitpunkt mehr, denn nach der letzten Geburt kann Dorothea ihren Adalbert endlich von einem keuschen Leben überzeugen; zu diesem Zeitpunkt ist er freilich bereits ein alter Mann. Aber jetzt wirft Adalbert ihr vor, sie habe sein Vermögen verschleudert und alles an die Armen verschenkt. Er nimmt ihr die Schlüssel ab und kümmert sich selbst um den Haushalt, das heißt, er nimmt Dorothea auch den rechtlichen Spielraum und die Handlungsbefugnis für den Haushalt. Doch Dorothea kümmert sich um solch äußere Dinge schon lange nicht mehr. Und Adalbert mißhandelt sie schwer. Daraufhin kommen die Beichtväter der beiden und weisen Adalbert zurecht. Dieser muß von seinen Forderungen Abstand nehmen und fällt in eine schwere Krankheit. In der Folgezeit kann Dorothea ihren religiösen Bedürfnissen uneingeschränkt nachgehen.

Doch das ist wiederum den Ehemännern aus der Nachbarschaft nicht recht. Die Zeugin Barbara Nicolai Heyen berichtet davon im Kanonisationsprozeß: »Sie selbst hörte von Dorothea, daß eines Tages die Nachbarn auf ihren Ehemann einwirkten in dem Sinne, daß er nicht zulassen dürfe, daß seine Frau Dorothea so oft die Kirchen besuche... weil ihre Ehefrauen das dann genauso machen wollten und ihren Ehemännern nicht mehr gehorchten.« Dorotheas neuer Freiraum übt augenscheinlich eine große Faszination auf andere Frauen aus.

Wenig später stirbt Adalbert. Dorothea befindet sich zu dieser Zeit auf einer Rom-Wallfahrt. Einige Zeit später – nach mehreren Verzögerungen – geht sie 1392 nach Marienwerder zu Johannes Marienwerder, ihrem letzten Beichtvater, dem Verfasser der Viten und Betreiber des Kanonisationsprozesses. Nach eingehender Prüfung wird sie dort schließlich in eine Klause eingeschlossen und kann nun endlich – von äußeren Dingen ungestört – eine *vita religiosa* führen, bis sie 1394 stirbt.

Literatur

Primärliteratur: Vita Dortheae Montoviensis Johannis Marienwerder, hrsg. von *H. Westpfahl* unter Mitwirkung von *A. Triller*, Köln/Graz 1964.
Das Leben der zeligen Frawen Dorothee clewsenerynne in der thumkyrchen czu Marienwerdir Johann Marienwerders, hrsg. von *M. Toeppen*, in: Scriptores Rerum Prussicarum. Die Geschichtsquellen der Preussischen Vorzeit, hrsg. von *Th. Hirsch, Max Toeppen* und *E. Strehlke*, 2 Bde., Leipzig 1863. Unveränderter Nachdruck Frankfurt/Main 1965, 197–350.
Die Akten des Kanonisationsprozesses Dorotheas von Montau von 1394 bis 1521, hrsg. von *R. Stachnik* in Zusammenarbeit mit *A. Triller* und *H. Westpfahl*, Köln/Wien 1978.
Sekundärliteratur: Dorothea von Montau. Eine preußische Heilige des 14. Jahrhunderts. Anläßlich ihrer Heiligsprechung im Auftrag des Historischen Vereins für Ermland e. V. hrsg. von *R. Stachnik* und *A. Triller*. Münster 1976 (dort auch die ältere Literatur).
A. Vauchez, La sainteté en Occident aux derniers siècles du Moyen Age. D'après les procès de canonisation et les documents hagiographiques, Rom 1981.
E. Schraut, Dorothea von Montau. Wahrnehmungsweisen von Kindheit und Eheleben einer spätmittelalterlichen Heiligen, in: *P. Dinzelbacher/D. Bauer* (Hrsg.), Religiöse Frauenbewegung und Frauenmystik im Mittelalter, Köln 1988.
Literarische Verarbeitung: *G. Grass*, Der Butt, Frankfurt/Main 1979.

Teresa von Avila

WALTRAUD HERBSTRITH

In einem Essay über »Das Kosmische Leben« schreibt Teilhard de Chardin: »Es gibt eine Kommunikation mit Gott, und es gibt eine Kommunikation mit der Erde, und es gibt eine Kommunikation mit Gott durch die Erde.«[1] Letztere ist sicher seit der Menschwerdung Gottes in Jesus von Nazareth die vollkommenste. Leider halten wir uns oft in den Extremsituationen auf. In einer spiritualistischen Interpretation der Worte Teresas von Avila »Gott allein genügt« glauben wir Gott zu lieben, wenn wir uns von der Erde, von den Menschen abwenden. Oder wir meinen, an Gott als Geist, als Fülle, nicht mehr glauben zu können, und stürzen uns in die Nächstenliebe. Alle Liebe und Hingabe an ein menschliches Du bedarf jedoch der Erfahrung eines Dritten, einer Geheimnistiefe, die erst dem Ich und dem Du Bestand und Tragfähigkeit gibt.

Im Leben Teresas von Avila, dieser leidenschaftlichen Gottsucherin, sehen wir alle drei von Teilhard genannten Phänomene in auffallender Weise: die Suche nach Gott allein – ohne die Erde, die Verhaftung an die Erde – und den schweren Weg der Mitte, der Inkarnation, die Gottsuche durch die Erde hindurch. Das klingt vielleicht bei einer Ordensfrau etwas blaß. Aber wir brauchen nur Teresas Autobiographie zu lesen, und wir sehen, wie leidenschaftlich sie mit dieser Erde verbunden war, gerade auch dann, als sie Gott in einer tiefen Einheit mit ihrem Wesen fand. Teresa gehört zu den Frauen und Männern, die am Ende des Mittelalters zu einer neuen Humanität erwachen. Einerseits gehen sie zu den antiken Quellen zurück, zu Kunst und Wissenschaft, andererseits wollen sie im Rückgriff auf die religiösen Ursprünge: Übersetzung der Heiligen Schrift, Identifikation im Gebet, sich in großer Radikalität ihrer Heilssicherheit vergewissern.

Ungefähr zwanzig Jahre nach dem letzten großen Judenpogrom in Spanien wurde Teresa 1515 in der Nähe Avilas geboren. Nach heutigen Forschungen war ihr Vater Halbjude. Seine Eltern hatten sich um des Überlebens willen angepaßt, sich taufen lassen. Teresas Großvater zog von Toledo nach Avila. Teresas Mutter stammte aus dem Stadtadel. Wie Luther, Thomas More, Erasmus von Rotterdam erlebte Teresa die existentielle Verunsicherung von Menschen, deren Weltbild sich von der Geozentrik zur Heliozentrik wandelte. Da die Erde ihre Mittelpunktstellung verlor, mußte die Identität des Glaubenden, des nach einem Lebenssinn Ringenden, tiefer ansetzen als in einfachen Projektionen einer dreistöckigen Welt: oben Gott, in der Mitte die Erde, unten der Ort der Verdammten.

Teresa fühlte sich in ihrem ersten Kloster noch sehr an die Dinge dieser Welt verhaftet. Sie verausgabte sich in Gesprächen, da sie sehr redegewandt und geistreich war. Da sie zu den reicheren Schwestern gehörte, hatte sie eine kleine Wohnung für sich. Dies alles schenkte ihr keinen inneren Frieden. Sie bemerkte, daß sie lange Zeit unter starker Todesangst gelitten habe. Nach 18jähriger Unsicherheit hatte sie ein umwerfendes Bekehrungserlebnis, das ihr eine tiefe Identität schenkte. Sie schreibt darüber:

> »Zuerst hatte ich den Wunsch, die Menschen zu fliehen und mich ganz von der Welt abzusondern. Ich überlegte, was ich für Gott tun könne. Da drängte sich mir der Gedanke auf, ich sollte meiner Berufung im Orden nachkommen und möglichst vollkommen meine Regel halten.«[2]

Diese Phase des Rückzugs, der Kommunikation mit Gott allein, entwickelte sich zu einer Phase der Kommunikation mit Gott durch die Menschen.

> »So oft ich jemand treffe«, schreibt sie, »der mir persönlich gefällt, habe ich den Wunsch, er möge sich Gott ganz hingeben. Dieses Verlangen ist so heftig, daß ich nichts dagegen tun kann. Ich wünsche zwar, daß alle Menschen Gott dienen, aber bei denen, die ich liebe, regt sich dieser Wunsch ganz stark.«[3]

Je mehr Teresa ihre Erfahrungen mit Gott ernst nahm, sie nicht mehr verdrängte, verlor sie ihre Angst vor dem Tod.

> »Die Gnade, die ich im Gebet empfing, bewirkte, daß ich mich vor dem Tod nicht mehr ängstigte, obwohl ich ihn so gefürchtet hatte. Erhebt Gott den Geist des Menschen zu sich, ist das, wie wenn die Seele beim

Sterben den Leib verläßt. Plötzlich fühlt sich unser Inneres aus seiner Enge befreit und in Ruhe versetzt.«[4]

Zu den Einengungen, die Teresa erfuhr, gehörte eine einseitige, das Böse im Menschen und in der Schöpfung betonende Theologie. Man mißtraute der menschlichen Natur, überall sah man den Einfluß dämonischer, böser Kräfte. Zu diesem Mißtrauen gehörte auch die geringe Einschätzung der Frau, die Teresa deutlich zu spüren bekam. Nur durch Freundschaften mit Theologen blieb sie vor der Verurteilung durch die Inquisition geschützt. Teresa tat Dinge, die nach dem Urteil der Kirche ihrer Zeit einer Frau nicht zustanden. Sie gründete ein Männer- und zahlreiche Frauenklöster, auch schrieb sie Bücher über ihre mystischen Erfahrungen. Ihre Schriften wurden von der Inquisition zensiert und zu ihren Lebzeiten nicht veröffentlicht.

Teresa sagte nicht nur Wesentliches über die Vereinigung des Menschen mit Gott, sie übte auch in vieler Hinsicht Zeit- und Kirchenkritik. Gotteserfahrung und menschliche Reifung sind für sie ein Wachstumsprozeß. Den Priestern ihrer Zeit, die den Menschen Angst machten, rief sie zu:

»Ich weiß nicht, warum wir immer Angst haben und erschreckt rufen: ›Der Teufel, der Teufel‹, wenn wir doch rufen können: ›Gott, Gott‹. Jene, die den Teufel so sehr fürchten, fürchte ich mehr als den Bösen selbst.«[5]

Teresa konnte die Schrift nicht in spanischer Sprache lesen, auch untersagte die Inquisition die Lektüre geistlicher Bücher in der Muttersprache. Durch Gottes innere Führung reifte sie jedoch zu einer selbständigen, selbstbewußten Frau heran, die sich nicht scheute, viele Menschen das Gespräch mit Gott zu lehren. Teresa sagte freimütig, daß sie gerne das Wort Gottes verkündet hätte, und sie litt unter der Abwertung der Frau. Ihr Drang zur Verinnerlichung, zum Gebet, hinderte sie nicht daran, ihre Augen weit aufzutun, um Gott in seiner Schöpfung zu preisen.

»Für mich war es sehr nützlich«, schreibt sie, »wenn ich die Felder, das Wasser, die Blumen anschaute. Diese Dinge weckten mich auf und halfen mir zur Sammlung. Sie dienten mir anstatt eines Buches, da ich bei ihrem Anblick an den Schöpfer dachte und meine eigene Undankbarkeit.«[6]

In ihrem Hauptwerk »Die Innere Burg« beschreibt Teresa die Seele des Menschen als einen kostbaren, lichtdurchlässigen Kristall. In der von Gott durchstrahlten Seele herrscht Weite und Fülle. Beten, Sprechen mit Gott, engt den Menschen nicht ein, sondern läßt ihn aus sich herausgehen, macht ihn weit und offen. Ist der Kristall des Innern verschmutzt, eingehüllt wie von dunklen Tüchern, ist dies Schuld des Menschen, der sich seiner Freiheit als dialogisches, anbetendes Wesen nicht bewußt wird. Obwohl Teresa davon überzeugt war, daß Gottes Schöpfung ganz in seinem Willen ruht, spricht sie doch der menschlichen Eigeninitiative großen Wert zu. Der Mensch in teresianischer Sicht wird nicht von Gott überrumpelt oder gegängelt. Der Wille des Menschen ist seine Fähigkeit, sich Gott gegenüber als Partner, als Sprechender, als Antwortender zu verhalten. Selbstentfremdung bedeutet für Teresa, daß der Mensch aus Schuld, aus eigener Trägheit das Gespräch mit Gott aufgegeben hat.

Fragen, die wir an Teresa haben, sind aus der geschichtlichen Differenz unseres Weltverständnisses heraus nicht zu übersehen. Teresa konnte, wie Alfons Auer zu Recht bemerkt, »ihr spirituelles Realisationsvermögen nicht mit der Intensität auch der Welt gegenüber durchsetzen, wie es uns heute angemessen erscheint. Heutige Mystik will authentische Welterfahrung in die mystische Bewegung voll integrieren.«[7] Der Ansatz eines Teilhard de Chardin, eines Dag Hammarskjöld kann uns heute näher sein als die teresianische oder franziskanische »Gottunmittelbarkeit«. Andererseits kann uns »diese Welt – nichts als Welt« anöden. Es fehlen uns in den Kulturleistungen Antworten aus einer Erfahrung von Transzendenz, die uns die Immanenz dieser Welt erst erträglich, durchlässig machen. Hier können wir auch heute, ohne in Regression zu verfallen, von Teresa, von ihrem Mitstreiter Johannes vom Kreuz, von Franziskus von Assisi und vielen anderen Gotteszeugen lernen.

> »Es ist schwer einzusehen, welche andere Gestalt der Antwort auf Gottes gnädige Zuwendung der Glaube denn eigentlich finden soll als die des persönlichen Gebets. Wir werden wohl auch weiter beten auf der Grundlage der Überzeugung von der Personalität Gottes. ›Personalität‹ ist im Umkreis unserer Vorstellungen die höchste Form des Bei-sich-selbst-Seins und des Zum-anderen-Seins. Wir können von Gott immer nur auf menschliche Weise sprechen. Und dies ist so lange ungefährlich, als wir selbst menschliche Vorstellungen, wenn wir sie auf Gott anwenden, immer nur als Interpretamente verstehen. Teresas Spiritualität ist

> aktualisierbar. Selbst dort, wo die Aktualisierbarkeit auf Probleme zu stoßen scheint, verlieren diese bei näherem Zusehen erheblich an Gewicht. Am hartnäckigsten hält sich die Frage nach der Integrierung authentischer Welterfahrung in die mystische Bewegung des Subjekts. Hier werden wir über Teresa hinausgehen müssen. Aber, was die mystische Bewegung als solche betrifft, werden wir sie auch hier nicht vermissen wollen.«[8]

Wenn wir von christlicher Spiritualität, von lebendigem, zukunftsträchtigem Christentum sprechen, meinen wir immer einen Übersetzungsvorgang. Eine Übersetzung dessen, was die Botschafter, die Heiligen und Mystiker, uns durch die Tradition übergeben haben in die persönliche Aneignung unseres heutigen Glaubens hinein. Aus dieser Übertragung lebt die Kirche. Das Zweite Vatikanische Konzil hat uns diesen Vorgang wieder besonders ins Bewußtsein gebracht.

Häufig übersehen wir, daß Europa selbst Missionsland ist. Nicht nur die Pastoral für ferne Länder, die starken Bewußtseinsveränderungen im europäischen Raum selbst, verlangen von allen, die die christliche Botschaft weitersagen, eine Fähigkeit zur Übertragung, die von Land zu Land, von Region zu Region verschieden aussehen kann. Dies erfordert inneres Wachsein, Einfühlung für die Situation des heutigen Menschen, Fähigkeit, den überkommenen Glauben nicht als Besitz, sondern als Geschenk anzusehen, das uns immer neue Perspektiven eröffnet. Eine dieser Botschafterinnen, deren Leben und Lehre wir heute neu buchstabieren müssen, ist Teresa von Avila.

Papst Paul VI. sagte bei der Erhebung Teresas zur Kirchenlehrerin: »Was Teresa betrifft, so zeichnet sich ihre Lehre ganz besonders aus durch das Charisma der Wahrheit.«[9] Was wir an Teresa das Prophetische nennen, ist dieses echte Sprechen von Gott, diese unbedingte Wahrhaftigkeit vor sich selbst und vor den Menschen, zu denen sie sich gerufen weiß. Teresa erfuhr Gott, und sie mußte von diesem Gott sprechen, sie mußte für diesen Gott handeln, ob gelegen oder ungelegen. Obwohl Teresa vor vier Jahrhunderten lebte, können wir an ihrer Gestalt erkennen, was uns heute nottut. Teresa hat zu vielen Fragen in der Kirche ein prophetisches Wort gesprochen. Sie spricht von der Notwendigkeit, Erfahrung mit Gott ernst zu nehmen. Sie erwartet von den Theologen nicht nur ein Denken in abstrakten Begriffen, sondern ein Denken, das von lebendiger Gottes-Erfahrung kündet. Sie wünscht, daß die Frau in der Kirche menschlich und spirituell als Partnerin ernst genommen wird. Sie gibt ein Zeichen schwesterlichen und brüderlichen Miteinanders unter denen, die sich Jünger und Jüngerinnen Christi nennen. Sie lebt die Spannung zwischen Kirche als Institution und eigener Gewissensentscheidung. Sie will sich und andere zu einem mündigen Christsein führen, das eigenes Tun hinterfrägt und sich nicht von der Kirche als Lebens- und Liebesgemeinschaft trennen will. Sie entfaltet Eigeninitiative, indem sie neue Zellen des Gebetes und apostolischen Dienens gründet und so Jüngergemeinde verwirklicht.

Teresas Eintritt in den Orden geschah sicher nicht nach heutigen Vorstellungen, wie psychische Eignung, affektive Reife, theologisches Wissen, sondern einfach aus Heilsangst. In einer Zeit, in der die Christen glaubten, der größte Teil der Menschen würde von Gott verdammt, war Luthers und Teresas Motivation für einen Ordenseintritt sicher keine Ausnahme. Aber nach Karl Rahner kann auch eine ungenügende Motivation ein Anreiz sein, in einer späteren Entwicklung das Eigentliche und Richtige, was mit Ordenleben gemeint ist, zu erkennen.

Freiheit des Gewissens und Eingebundensein in den Raum der Kirche waren bei Teresa eine Einheit.

> »Als ich darüber nachdachte, ob jene nicht recht hätten, die mein Herumreisen wegen der Klosterstiftungen ungern sahen, und ob es nicht besser wäre, wenn ich nur betete, hörte ich folgendes: ›Solange dieses Leben währt, besteht der Gewinn nicht darin, immer mehr zu genießen, sondern Seinen Willen zu erfüllen.‹ Als ich über den Sinn der Worte des hl. Paulus nachdachte, was die Zurückgezogenheit der Frauen betrifft – dies war mir schon oft vorgehalten worden, ehe ich diesen Ausspruch des Paulus überhaupt kannte –, dachte ich, dies könnte vielleicht auch bei mir der Wille Gottes sein. Da sagte mir der Herr: ›Sag ihnen, sie sollen sich nicht nur auf einen Ausspruch der Heiligen Schrift berufen, sondern auch die anderen Stellen einsehen. Ob sie mir dann noch die Hände binden können?‹«[10]

In ihren Klöstern wünschte Teresa keinen engen und finsteren Gehorsam: »Muß jemand im Orden unter einem Obern leben, der weder Klugheit, Wissen noch Erfahrung besitzt, hat er kein geringes Kreuz zu tragen, wenn er freiwillig seinen Verstand einem unvernünftigen Menschen unterwirft. Ich habe es nie gekonnt, und ich finde es auch nicht gut.«[11] Zur Würde des Menschen gehört es, nach innerer Einsicht, nach dem Gewissen zu handeln. Dieses Gewissen muß nach Teresa im Gespräch sein mit der Botschaft Jesu, mit der Kirche, die sich auf Jesus beruft. Teresa hat für ihre Klöster ein demokratisches Regierungsmodell vor Augen: »Wenn die Nonnen so sind, wie sie sein sollen, was hat es dann für eine Bedeutung, wer Priorin ist?«[12] sagte sie in Alba de Tormes, als es Schwierigkeiten gab bei der Wahl der Priorin. Teresa wünschte für jede Schwester die Fähigkeit, einer kleinen Gruppe vorstehen zu können. Oberin sein heißt für Teresa, auf die Bedürfnisse der Schwestern zu achten, eine Ordnung zu garantieren, die den Schwestern die Nachfolge Jesu, das Einander-Dienen und -Helfen erleichtert. An die Priorin von Sevilla schrieb sie: »Leiten Sie die Schwestern nicht mit Strenge, die ich in Malagon gesehen habe. Die Schwestern sind keine Sklaven.«[13]

Hören auf die Kirche, Gehorsam in einem Orden hatten für Teresa etwas mit Ordnung zu tun, mit menschlichem Miteinander und Zueinander, mit der Fähigkeit, sich einem größeren Ganzen einordnen zu können. Frucht dieser schwesterlichen Gemeinschaft, dieses Gehorchen um Jesu willen, ist der Friede, den Jesus denen verheißt, die ihm nachfolgen. Ziel dieses Lebens in Gemeinschaft ist eine tiefe, unzerstörbare Freundschaft mit Gott. Gehorchen wird zur »Gewaltenteilung«:

> »Der Herr schenkt dem Menschen eine solche Freundschaft, daß er ihm nicht nur den eigenen Willen wieder läßt, sondern den seinen noch dazu gibt. In dieser Freundschaft ist es für ihn eine Freude, daß sich beide (Gott und Mensch), wie man zu sagen pflegt, gegenseitig in die Herrschaft teilen.«[14]

Ildefonso Moriones spricht vom teresianischen Humanismus, der durch Teresas Mitarbeiter Doria im Orden nicht immer zum Zug kam. Teresa lehnte jeden Rigorismus ab. Über die Visitation in einem ihrer Klöster äußerte sie sich ärgerlich:

> »Sehen Sie sich doch die langweiligen Verordnungen an, die Pater Juan de Jesus gemacht hat... Zu was soll das dienen? Gerade das fürchten ja meine Schwestern, daß strenge Vorgesetzte kommen könnten, die sie

bedrücken und ihnen viel aufladen. Welcher Unsinn! Es ist doch seltsam, zu meinen, man habe ein Kloster nur dann visitiert, wenn man viele Vorschriften hinterlassen habe... Schon das Lesen dieser Vorschriften hat mich ermüdet. Wie erginge es mir, wenn ich sie halten müßte. Ich glaube, unsere Regel erträgt keine strengen Vorgesetzten, sie ist selber streng genug... Möge Gott uns frei machen von allen Geschöpfen und uns begreifen lassen, daß wir nichts außer ihm nötig haben.«[15]

Teresa förderte bei ihren Schwestern, was wir seit dem Zweiten Vatikanischen Konzil »aktiven und verantwortlichen Gehorsam« nennen. Wie Jesus Jünger in seinen Dienst nahm und sie zur Verkündigung seiner frohen Botschaft aussandte, so hatte auch Teresa wenig Zeit, ihre Schwestern für das zu formen, wofür sie sie einsetzte. »Traurige Leute liebte sie nicht, und darum wollte sie auch nicht, daß jemand in ihrer Begleitung sich traurig zeigte. ›Gott bewahre mich vor verdrießlichen Heiligen‹, sagte sie.«[16]

In ihren Konventen war es unwichtig, wer von adliger Herkunft war oder nicht. Damit die Schwestern diese Vorstellungen von Ehre losließen, gab jede ihren Familiennamen auf und nahm einen geistlichen Namen an. Aus der Adligen Teresa de Ahumada wurde eine Teresa de Jesus. Das war keine fromme Spielerei. Teresa war realistisch genug, um zu wissen, daß auch die heiligste Ordnung vor Sünde nicht bewahrt.

Ihre nächste Mitarbeiterin, Anna von Jesus, bezeugt:

»Kaum war bei Teresas Gründungen die Priorin durch den Obern oder durch geheime Wahl aufgestellt, so legte unsere Mutter das Amt als Vorsteherin nieder und weigerte sich, im Chor auch nur einmal das Zeichen zu geben. War die Priorin anwesend, und bat man sie, antwortete sie: ›Die Subpriorin soll es tun. Ich bin hier wie eine von euch.‹«[17]

Diese Aussage zeigt uns das Christusförmige in Teresas Ordenskonzeption. *Colegio Christi* nannte sie ihre kleinen Klöster. Jesus und die 12, das war ihr Traum. In einer Gruppe von 13 Schwestern sollte das Miteinander und Füreinander gelebt werden, wie Jesus es im Evangelium gezeigt hat.

Die Gespräche, die Teresa mit der Kirche, mit den Theologen ihrer Zeit führte, entsprangen dem Wunsch, in Einheit mit der Kirche zu leben. Bei ähnlicher Ausgangslage boten sich Teresa und Luther verschiedene Lösungen zur Heilung desselben Problems: Wie kann ich vor Gott wahrhaftig sein, wie kann ich in Vertrauen und Liebe vor ihm leben?

Existentielle Beziehung zu Gott wurde für Teresa »stille Hingabe ohne Geräusch«. Erst aus dieser horchenden, für Gott offenen Stille konnte echte Verkündigung erwachsen. Teresa suchte die Quelle in sich, Luther erfuhr die befreiende Wirkung des Wortes. Während Luther die Grenzen der Kirche aufbrach, mahnte Teresa zur Verteidigung der bedrohten Einheit. Beide fühlten die eigene Verunsicherung, den Prozeß der Neuwerdung, beide brauchten eine Instanz, die sie schützte, die ihre Erfahrung mit Gott bestätigte: das Wort Gottes – und die konkrete Glaubensgemeinschaft.

Der Karmelorden Teresas ist auch heute zukunftsträchtig. Der Mensch in einer Leistungsgesellschaft sucht, wenn er nach Sinn, nach Gott fragt, nach Räumen, in denen er einmal abschalten, bei sich selbst sein kann, auf die Stimme seines Innern aufmerksam wird. So suchen viele Menschen im Karmel das schweigende, aufmerksame Bei-Gott-Sein. Zur Emanzipation der Frau im 16. Jahrhundert gehörte es, daß Teresa gegen den Widerstand von Theologen es durchsetzte, daß ihre Schwestern zwei Stunden am Tag meditieren durften. Man traute den Frauen damals nicht zu, daß sie selbständig und selbstverantwortlich mit sich vor Gott umgehen konnten. Heute ist es selbstverständlich, daß wir Stätten des Schweigens, der Meditation brauchen, wollen wir menschlich und religiös überleben.

Karl Rahner sagte zur Ernennung Teresas von Avila als Kirchenlehrerin:

> »Das Charisma der Lehre, und zwar gerichtet an die Kirche als solche, ist kein Privileg des Mannes. Die Vorstellung, als ob die Frau die in geistiger und religiöser Hinsicht Unbegabtere sei, wird damit verworfen. Das Studium der Theologie durch die Frau wird damit ausdrücklich anerkannt, zumal Charisma und methodisch in der Theologie geleistetes Studium nicht als Gegensätze betrachtet werden dürfen. Man sage nicht: Teresa ist eine Ausnahme. Denn alle Kirchenlehrer, auch die Männer unter ihnen, sind Ausnahmen. Und ihre Proklamation als Kirchenlehrerin zeigt ja, daß man früher keine solchen Frauen anerkannte, nicht weil es keine dieses Titels würdige Frau gab, sondern weil man diesen Titel aus Gründen nicht an Frauen vergab, die eben in der zeit- und kulturgeschichtlichen Einschätzung der Frau wurzelten. 1. Korinther 14,34 ist

> durch diese Proklamation als zeitbedingte (und innerhalb ihrer Zeit berechtigte) Norm des Apostels Paulus deutlich geworden.«[18]

Der Karmelit Pietro Barbagli, einer der von Papst Paul VI. zugezogenen Fachtheologen, bemerkt: »Die klassischen Texte des heiligen Paulus, die sich auf die Tätigkeit der Frauen in der Versammlung der Gemeinde beziehen, haben nur disziplinären und lokalen Charakter, keinen doktrinären und dogmatischen.«[19]

Wir können uns kaum mehr vorstellen, in welch repressiver Situation die Frau im Spanien des 16. Jahrhunderts lebte. Die Renaissance hatte zwar eine höhere Wertschätzung des Menschen, der Familie gebracht. Obwohl das Bildungsniveau im 16. und 17. Jahrhundert im Vergleich zum Mittelalter stark anstieg, blieb die Frau von dieser Entwicklung jedoch weitgehend ausgeschlossen. Gebildete Frauen waren die Ausnahme, wie zum Beispiel die Töchter des Thomas More oder die Schwestern des Nürnberger Humanisten Pirckheimer. An den Fürstenhöfen konnte man eine höhere Einschätzung der Frau beobachten. Durch die Praxis der Reformatoren erhielt die Ehe eine theologische Aufwertung. Die spanische Frau jedoch lebte in einem Klima der Zurückgezogenheit und Abschirmung.

> »Die Frau«, heißt es in einem zeitgenössischen Bericht, »muß in sich gekehrt sein, mit der Einsamkeit des Hauses muß sie auf der Straße sein. Indem sie wenig herumschaut und wenig spricht, wird sie meistens allein sein. Das Schilddach muß in der Öffentlichkeit geschlossen sein!«[20]

Die spanische Frau war die *perfecta casada* (Luis de León), sie war anspruchslos, bescheiden, religiös, dem Mann unterwürfig. »Für die Frau reicht es, eine Predigt zu hören und sich der Hand ihres Mannes zu unterstellen.«[21] Der Mann bedient sich der Liebkosungen der Frau, aber er mißtraut ihr (Tirso de Molina).

> »Die Frau als Mutter ist etwas, wovon man außerhalb des Hauses nicht spricht... Die Frau als Gattin und Tochter ist der Augapfel der väterlichen und brüderlichen Ehre, ängstlich behütet und im Not- oder Zweifelsfalle grausam gerächt. Der Tochter den Bräutigam zu suchen ist Aufgabe des Vaters.«[22]

Ordensreformen waren nach damaliger theologischer Sicht nicht Sache der Frauen, sondern der Männer.

Teresa von Avila durchschaute die Begrenztheit dieser männlich regierten Welt, sie litt darunter, ließ sich aber nicht einschüchtern. Als Zwanzigjährige verließ sie heimlich, gegen den Willen ihres Vaters, das Elternhaus, um in das Kloster der Menschwerdung einzutreten. Zwanzig Jahre lang lebte sie in diesem Haus zusammen mit mehr als hundert Nonnen. Teresa gehörte zu den reichen und angesehenen Schwestern. Aber dieses Leben befriedigte sie nicht. Sie blieb ohne geistliche Führung. Durch eigenes Studium entfaltete sich ihr Geist, aber sie entbehrte Menschen, die ihren Weg begleiten oder verstehen konnten.

Als Teresa unter vielen Anfeindungen, aber auch mit dem Beistand treuer Freunde ihr 1. Reform-Kloster 1562 gegründet hatte, meinte sie, genug getan zu haben. Bald erkannte sie jedoch, daß dieses Kloster nur der Anfang einer dynamischen Bewegung war, die sie auf dem Ochsenkarren durch ganz Spanien führte. Teresa gründete 17 Frauen- und zwei Männerklöster. Geistlicher Schwerpunkt ihrer Karmelklöster sollte ein intensives Gespräch mit Gott sein, das sie »inneres Beten« nannte. Ein Gespräch, nicht mit vielen Worten, sondern als Fähigkeit: beim Herrn zu sein, leidenschaftlich, bedingungslos, und jederzeit abrufbereit zu neuen Taten. Teresa wünschte für ihre Klöster eine Leitung, die von Frauen selbst getragen war. In den teresianischen Klöstern gibt es keinen Spiritual. Die Priorin und ihre Schwestern sollen das geistliche Leben des Hauses bestimmen. Ferner wünschte Teresa die freie Wahl der Beichtväter. Das war für die damaligen kirchlichen Verhältnisse recht ungewohnt.

Um ihre Klöster spirituell lebensfähig zu machen, gründete Teresa diese auf der Basis der Armut, der mönchischen Besitzlosigkeit. Alles im Leben Entbehrliche wurde weggelassen, um sich auf das eine Notwendige zu konzentrieren: Liebe zu Gott, Liebe zu den Mitschwestern, Liebe zur Kirche. Da Teresa sah, daß die Frau ihrer Zeit nicht aktiv am Leben der Kirche mitwirken konnte, feuerte sie ihre Schwestern an, »wenigstens im Gebet« unaufhörlich aktiv zu sein für die Nöte der Kirche. Sie erbat von Gott besonders fähige Theologen und gute Priester. Teresa übernahm die strenge Frauenklausur. Sinn dieser Zurückgezogenheit war nicht, wie bei der *perfecta casada* Leóns, die Ausschließung der Frau vom öffentlichen Leben. Teresa stand mit den gebildeten Theologen und Ordensmännern ihrer Zeit in Verbindung, in freundschaftlicher Beziehung. In Klausur leben hieß für sie nicht, sich an einem verborgenen Ort vor der gefährlichen Welt zu schützen. Sie war klug genug, um zu wissen, daß die Welt im negativen Sinne auch innerhalb der strengsten Klausur anwesend sein kann. Klausur war ein Raum der Freiheit für die Schwestern, der eine intensivere Gottesbegegnung ermöglichen sollte und sie zugleich der Beherrschung durch die Sippe entzog, da im 16. Jahrhundert die männlichen Familienmitglieder über die Frauen bestimmten.

Auf dem Hintergrund dieses sozialen, kirchenpolitischen Milieus verstehen wir manche Aussagen Teresas besser. »Der Herr stehe mir bei«, schreibt sie an den Bischof von Avila, »damit ich nicht etwas sage, weshalb man mich bei der Inquisition verklagen könnte«[23]. Teresas Autobiographie wurde von der Inquisition beschlagnahmt. Trotz der Sorgfalt der Inquisition, in ihren Schriften »verdächtige« Stellen zu tilgen, konnte die heutige Forschung einige zerstörte Sätze rekonstruieren. In ihrem Buch »Weg der Vollkommenheit« schreibt sie:

> »Nein, mein Schöpfer, du bist nicht undankbar, und ich bin sicher, daß du ihr (der Frauen) Flehen erhören wirst. Als du auf Erden warst, hast du die Frauen nicht verachtet, sondern sie mit großer Güte umgeben. Du hast bei ihnen mehr Liebe und einen lebendigeren Glauben gefunden als bei den Männern... Genügt es nicht, Herr, daß die Welt uns hier einpfercht?... Es ist also wahr, daß wir nichts für dich in der Öffentlichkeit tun noch der Welt ihr Unrecht vorhalten können. Du bist ein gerechter Richter und nicht wie die Richter dieser Welt, die alle Söhne Adams und daher Männer sind. Es gibt keine Tugend der Frau, die sie nicht mit Mißtrauen betrachten. Aber, mein König, es wird ein Tag kommen, an dem sie uns alle erkennen werden. Ich spreche nicht für mich. Die Welt kennt mein Elend, und ich bin zufrieden, daß sie es kennt. Wenn ich aber unsere Zeit überblicke, finde ich es durchaus nicht richtig, daß man starke und hochgemute Seelen nur deshalb verachtet, weil sie Frauen sind.«[24]

Viele, die Teresa nicht verstanden, wurden durch die Begegnung mit ihr umgestimmt oder zu ihren Freunden. Einer der großen Theologen ihrer Zeit, Bartolomé de Medina, Professor in Salamanca, hatte in einer öffentlichen Vorlesung über Teresa geäußert, sie sei »eines von jenen Weiblein, die von Ort zu Ort herumziehen und denen es besser anstünde, daß sie in ihrem Haus beteten und arbeiteten«. Nachdem er einige Zeit später Teresa persönlich kennengelernt hatte, war er von ihr so beeindruckt, daß er seine frühere Aussage öffentlich in der Vorlesung widerrief: »Meine Herren, kürzlich sagte ich an dieser Stelle einige unüberlegte Worte von einer Ordensfrau, die Klöster für unbeschuhte Nonnen gründet. Was ich gesagt habe, war schlecht und falsch. Inzwischen habe ich sie kennengelernt und bin sicher, daß sie von Gottes Geist geführt wird und auf einem sehr guten Weg geht.«[25]

Wir leben heute nicht mehr in einer Zeit, in der Manuskripte verbrannt werden, nur weil sie von Frauen geschrieben sind, in der Theologen den Frauen die Lektüre der Heiligen Schrift verbieten, wie Melchor Cano. Die Geschichte ist über solche Aussagen und Blickverengungen hinweggegangen. Aber das mangelnde Verständnis zwischen den Geschlechtern bedarf auch heute in Kirche und Gesellschaft der Aufarbeitung.

In einer ganz neuen Weise stehen Frauen und Männer heute in einem Lernprozeß. Sie erkennen, daß es nicht vorrangig um das »Mannsein oder Frausein« geht, sondern um das gemeinsame Menschsein in jedem von uns. Gott will Mensch werden in seiner Schöpfung. Teresa hat durch ihr mutiges Lebenszeugnis Frauen und Männer ihrer Zeit erreicht und sie angeregt, ihr Leben neu zu überdenken, es von falschen Ängsten und Einengungen zu befreien. Sie hatte erkannt, daß Glaubensverkündigung den ganzen Menschen betrifft, als Mann und als Frau. Teresas Kontemplation war nicht passiv oder regressiv, sondern wagemutig, unternehmend, liebend und hörend. Ihre bedeutendsten Mitarbeiterinnen, Ana de Jesús und Ana de San Bartolomé, gründeten in Frankreich und den Niederlanden neue Zellen des Gebetes. Teresa hat in der Kirche ein Gespräch eröffnet, das heute noch nicht abgeschlossen ist. Sie und viele andere Frauen haben gezeigt, daß Gründung, Leitung und Reform eines Ordens, daß Sachgebiete und Dienstleistungen in Kirche und Gesellschaft von Männern und Frauen in gleicher Weise wahrgenommen werden können.

Am 4. Oktober 1582 starb Teresa, von ihrem Engagement für die Kirche erschöpft, auf einer ihrer Gründungsreisen in Alba de Tormes. Sie war 67 Jahre alt.

Anmerkungen

1 *J. Hemleben*, Teilhard de Chardin, Reinbek bei Hamburg 1969, 49.
2 Teresa von Avila, in: *W. Herbstrith*, Vor Gottes Angesicht, Beten mit Teresa von Avila, München 1981, 92.
3 Ebd., 93.
4 Ebd., 98.
5 Ebd., 82.
6 Ebd., 50.
7 *A. Auer*, Die Seelenburg der hl. Teresa von Avila – ein Modell heutiger Spiritualität?, in: *W. Herbstrith* (Hrsg.), Gott allein, Teresa von Avila heute, Freiburg 1982, 94.
8 Ebd., 98.
9 *W. Herbstrith*, Teresa von Avila, die erste Kirchenlehrerin, München [4]1981, 104.
10 Teresa von Avila, Leben, München [2]1952, 475.
11 Ebd., 130.
12 Vor Gottes Angesicht, 21.
13 Die erste Kirchenlehrerin, 136.
14 Teresa von Avila, Weg der Vollkommenheit, München 1941, 187.
15 Die erste Kirchenlehrerin, 140.
16 Teresa von Avila, Das Buch der Klosterstiftungen, München [2]1980, 387/88.
17 Ebd., 367.
18 *K. Rahner*, in: Die erste Kirchenlehrerin, 105.
19 Ebd., 105.
20 *U. Dobhan*, Gott – Mensch – Welt in der Sicht Teresas von Avila, Frankfurt/Bern 1978, 49.
21 Ebd., 53.
22 Ebd., 52.
23 Das Buch der Klosterstiftungen, 321.
24 Die erste Kirchenlehrerin, 106.
25 Ebd., 107.

Literatur

W. Herbstrith (Hrsg.), Gott allein. Teresa von Avila heute, Freibrug 1982.
W. Herbstrith, Teresa von Avila, Martin Luther. Große Gestalten kirchlicher Reform, München 1983.
H. Waldenfels/J. Jäger (Hrsg.), Kirche in der Großstadt, Festgabe für Carl Klinkhammer zum 80. Geburtstag, Düsseldorf 1983.

Die Autorinnen und Autoren dieses Buches

GIULIA BARONE (* 1947 in Mailand) Promotion 1970 mit der Dissertation »Frate Elia nelle fonti del XIII secolo«. Seit 1983 Professorin für Antichità Medievali an der Universität Rom. Veröffentlichungen: La legislazione sugli ›Studia‹ di Predicatori e Minori (zur Geschichte der Bettelorden), in: Le scuole degli Ordini Mendicanti, Todi 1978; Federico II di Svevia e gli Ordini Mendicanti, in: Mélanges de l'Ecole Française de Rome 90 (1978); Les épitomés dominicains de la vie de Saint Wenceslas (hagiographische Arbeit über den hl. Wenzel), in: Faire croire, Rome 1981; L'immagine di S. Francesca Romana nei processi di canonizzazione e nella »Vita« in volgare, in : Una santa tutta romana, Monte Oliveto Maggiore 1984.

PETER DINZELBACHER (* 1948 in Linz) Studium von Geschichte, Latein, Volkskunde und Kunstgeschichte in Graz und Wien. Nach der Promotion 1973 Assistent am Historischen Institut der Universität Stuttgart, dort 1978 Habilitation. Arbeitsschwerpunkte: Mittelalterliche Religiosität in ihren schriftlichen und bildlichen Manifestationen. Veröffentlichungen u. a.: Die Jenseitsbrücke im Mittelalter (1973), Judastraditionen (1977), Vision und Visionsliteratur im Mittelalter (1981). Herausgeber des Sammelbandes »Frauenmystik im Mittelalter« (1985), der Reihe »Phänomene der Geschichte« im Kreuz Verlag (ab 1988), der Zeitschrift »Mediävistik« und der Nachschlagewerke »Sachwörterbuch der Mediävistik« (im Erscheinen) und »Wörterbuch der Mystik« (in Vorbereitung).

KAREN GLENTE (* 1936) Von 1971 bis 1984 Studienrätin. 1984 Promotion mit einer Dissertation über Hellige Kvinder. Om kvindebillede og kvindebevidsthed i middelalderen, Københavns Universitet. Seither freie Forschung in den Gebieten Lateinisches Mittelalter, Religionswissenschaft und Literaturwissenschaft. Veröffentlichungen 1982 über den Prozeß gegen Beatrice de Lagleize anhand der Inquisitionsakten des Languedoc im Institut für Religionssoziologie an der Universität Kopenhagen, in deutscher Sprache: Mystikerinnenviten aus weiblicher und männlicher Sicht. Ein Vergleich zwischen Thomas von Cantimpré und Katharina von Unterlinden, in: P. Dinzelbacher/D. R. Bauer (Hrsg.), Religiöse Frauenbewegung und mystische Frömmigkeit im Mittelalter, Köln 1988.

WALTRAUD HERBSTRITH (* 1929 in Achern/Baden) Studium der Germanistik und Neuphilologie an den Universitäten Würzburg, Heidelberg und Freiburg. 1953 Eintritt in den Kölner Karmel (Sr. Teresia a Matre Dei OCD). 1962 Mitarbeit am Edith-Stein-Archiv. Seit 1963 publizistisch tätig. Seit 1964 in der Ausbildung des Ordensnachwuchses. 1978 Mitbegründerin des Edith-Stein-Karmel in Tübingen. Mitarbeit an verschiedenen Zeitschriften, Verlagen und Rundfunkanstalten. Herausgeberin von Reihen zur Spiritualität des Karmel und Fragen der Meditation. Schwerpunkte: Teresa von Avila, Edith Stein, Therese von Lisieux, Johannes vom Kreuz. Zahlreiche Veröffentlichungen.

JÖRG JUNGMAYR (* 1948) Studium der Germanistik und Geschichte in Tübingen und Berlin. Wissenschaftlicher Angestellter an der Forschungsstelle für Mittlere Deutsche Literatur der Freien Universität Berlin. Redakteur des Lexikons »Die Deutsche Literatur. Reihe II: Die Deutsche Literatur zwischen 1450 und 1620«. Neben lexikalischen Beiträgen (Artikel, Bibliographien) Untersuchungen zu Caterina von Siena. Veröffentlichungen zum Frauenbild in der Literatur des 16. Jahrhunderts. Beitrag: Caterina von Siena. Mystische Erkenntnis und politischer Auftrag in den Traditionen der mittelalterlichen Laienbewegung, in: M. Schmidt/D. R. Bauer (Hrsg.), Eine Höhe, über die nichts geht, Stuttgart/Bad Cannstatt 1986.

ULRICH KÖPF (* 1941 in Stuttgart) Studium der Evangelischen Theologie und Klassischen Philologie in Tübingen. Promotion zum Dr. theol. 1974 in Zürich. 1978 Habilitation in München. 1981 Professor für Kirchengeschichte in München. 1986 Ordinarius für Kirchengeschichte und Direktor des Instituts für Spätmittelalter und Reformation in Tübingen. Veröffentlichungen: Die Anfänge der theologischen Wissenschaftstheorie (1974); Religiöse Erfahrung in der Theologie Bernhards von Clairvaux (1980). Weitere Arbeiten zur Frömmigkeits- und Theologiegeschichte, zu Grundfragen der Kirchengeschichte und zur historischen Geographie des Christentums.

JOHANNA LANCZKOWSKI (* 1931) Studium der Theologie, Philosophie und Kunstgeschichte in Jena. Diplom in Theologie 1957. Verheiratet mit Professor Dr. Günter Lanczkowski. Schwerpunkte: Frühes und Hohes Mittelalter, germanische Religion und Christentum. Veröffentlichungen: Die Entstehung des Christus- und Buddhabildes, in: Kairos 7 (1965) 4, 296ff.; Gertrud die Große von Helfta. Mystik des Gehorsams, in: P. Dinzelbacher/D.R. Bauer (Hrsg.), Religiöse Frauenbewegung und mystische Frömmigkeit im Mittelalter, Köln 1988; Einige Überlegungen zu Mechthilde von Magdeburg, Mechthilde von Hackeborn und Gertrud die Große von Helfta, in: Erbe und Auftrag 63 (1987) 6, 424ff.; Erhebe Dich, meine Seele. Texte deutscher Mystik, Stuttgart 1988; Neuübersetzung des »Legatus divinae pietatis« von Gertrud der Großen, Heidelberg 1988. Mitarbeit an verschiedenen Lexika und Sachwörterbüchern.

ROLAND MAISONNEUVE (* 1926) Doktor der Literatur- und Humanwissenschaften der Sorbonne, Paris. Präsident der Association Internationale I. R. I. S. (Interdisciplinary Research in Imagery and Sight), Lyon. Veröffentlichungen: The Visionary Universe of Julian of Norwich, in: The Medieval Mystical Tradition in England, University of Exeter 1980, 86–98; Margery Kempe and the Eastern and Western Tradition of the Perfect Fool, in: The Mystical Tradition in England II, University of Exeter 1982, 1–17; Le Langage Mystique et son interprétation, in: Spiritualität heute und gestern, Universität Salzburg, Band I, 1982, 96–114; L'Univers visionnnaire de Julian of Norwich, Paris 1987 (358 S.); Les visions mystiques de Béatrice d'Ornacieux, in: Kartäuserliturgie und Kartäuserschrifttum, Band I, Universität Salzburg, 1988, 53–68.

TORE S. NYBERG (* 1931) Studium der Geschichte an den Universitäten Uppsala und Lund, theologischer Disziplinen in München 1965 bis 1969. 1956 bis 1964 ausländische Forschungsaufenthalte und -reisen für die Dissertation über Birgittinische Klostergründungen des Mittelalters (1965). Edition birgittinischer Urkunden aus Bayern 1972 bis 1974. Seit 1970 im Historischen Institut der Universität Odense für das Mittelalter zuständig. Habilitation 1981 für mittelalterliche Geschichte an der Universität Augsburg über »Die Kirche in Skandinavien« (1986). Zahlreiche Veröffentlichungen zur Geschichte des Birgittenordens, des Ostseeraumes und der Christianisierung Skandinaviens, auch zur Geschichte des Papsttums und Skandinaviens bis 1200 (1979).

PETER OCHSENBEIN (* 1940) Promotion 1969 an der Universität Basel in den Fächern Germanistik, Latein und Geschichte mit einer Dissertation über einen mittellateinischen Dichter des 12. Jahrhunderts. 1969 bis 1974 Assistent am Deutschen Seminar in Basel. 1974 Gastlektor an der University of Western Australia in Perth. 1975 bis 1980 Veröffentlichung mehrerer Studien zur spätmittelalterlichen Frömmigkeitsgeschichte in der Eidgenossenschaft im Auftrag des Schweizerischen Nationalfonds. Seit 1981 Direktor der Stiftsbibliothek St. Gallen. Habilitation 1987 an der Universität Basel mit einer Monographie über »Das Große Gebet der Eidgenossen«.

INGRID RIEDEL (* 1935) Dr. Dr. 1970 bis 1984 Studienleiterin an der Evangelischen Akademie Hofgeismar. Heute Theologin und Psychotherapeutin in eigener Praxis in Konstanz. Lehraufträge am C. G. Jung-Institut in Zürich sowie an der Universität in Frankfurt. Veröffentlichungen im Kreuz Verlag u. a. Farben (1983), Formen (1985) und Bilder (1988) in der Reihe »Symbole«.

SIEGFRIED RINGLER (* 1943 in Würzburg) Studium von Germanistik, Volkskunde, Latein und Geschichte in Würzburg, Freiburg, München. Forschungsarbeiten zur Legendenliteratur und zur Mystik. Seit 1973 Gymnasiallehrer in Essen. Veröffentlichungen: Zur Gattung Legende, in: Würzburger Prosastudien, Band II, FS für K. Ruh, hrsg. von P. Kesting, München 1975; Artikel zu Personen und Werken der spätmittelalterlichen Mystik in Frauenklöstern im Verfasserlexikon; Dictionnaire de Spiritualité; weitere Publikationen siehe Artikel zu Christine Ebner.

MARGOT SCHMIDT Studium der Germanistik, Philosophie, Englisch und Französisch in Freiburg. Promotion 1952 über Mechthild von Magdeburg. Drei Jahre Studium der Syrologie in München und Forschungsarbeit über den Einfluß Ephräms des Syrers auf das Abendland. Publikationen, Editionen und Übersetzungen auf dem Gebiet der mittelalterlichen Mystik und ihrer Verflechtung mit der Vätertheologie. Wissenschaftliche Assistentin am Lehrstuhl für Dogmatik an der Universität Regensburg. Dort Mitarbeit am Forschungsvorhaben für Askese und Mystik des Mittelalters. Seit 1979 Fortsetzung und Leitung dieses Forschungsprojekts an der Theologischen Fakultät der Universität Eichstätt. Veröffentlichungen u. a.: Eine Höhe, über die nichts geht. (Herausgabe zusammen mit D. R. Bauer), Stuttgart 1986; Grundfragen christlicher Mystik. Theologia mystica, Stuttgart 1987; Frau Pein, ihr seid mein nächstes Kleid. Zur Leidensmystik im »Fließenden Licht der Gottheit« der Mechthild von Magdeburg, in: G. Fuchs (Hrsg.), Die dunkle Nacht der Sinne. Leidenserfahrung in der Mystik, Stuttgart 1988; Mechthild von Magdeburg, »Ich tanze, wenn du mich führst«. Ein Höhepunkt deutscher Mystik, Freiburg 1988.

ELISABETH SCHRAUT (* 1955) Studium der Geschichte und Germanistik an den Universitäten Konstanz und Wien. 1980 Magister Artium. 1981 bis 1986 Wissenschaftliche Angestellte am Braunschweigischen Landesmuseum. Seit 1987 Wissenschaftliche Angestellte am Hällisch-Fränkischen Museum Schwäbisch Hall. Veröffentlichungen u. a.: Frauen und Kunst im Mittelalter. Braunschweig 1983 (zusammen mit C. Opitz); Stifterinnen und Künstlerinnen im mittelalterlichen Nürnberg, Nürnberg 1987; Dorothea von Montau. Wahrnehmungsweisen von Kindheit und Eheleben einer spätmittelalterlichen Heiligen, in: D. Bauer/P. Dinzelbacher (Hrsg.), Religiöse Frauenbewegung und mystische Frömmigkeit im Mittelalter, Köln 1988; Herausgeberin (zusammen mit C. Meckseper): Die Stadt in der Literatur, Göttingen 1983; Mentalität und Alltag im Spätmittelalter, Göttingen 1985. Arbeitsschwerpunkt: Geschichte der Comburg vom Mittelalter bis ins 20. Jahrhundert.

Franz-Josef Schweitzer (* 1949 in Düsseldorf) Studium in Köln, Mainz und Düsseldorf, Germanistik und Philosophie. Seit 1971 Beschäftigung mit der mittelalterlichen Mystik und Häresiegeschichte. Promotion 1980. Seit 1981 Forschungsarbeit über einen niederländischen Text der Mystik. Seit 1983 Assistent an der Katholischen Universität Eichstätt. Veröffentlichungen u. a.: Der Freiheitsbegriff der deutschen Mystik, Frankfurt/Berlin 1981; Von Marguerite von Porète bis Mme. Gyon. Frauenmystik im Konflikt mit der Kirche, in: P. Dinzelbacher/D. R. Bauer (Hrsg.), Frauenmystik im Mittelalter, Stuttgart 1985; Die ethische Wirkung Meister Eckharts zwischen Laienfrömmigkeit und Häresie, besonders in den Niederlanden, in: K. Ruh (Hrsg.), Abendländische Mystik des Mittelalters, Stuttgart 1986.

Johannes Thiele (* 1954 in Paderborn) Studium der Katholischen Theologie, Germanistik und Psychologie an der Universität Paderborn. 1982 bis 1983 Wissenschaftlicher Mitarbeiter und Redakteur des Neuen Handbuchs theologischer Grundbegriffe, anschließend bis 1987 des Handbuchs der Bibelarbeit. 1984 bis 1985 Cheflektor Theologie beim Benziger Verlag Zürich. Seit 1986 Lektor im Kreuz Verlag Stuttgart. Zahlreiche Aufsätze und Beiträge, 15 Buchveröffentlichungen, zuletzt: Die Erotik Gottes. Menschen werden wir nur als Liebende, Stuttgart 1988 (mit einem Kapitel zur erotischen Mystik des Mittelalters); Leib und Liebe. Die Leidenserfahrung des Heinrich Seuse – ein Kapitel mystische Psychographie, in: G. Fuchs (Hrsg.), Die dunkle Nacht der Sinne. Leidenserfahrung in der Mystik, Stuttgart 1989. Forschungsschwerpunkte: Sozial- und Mentalitätsgeschichte der mittelalterlichen Mystik, Literatur und Theologie.

Manfred Weitlauff (* 1936 in Augsburg) Studium der Theologie an der Universität München. 1963 Priesterweihe und pastoraler Dienst im Bistum Augsburg. 1967 Wissenschaftlicher Assistent an der Universität München. 1970 Promotion zum Dr. theol. 1977 Habilitation für das Fach Kirchengeschichte und Universitätsdozent. 1981 Ordinarius für Kirchengeschichte an der Theologischen Fakultät Luzern. 1986 Ordinarius für Bayerische Kirchengeschichte an der Universität München. Forschungsschwerpunkte: Reichskirchengeschichte des 16. bis 18. Jahrhunderts, Theologiegeschichte des 16. bis 20. Jahrhunderts, Hagiographie des Mittelalters. Veröffentlichungen: Kardinal Johann Theodor von Bayern. Ein Bischofsleben im Schatten der kurbayerischen Reichskirchenpolitik, Regensburg 1970; Die Reichskirchenpolitik des Hauses Bayern unter Kurfürst Max Emanuel, St. Ottilien 1985; zahlreiche Beiträge in wissenschaftlichen Zeitschriften, Sammelwerken und Lexika.

FRANK WILLAERT (* 1952) Studium der Niederlandistik in Löwen und Mediävistik in Poitiers. 1974 bis 1982 Assistent in Löwen. 1982 bis 1984 Mitarbeiter am Woordenboek der Nederlandsche Taal (Leiden). Seit 1984 Dozent für ältere niederländische Literatur an der Universiteit Antwerpen. Schwerpunkte der Forschung: Mittelniederländische höfische Lyrik und Frauenmystik. Veröffentlichung u. a.: De poëtica van Hadewijch in de Strofische Gedichten (1984).

JOHANNES THIELE

Die Erotik Gottes

Menschen werden wir nur als Liebende

196 Seiten, kartoniert · ISBN 3 7831 0916 7

»Religion und Erotik – ein wildes, doch unzertrennliches Paar« – diesen Satz des Berner Pfarrers Kurt Marti nimmt Johannes Thiele als Ausgangspunkt seiner Überlegungen, Sexualität und Christentum miteinander zu versöhnen. Die hier entworfene Theologie will offen sein für die Erotik als Communio, für ein kräftiges, nachhaltiges Ja zur Mystik des Eros, zum Leib, zur schwesterlichen Erde. Sie will die erotische Nähe Gottes als Einladung zur Solidarität, zur erotisch inspirierten Lebensgemeinschaft in Intimität und Politik zum Ausdruck bringen.

DOROTHEE SÖLLE

lieben und arbeiten

Eine Theologie der Schöpfung

192 Seiten, kartoniert · ISBN 3 7831 0791 1

Dorothee Sölle entfaltet ein neues Verständnis von Liebe und Arbeit, von Gott und Schöpfung, das aus Resignation und Vereinsamung herausführt und zu einem ganzheitlichen Glauben ermutigt, der ungeahnte Kräfte freisetzt. Dabei versteht Dorothee Sölle Liebe und Arbeit in einem umfassenden und ganzheitlichen Sinn, der den Menschen zur Entfaltung aller seiner schöpferischen Kräfte befreit, ihn für die Erhaltung und Bewahrung der geschaffenen Welt eintreten läßt und ihn dazu ermutigt, sich für Frieden und Gerechtigkeit in allen Bereichen des Lebens einzusetzen. »Dieser arbeits- und liebesfähig gewordene Mensch«, so schreibt sie, »entspricht dem Schöpfer; ihn trägt die gleiche Kraft.«

Kreuz Verlag